АЗБУКА
КЛАССИ

Святочные истории

АЗБУКА

Санкт-Петербург

2012

УДК 882
ББК 84(2Рос-Рус)1
С 25

Составление и примечания А. С. Бессоновой

Оформление обложки В. А. Гореликова

ISBN 978-5-389-02475-5

В. И. Панаев

ПРИКЛЮЧЕНИЕ В МАСКАРАДЕ

(Истинное происшествие)

По мертвом как ни плачь, а он уже не встанет,
И всякая вдова
Поплачет месяц, много два,
А там и плакать перестанет.

Так сказано на счет женщин в одной из лучших басен г. Измайлова; но эту иронию, кажется, справедливее было бы отнести к нашему полу. Есть много женщин (и очень мало мужчин), для которых потеря любезного человека бывает незабвенною во все продолжение жизни, делает их несчастными в высочайшей степени и нередко доводит до гроба. Мужчина уже по самому образу жизни, по его гражданским обязанностям, разнообразию занятий, склонности к предприятиям всякого рода имеет тысячу средств к рассеянию, между тем как женщина, ограниченная в деятельности и цели своей жизни — более домашней, нежели публичной, — одаренная от природы сильною чувствительностью, живым и пылким воображением, выпивает до дна горькую чашу постигающих ее злоключений. Если ж иногда случается противное, если женщина, например, равнодушно переносит вечную разлуку с человеком, который, по-видимому, был для нее драгоценен, то одно приличие, сей неусыпный блюститель правил общежития и нередко надежный сподвижник самой нравственности, заставляет ее, по крайней мере, *казаться* огорченною, и сия необходимость (от которой мужчины вовсе почти освобождаются) бывает столь великая, что никакая вдова, легко забывающая потерю мужа, явно предающаяся шумным удовольствиям света, не избегнет строгого осуждения. Об ней не много скажут хорошего даже и те, для которых ее общество, ее любезность доставляют столько приятных минут; а избави Бог, если она молода и прекрасна, — тогда завистливые соперницы не пощадят ее нисколько.

Так точно случилось с Евгениею. Она имела достойного супруга, любила его, как говорили все, до безумия, была неутешною, когда жестокая чахотка похитила его из ее объятий; но по прошествии полугода,

Увидя в зеркале, что траур ей к лицу,

снова получила привязанность к жизни, которую начинала ненавидеть. «Я еще молода, — говорила она, помышляя о будущем, — не дурна собою; довольно богата; имею одного только сына — к чему же безвременно губить себя печалию о потере невозвратимой, добровольно отказываться от благополучия, на которое имею столько права? И оскорбится ли память моего супруга тем, что я хочу быть счастливою? Не сам ли он, умирая, просил меня поберечь себя для ребенка?»

Такие рассуждения вскоре подкреплены были советами некоторых приятельниц. Евгения иногда возражала, но всегда слушала их с тайным внутренним удовольствием: ей приятно было находить людей, которые в этом случае думали с нею одинаково.

По окончании траура — это было весною, притом в Петербурге — она переехала на дачу и радовалась, что удаление из города, освобождая ее на некоторое время от визитов, приятным образом продолжит искус ее, поможет ей в полной мере сохранить законы приличия. Но живописное местоположение дачи, близость оной к публичному гульбищу, прекрасная погода во все продолжение лета привлекали к Евгении, нарочно и мимоездом, множество знакомых. Сначала старались развлечь Евгению разными невинными забавами: играли в кружок, в веревочку; потом, в день ее именин, вздумали потанцевать. Сначала прогуливались только в роще, окружавшей мызу; потом уговорили Евгению ехать на Крестовский; спустя месяц — на известный великолепный праздник в Петергоф, а, наконец, по возвращении в город, стали приглашать ее в театр, на балы, на ужины, — словом, молодая вдова предалась совершенному рассеянию. Я не похвалю Евгении, но, впрочем, могла ли она не заметить, что красота ее — первый источник суетности женщин — обращала на нее общее внимание? Торжество женщин иногда стоит им очень дорого. Между тем как Евгения, пленяя всех мужчин любезностию своею и красотою, оживляя присутствием своим вечерние собрания, не видала, в чаду удовольствий, ничего предосудительного в своем поведении, коварная зависть следила ее на каждом шаге. Евгению скоро начали называть расточительною, ветреною, кокеткою, и — долго ли очернить имя молодой, прекрасной вдовы? — говорили даже, что она имеет подозрительные связи. Первое заключение было действительно справедливо: успехи ласкательства вскружили ей голову, — она жила совершенно для света, вовсе не думала о хозяйстве, редко заглядывала в колыбель сына и оправдывала себя тем, что он был еще слишком мал для ее попечений.

Муж Евгении имел друга, человека строгих, но честных правил. Ему в особенности не нравился новый образ ее жизни; а дурные на счет оного толки, оскорбляя честь покойного, огорчали его чрезвычайно. Он намекнул о невыгодах такого рассеяния, она отвечала холодною улыбкою; он советовал перемениться, она покраснела и с досадою перервала разговор; он повторил то же в другой, в третий, в четвертый раз — она рассердилась и просила избавить ее от скучных поучений. Нечего делать, доброжелательный друг увидел себя принужденным оставить дом, который привык столько почитать. Дела скоро вызвали его из Петербурга, и Евгения, узнав, что он поехал надолго, очень обрадовалась сей вести: его присутствие как будто связывало ей руки; теперь она могла свободно предаться склонности своей к рассеянию.

Прошел, может быть, год после отъезда Вельского. Евгения, продолжая веселиться и, от часу более, терять доброе свое имя, собралась однажды, на Святках, в публичный маскарад[1], где, при помощи великолепного наряда в восточном вкусе, надеялась пожать новые лавры на счет своих соперниц. В самом деле, костюм турчанки был ей чрезвычайно к лицу. Самые женщины не могли не признаться, что Евгения прелестна в этом наряде, а мужчины почти вслух ахали от восхищения. Торжествующая красавица была в самом лучшем, в самом веселом расположении духа, танцевала, говорила много остроумного, заводила речь с каждою *интересною* маскою. Но более всех привлек

---

[1] Всякому известно, что лет за тридцать назад наши публичные маскарады были совсем не то, что они теперь. (*Прим. автора.*)

на себя ее внимание осанистый турка в богатом уборе. Его поклон и сходство в костюме подали Евгении повод думать, что это кто-нибудь из ее знакомых. Желая удостовериться, она преступила к нему с вопросами. Турка отвечал хотя отрывисто и холодно, но так умно, так выразительно, что Евгения занялась им совершенно. Нечувствительно вышли они из залы и очутились в отдаленной комнате дома, куда едва доходил отголосок музыки и где не было никого, кроме двух немцев, дремавших за стаканами пунша.

— Так вы находите, что я сего дня некстати весела, некстати одета с таким великолепием? — говорила Евгения, остановясь у зеркала и с улыбкою посматривая на маску.

Маска (*маскарадным голосом*). Думаю, что некстати. Вспомните, какой ныне день.

Евгения. Пятница. А, понимаю: постный день! не правда ли? Ха-ха-ха!

Маска. Некогда это был день рождения вашего супруга.

Евгения (*смутившись*). Ах! точно так... я совсем забыла... Но почему вы это знаете? Для чего вздумали огорчать меня таким напоминанием?

Маска. За несколько лет назад мне случилось проводить у вас этот день с большим удовольствием. Тогда вы, конечно, могли наряжаться и веселиться, а теперь этот день, кажется, приличнее было бы посвятить горестному воспоминанию о вашем супруге.

Евгения (*покраснев*). Вы говорите правду; но тон ваш становится слишком дерзким, и я не усомнилась бы назвать вас Вельским, если бы он был теперь в Петербурге. Скажите мне, кто вы?

М а с к а. Не любопытствуйте: вы будете раскаиваться. Лучше старайтесь более дорожить добрыми советами друзей и памятью вашего супруга.

Е в г е н и я. Но вы, сударь, не перестаете докучать мне. Что за наставления и по какому праву? (*Язвительно.*) Уж не посланник ли вы с того света?

М а с к а (*переменив голос*). Может быть, и так. Ваш образ жизни, дурные толки, которым себя подвергаете, тревожат прах вашего супруга. Станется, что дух его, незримо носящийся над вами, уже готовится к отмщению. Этому примеры бывали не в одних сказках. Понимаете ли меня?

Е в г е н и я. Боже мой! Звуки вашего голоса становятся мне знакомыми, похожими на... Вы меня ужасаете! Кто вы?

М а с к а. Наконец ты узнаешь меня, несчастная! Я вызван тобою из гроба, я пришел наказать тебя! Взгляни!

Незнакомец приподнял маску, и Евгения без чувств упала на пол.

Полусонные немцы, встревоженные ее падением, вскочили с кресел, закричали и едва приметили, как турка мелькнул в двери.

На шум и крик их вбежали многие из соседней комнаты; вскоре собрались туда знакомые Евгении; между ними, по счастию, случился доктор, с ланцетом в кармане. Евгении пустили кровь. Она мало-помалу пришла в себя и в несвязных словах объяснила приключение. Сказала, что в образе турки являлся к ней муж ее, что она слышала его голос, видела под маскою мертвую голову. Все поражены были ужасом, молча посматривали друг на друга, оглядывались на двери. Некоторые даже уверяли, что турка, попавшийся им в зале, вдруг исчез, отбежав несколько шагов; но швейцар и целая прихожая утвердили, что он сошел по лестнице, а полицейский чиновник видел, что он сел у подъезда в парную карету.

Евгению осторожно увезли из маскарада. За нею все начали разъезжаться. Возвратившись домой, каждый по-своему толковал о случившемся. Полиция между тем не дремала: приняты всевозможные меры и на другой день отыскан извозчик, который возил турку. При допросе он показал следующее.

«Вчера в шесть часов вечера стоял я с каретою на своей бирже. Вдруг подходит ко мне какой-то человек, которого лица за темнотою не мог я рассмотреть, и говорит: „Извозчик! хочешь ли сего дня заработать сто рублей?" — „Как не хотеть, барин; да ты шутишь: этого и в три дни не выездишь". — „Скажи прежде, боишься ли ты мертвецов?" — „Чего, сударь, их бояться: это все старушечьи бредни". — „Ну, если не боишься, так приезжай же через два часа на Волковское кладбище и свези в маскарад, а потом опять на кладбище того, кто выйдет к тебе из ограды". — „Ох, барин, это что-то страшно, нынче Святки". — „Не хочешь, так я пойду искать другого". Он уже пошел прочь, — продолжал извозчик, — как я, подумав немного, закричал ему: „Так и быть, сударь, извольте!" — „Хорошо, — сказал он, воротившись, — вот тебе двадцать пять рублей задатку; остальные получишь после; да, смотри, никому о том не сказывай до завтрева; а там как хочешь". Он ушел. В восемь часов, выпив добрый стакан вина, я приехал на кладбище. Дорогою распевал-таки песни; но тут, нечего таиться, вдруг сделалось мне очень страшно; и хотя ночь была претемная, но я сидел на козлах зажмуря глаза. Минут через пятнадцать в ограде послышался скрып от походки по мерзлому снегу, волосы у меня стали дыбом; мало этого, что глаза были зажмурены, я закрыл их рукою. Скрып ближе и ближе; наконец кто-то подошел к карете, отворил дверцы, сел. Я ударил по лошадям — и чрез полчаса был уже у маскарада. На этот раз, из любопытства, я решился сам отворить дверцы и увидел, что из кареты вышел человек, в турецком платье, с маскою на лице. Тут мне стало полегче; но сделалось еще страшнее, когда я повез его обратно на кладбище, — может быть, потому, что тогда было уже близко полуночи. Выходя из кареты, мертвец подал мне остальные деньги (которые сегодня же окроплю святою водою) и ушел в ограду, а я как сумасшедший поскакал в город».

Показание извозчика судили двояким образом: одни верили от чистого сердца, что замаскированный был действительно мертвец, и ссылались на множество подобных приключений; другие приписывали это шалости какого-нибудь проказника. Но кому и зачем пришла бы в голову такая странная шутка? Полиция, при всех своих стараниях, не сделала на этот счет никакого открытия.

Благоразумные люди старались скрыть от больной, испуганной Евгении рассказы извозчика, но услужливые старушки не утерпели — проболтались, и это известие стоило ей жестокой горячки. Искусство медика и здоровое сложение спасли Евгению от смерти. Но приключение в маскараде сделало на нее сильное впечатление: по выздоровлении она совершенно переменилась. Наряды, балы, веселости были ею забыты. Евгения стыдилась прежнего образа своих мыслей; обратила к малютке-сыну всю горячность матери; почти никуда не выезжала, кроме церкви; усердно молилась; нередко посещала могилу супруга; проливала над нею слезы раскаяния и всякий раз возвращалась оттуда с каким-то утешением, с каким-то миром душевным. Добрые люди радовались такой перемене.

Спустя некоторое время Вельский возвратился в Петербург. Евгения, узнав о том, послала просить его к себе.

— Добрый друг! — сказала она, когда Вельский вошел к ней. — Простите меня, забудьте нашу ссору. Я дорого заплатила за то, что пренебрегла вашими советами; но теперь я почту их законами моего поведения и надеюсь сделаться достойною вашей дружбы.

— Благодарю вас, сударыня, — отвечал Вельский, — я уже слышал об этой счастливой перемене. Вы, конечно, сами видите разницу и радуетесь тому в душе своей.

— Я была бы очень довольна собою, если б могла возвратить прежнее спокойствие. Воспоминание...

— Понимаю: вас тревожит воспоминание о случившемся в маскараде; но я принес вам желаемое спокойствие. Не знаю только, будете ли вы благодарить меня?

— Объяснитесь.

— Турка, с мертвою головою, который причинил вам столько вреда и пользы, был отнюдь не призрак, не грозная, мстительная тень вашего покойного супруга, а — я.

— Возможно ли? Каким образом?

— Слушайте. Дела, отозвавшие меня в Москву, потребовали однажды тайного моего на короткое время пребывания в Петербурге. Я приехал под чужим именем. Это случилось дни за два до маскарада. Один общий наш приятель рассказал мне, что вы, продолжая жертвовать собою суетности, намерены в этот раз удивить всех великолепием своим и красотою. Я вспомнил, что это был день рождения покойного моего друга, и, уважая память его, любя, почитая вас, решился воспользоваться случаем испытать последнее средство к вашему исправлению. Приятель мой свято обещал хранить тайну. Под обыкновенную маску надел я другую, которая изображала мертвую голову и которую сделали мы сами; а чтобы выдумка моя произвела на вас и на публику большее впечатление, я поехал в маскарад с кладбища. Вы не могли узнать меня по голосу, который маскированные обыкновенно изменяют. Я хотел, и успел, обратить на себя ваше внимание, умышленно завел вас в отдаленную комнату, умышленно напомнил о дне рождения вашего супруга и когда приметил, что это напоминание произвело желаемое над вами действие, то начал по возможности подражать голосу покойного. Ваше мечтательное воображение спешило мне на помощь. Признаюсь, сударыня, предвидя опасные следствия решительной минуты, я начинал уже раскаиваться в смелом и, может быть, неблагоразумном моем намерении; не хотел снимать маски; но язвительные слова ваши: *уж не посланник ли вы с того света?* — вывели меня из терпения. Остальное вам известно. В ту же ночь я выехал из Петербурга.

— Ах, Вельский! Вы поступили со мною жестоко; но я не только прощаю — я сердечно благодарю вас. Кто знает, до чего бы наконец довела меня суетность? Да и что иное могло бы вразумить меня, исправить? Для излечения сильной болезни должно, говорят, употреблять и сильные средства.

Догадливые читатели, которые, может быть, с средины повести моей видели уже конец ее (что делать? Ведь это происшествие не моя выдумка), верно, скажут с улыбкою: «Нечего и дочитывать: Вельский женился на Евгении». Совсем нет, милостивые государи, не хочу вас обманывать: он остался только ее другом и имел утешение видеть, что Евгения, снискав истинное счастие в скромной, умеренной жизни, в исполнении обязанностей матери и христианки, слыла примерною женщиною.

А. А. Бестужев-Марлинский
СТРАШНОЕ ГАДАНЬЕ

Посвящается
Петру Степановичу Лутковскому

> Давно уже строптивые умы
> Отринули возможность духа тьмы;
> Но к чудному всегда наклонным сердцем,
> Друзья мои, кто не был духоверцем?..

...Я был тогда влюблен, влюблен до безумия. О, как обманывались те, которые, глядя на мою насмешливую улыбку, на мои рассеянные взоры, на мою небрежность речей в кругу красавиц, считали меня равнодушным и хладнокровным. Не ведали они, что глубокие чувства редко проявляются именно потому, что они глубоки; но, если б они могли заглянуть в мою душу и, увидя, понять ее, они бы ужаснулись! Все, о чем так любят болтать поэты, чем так легкомысленно играют женщины, в чем так стараются притворяться любовники, во мне кипело, как растопленная медь, над которою и самые пары́, не находя истока, зажигались пламенем. Но мне всегда были смешны до жалости приторные вздыхатели со своими пряничными сердцами; мне были жалки до презрения записные волокиты со своим зимним восторгом, своими заученными изъяснениями, и попасть в число их для меня казалось страшнее всего на свете.

Нет, не таков был я; в любви моей бывало много странного, чудесного, даже дикого; я мог быть непонятен, но смешон — никогда. Пылкая, могучая страсть катится как лава; она увлекает и жжет все встречное; разрушаясь сама, разрушает в пепел препоны и хоть на миг, но превращает в кипучий котел даже холодное море.

Так любил я... назовем ее хоть Полиною. Все, что женщина может внушить, все, что мужчина может почувствовать, было внушено и почувствовано. Она принадлежала другому, но это лишь возвысило цену ее взаимности, лишь более раздражило слепую страсть мою, взлелеянную надеждой. Сердце мое должно было расторгнуться, если б я замкнул его молчанием: я опрокинул его, как переполненный сосуд, перед любимою женщиною; я говорил пламенем, и моя речь нашла отзыв в ее сердце. До сих пор, когда я вспомню об уверении, что я любим, каждая жилка во мне трепещет, как струна, и если наслаждения земного блаженства могут быть выражены звуками, то, конечно, звуками подобными! Когда я прильнул в первый раз своими устами к руке ее, душа моя исчезла в этом прикосновении! Мне чудилось, будто я претворился в молнию: так быстро, так воздушно, так пылко было чувство это, если это можно назвать чувством.

Но коротко было мое блаженство: Полина была столько же строга, как прелестна. Она любила меня, как никогда еще я не был любим дотоле, как никогда не буду любим вперед: нежно, страстно и безупречно... То, что было заветно мне, для нее стоило более слез, чем мне самому страданий. Она так доверчиво предалась защите моего великодушия, так благородно умоляла спасти самое себя от укора, что бесчестно было бы изменить доверию.

— Милый! мы далеки от порока, — говорила она, — но всегда ли далеки от слабости? Кто пытает часто силу, тот готовит себе падение; нам должно как можно реже видеться!

Скрепя сердце я дал слово избегать всяких встреч с нею.

И вот протекло уже три недели, как я не видал Полины. Надобно вам сказать, что я служил еще в Северском конноегерском полку, и мы стояли тогда в Орловской губернии... позвольте умолчать об уезде. Эскадрон мой расположен был квартирами вблизи поместьев мужа Полины. О самых Святках полк наш получил приказание выступить в Тульскую губернию, и я имел довольно твердости духа уйти не простясь. Признаюсь, что боязнь изменить тайне в присутствии других более, чем скромность, удержала меня. Чтоб заслужить ее уважение, надобно было отказаться от любви, и я выдержал опыт.

Напрасно приглашали меня окрестные помещики на прощальные праздники; напрасно товарищи, у которых тоже, едва ль не у каждого, была сердечная связь, уговаривали возвратиться с перехода на бал, — я стоял крепко.

Накануне Нового года мы совершили третий переход и расположились на дневку. Один-одинехонек, в курной хате, лежал я на походной постеле своей, с черной думой на уме, с тяжелой кручиной в сердце. Давно уже не улыбался я от души, даже в кругу друзей: их беседа стала мне несносна, их веселость возбуждала во мне желчь, их внимательность — досаду за безотвязность; стало быть, тем раздольнее было мне хмуриться наедине, потому что все товарищи разъехались по гостям; тем мрачнее было в душе моей: в нее не могла запасть тогда ни одна блестка наружной веселости, никакое случайное развлечение.

И вот прискакал ко мне ездовой от приятеля, с приглашением на вечер к прежнему его хозяину, князю Львинскому. Просят непременно: у них пир горой, красавиц — звезда при звезде, молодцов рой и шампанского разливанное море. В приписке, будто мимоходом, извещал он, что там будет и Полина. Я вспыхнул... Ноги мои дрожали, сердце кипело. Долго ходил я по хате, долго лежал, словно в забытьи горячки; но быстрина крови не утихала, щеки пылали багровым заревом, отблеском душевного пожара; звучно билось ретивое в груди. Ехать или не ехать мне на этот вечер? Еще однажды увидеть ее, дыхнуть одним с нею воздухом, наслушаться ее голоса, молвить последнее прости! Кто бы устоял против таких искушений? Я кинулся в обшивни и поскакал назад, к селу князя Львинского. Было два часа за полдень, когда я поехал с места. Проскакав двадцать верст на своих, я взял потом со станции почтовую тройку и еще промчался двадцать две версты благополучно. С этой станции мне уже следовало своротить с большой дороги. Статный молодец на лихих конях взялся меня доставить в час за восемнадцать верст, в село княжое.

Я сел, — катай!

Уже было темно, когда мы выехали со двора, однако ж улица кипела народом. Молодые парни, в бархатных шапках, в синих кафтанах, расхаживали, взявшись за кушаки товарищей; девки в заячьих шубах, крытых яркою китайкою, ходили хороводами; везде слышались праздничные песни, огни мелькали во всех окнах, и зажженные лучины пылали у многих ворот. Молодец, извозчик мой, стоя в заголовке саней, гордо покрикивал «пади!» и, охорашиваясь, кланялся тем, которые узнавали его, очень доволен, слыша за собою: «Вон наш Алеха катит! Куда, сокол, собрался?» — и тому подобное. Выбравшись из толпы, он обернулся ко мне с предуведомлением:

— Ну, барин, держись!

Заложил правую рукавицу под левую мышку, повел обнаженной рукой над тройкою, гаркнул — и кони взвились как вихорь! Дух занялся у меня от быстроты их поскока: они понесли нас.

Как верткий челнок на валах, кувыркались, валялись и прыгали сани в обе стороны; извозчик мой, упершись в валек ногою и мощно передергивая вожжами, долго боролся с запальчивою силою застоявшихся коней; но удила только подстрекали их ярость. Мотая головами, взбросив дымные ноздри на ветер, неслись они вперед, взвивая метель над санями. Подобные случаи столь обыкновенны для каждого из нас, что я, схватясь за облучок, преспокойно лежал внутри и, так сказать, любовался этой быстротой путешествия. Никто из иностранцев не может постичь дикого наслаждения — мчаться на бешеной тройке, подобно мысли, и в вихре полета вкушать новую негу самозабвения. Мечта уж переносила меня на бал. Боже мой, как испугаю и обрадую я Полину своим неожиданным появлением! Меня бранят, меня ласкают; мировая заключена, и я уж несусь с нею в танцах... И между тем свист воздуха казался мне музыкою, а мелькающие изгороди, леса — пестрыми толпами гостей в бешеном вальсе... Крик извозчика, просящего помощи, вызвал меня из очарования. Схватив две вожжи, я так скрутил голову коренной, что, упершись вдруг, она едва не выскочила из хомута. Топча и фыркая, остановились наконец измученные бегуны, и когда опало облако инея и ветерок разнес пар, клубящийся над конями, «Где мы?» — спросил я ямщика, между тем как он перетягивал порванный чересседельник и оправлял сбрую.

Ямщик робко оглянулся кругом. «Дай бог памяти, барин! — отвечал он. — Мы уж давно своротили с большой дороги, чтобы упарить по сугробу гнедышей, и я что-то не признаюсь к этой околице. Не ведь это Прошкино Репище, не ведь Андронова Пережога?»

Я не подвигался вперед ни на полвершка от его топографических догадок; нетерпение приехать меня одолевало, и я с досадою бил нога об ногу, между тем как мой парень бегал отыскивать дорогу.

— Ну, что?

— Плохо, барин! — отвечал он. — В добрый час молвить, в худой помолчать, мы никак заехали к Черному озерку!

— Тем лучше, братец! Коли есть примета, выехать не долга песня; садись и дуй в хвост и в гриву!

— Какое лучше, барин; эта примета заведет невесть куда, — возразил ямщик. — Здесь мой дядя видел русалку: слышь ты, сидит на суку, да и покачивается, а сама волосы чешет, косица такая, что страсть; а собой такая смазливая — загляденье, да и только. И вся нагая, как моя ладонь.

— Что ж, поцеловал ли он красавицу? — спросил я.

— Христос с тобой, барин, что ты это шутишь? Подслушает она, так даст поминку, что до новых веников не забудешь. Дядя с перепугу не то чтобы зааминить или зачурать ее, даже ахнуть не успел, как она, завидя его, захохотала, ударила в ладоши, да и бульк в воду. С этого сглазу, барин, он бродил целый день вкруг да около, и, когда воротился домой, едва языка допытались: мычит по-звериному, да и только! А кум Тимоша Кулак нонесь повстречал тут оборотня; слышишь ты, скинулся он свиньей, да то и знай мечется под ноги! Хорошо, что Тимоша и сам в чертовщине силу знает: как поехал на ней чехардой да ухватил за уши, она и пошла его мыкать, а сама визжит благим матом; до самых петухов таскала, и уж на рассвете нашли его под съездом у Гаврюшки, у того, что дочь красовита. Да то ли здесь чудится!.. Серега косой как порасскажет...

— Побереги свои побасенки до другого случая, — возразил я, — мне, право, нет времени да нет и охоты пугаться!.. Если ты не хочешь, чтоб русалка защекотала тебя до смерти или не хочешь ночевать с карасями под ледяным одеялом, то ищи скорей дороги.

Мы брели целиком, в сугробах выше колена. На беду нашу небо задернуто было пеленою, сквозь которую тихо сеялся пушистый иней; не видя месяца, нельзя было узнать, где восток и где запад. Обманчивый отблеск между перелесками заманивал нас то вправо, то влево... Вот-вот, думаешь, видна дорога... Доходишь — это склон оврага или тень какого-нибудь дерева! Одни птичьи и заячьи следы плелись таинственными узлами по снегу. Уныло звучал на дуге колокольчик, двоя каждый тяжелый шаг, кони ступали повесив головы; извозчик, бледный как полотно, бормотал молитвы, приговаривая, что нас обошел леший, что нам надобно выворотить шубы вверх шерстью и надеть наизнанку —

все до креста. Я тонул в снегу и громко роптал на все и на всех, выходя из себя с досады, а время утекало, — и где конец этому проклятому пути?! Надобно быть в подобном положении, надобно быть влюбленну и спешить на бал, чтобы вообразить весь гнев мой в то время... Это было бы очень смешно, если б не было очень опасно.

Однако ж досада не вывела нас на старую дорогу и не проторила новой; образ Полины, который танцевал передо мною, и чувство ревности, что она вертится теперь с каким-нибудь счастливцем, слушает его ласкательства, может быть, отвечает на них, нисколько не помогали мне в поисках. Одетый тяжелою медвежьею шубою, я не иначе мог идти как нараспашку, и потому ветер проницал меня насквозь, оледеняя на теле капли пота. Ноги мои, обутые в легкие танцевальные сапоги, были промочены и проморожены до колен, и дело уж дошло до того, что надобно было позаботиться не о бале, а о жизни, чтоб не кончить ее в пустынном поле. Напрасно прислушивались мы: нигде отрадного огонька, нигде голоса человеческого, даже ни полета птицы, ни шелеста зверя. Только храпение наших коней, или бой копыта от нетерпения, или, изредка, бряканье колокольца, потрясаемого уздою, нарушали окрестное безмолвие. Угрюмо стояли кругом купы елей, как мертвецы, закутанные в снежные саваны, будто простирая к нам оледенелые руки; кусты, опушенные клоками инея, сплетали на бледной поверхности поля тени свои; утлые, обгорелые пни, вея седыми космами, принимали мечтательные образы; но все это не носило на себе следа ноги или руки человеческой... Тишь и пустыня окрест!

Молодой извозчик мой одет был вовсе не по-дорожному и, проницаемый не на шутку холодом, заплакал. «Знать, согрешил я перед Богом, — сказал он, — что наказан такой смертью; умрешь, как татарин, без исповеди! Тяжело расставаться с белым светом, только раздувши пену с медовой чаши; да и куда бы ни шло в посту, а то на праздниках. То-то взвоет белугой моя старуха! То-то наплачется моя Таня!»

Я был тронут простыми жалобами доброго юноши; дорого бы я дал, чтобы так же заманчива, так же мила была мне жизнь, чтобы так же горячо веровал я в любовь и верность. Однако ж, чтоб разгулять одолевающий его сон, я велел ему снова пуститься в ход наудачу, сохраняя движением теплоту. Так шли мы еще полчаса, как вдруг парень мой вскрикнул с радостью:

— Вот он, вот он!

— Кто он? — спросил я, прыгая по глубокому снегу ближе.

Ямщик не отвечал мне; упав на колени, он с восторгом что-то рассматривал; это был след конский. Я уверен, что ни один бедняк не был столь рад находке мешка с золотом, как мой парень этому верному признаку и обету жизни. В самом деле, скоро мы выбрались на бойкую дрововозную дорогу; кони, будто чуя ночлег, радостно наострили уши и заржали; мы стремглав полетели по ней куда глаза глядят. Через четверть часа были уже в деревне, и как мой извозчик узнал ее, то привез прямо к избе зажиточного знакомого ему крестьянина.

Уверенность возвратила бодрость и силы иззябшему парню, и он не вошел в избу, покуда не размял беганьем на улице окоченевших членов, не оттер снегом рук и щек, даже покуда не выводил коней. У меня зашлись одни ноги, и потому, вытерши их в сенях докрасна суконкою, я через пять минут сидел уже под святыми, за набранным столом, усердно потчуемый радушным хозяином и попав вместо бала на сельские посиделки.

Сначала все встали; но, отдав мне чинный поклон, уселись по-прежнему и только порой, перемигиваясь и перешептываясь между собою, кажется, вели слово о нежданном госте. Ряды молодиц, в низаных киках, в кокошниках, и красных девушек, в повязках разноцветных, с длинными косами, в которые вплетены были треугольные подкосники с подвесками или златошвейные ленты, сидели по лавкам очень тесно, чтоб не дать между собою места лукавому — разумеется, духу, а не человеку, потому что многие парни нашли средство втереться между.

Молодцы, в пестрядинных или ситцевых рубашках с косыми галунными воротками и в суконных кафтанах, увивались около или, собравшись в кучки, пересмехались, щелкали орешки, и один из самых любезных, сдвинув набекрень шапку, бренчал на балалайке «Из-под дубу, из-под вязу». Седобородый отец хозяина лежал на печи, обратясь лицом к нам, и, качая головой, глядел на игры молодежи; для рам картины, с полатей выглядывали две или три живописные детские головки, которые, склонясь на руки и зевая, посматривали вниз. Гаданья на Новый год пошли обычной своей чередою. Петух, пущенный в круг, по обводу которого насыпаны были именные кучки овса и ячменя с зарытыми в них кольцами, удо-

стоив из которой-нибудь клюнуть, возвещал не-
минуемую свадьбу для гадателя или загадчицы...
Накрыв блюдом чашу, в которой лежали кусочки
с наговорным хлебом, уголья, значения коих я никак не мог добиться, и перстни да кольца девушек,
все принялись за подблюдные песни, эту лотерею
судьбы и ее приговоров. Я грустно слушал звуч-
ные напевы, коим вторили в лад потрясаемые же-
ребьи в чаше.

> Слава Богу на небе,
> Государю на сей земле!
> Чтобы правда была
> Краше солнца светла;
> Золотая ж казна
> Век полным-полна!
> Чтобы коням его не изъезживаться,
> Его платьям цветным не изнашиваться,
> Его верным вельможам не стереться!
> Уж мы хлебу поем,
> Хлебу честь воздаем!
> Большим-то рекам слава до моря,
> Мелким речкам — до мельницы!
> Старым людям на потешенье,
> Добрым молодцам на услышанье.
> Расцвели в небе две радуги,
> У красной девицы две радости:
> С милым другом совет
> И растворен подклет!
> Щука шла из Новагорода,
> Хвост несла из Бела озера;
> У щучки головка серебряная,
> У щучки спина жемчугом плетена,
> А наместо глаз — дорогой алмаз!
> Золотая парча развевается —
> Кто-то в путь в дорогу собирается.

Всякому сулили они добро и славу, но, отогрев-
шись, я не думал дослушивать бесконечных и не-

минуемых заветов подблюдных; сердце мое было далеко, и я сам бы лётом полетел вслед за ним. Я стал подговаривать молодцов свезти меня к князю. К чести их, хотя к досаде своей, должно сказать, что никакая плата не выманила их от забав сердечных. Все говорили, что у них лошаденки плохие или измученные. У того не было санок, у другого подковы без шипов, у третьего болит рука.

Хозяин уверял, что он послал бы сына и без прогонов, да у него пара добрых коней повезла в город заседателя... Чарки частые, голова одна, и вот уж третий день, верно, празднуют в околице.

— Да изволишь знать, твоя милость, — примолвил один краснобай, встряхнув кудрями, — теперь уж ночь, а дело-то святочное. Уж на что у нас храбрый народ девки: погадать ли о суженом — не боятся бегать за овины, в поле слушать колокольного свадебного звону, либо в старую баню, чтоб погладил домовой мохнатой лапою на богачество, да и то сегодня хвостики прижали... Ведь канун-то Нового года — чертям сенокос.

— Полно тебе, Ванька, страхи-то рассказывать! — вскричало несколько тоненьких голосков.

— Чего полно? — продолжал Ванька. — Спроси-ка у Оришки: хорош ли чертов свадебный поезд, какой она вчерась видела, глядясь за овинами на месяц в зеркало? Едут, свищут, гаркают... словно живьем воочью совершаются. Она говорит, один бесенок оборотился горенским старостиным сыном Афонькой да одно знай пристает: сядь да сядь в сани. Из круга, знать, выманивает. Хорошо, что у ней ум чуть, но с косу, так отнекалась.

— Нет, барин, — примолвил другой, — хоть рассыпь серебра, вряд ли кто возьмется свезти тебя! Кругом озера колесить верст двадцать будет, а через лед ехать без беды беда; трещин и полыней тьма; пошутит лукавый, так пойдешь карманами ловить раков.

— И ведомо, — сказал третий. — Теперь чертям скоро заговенье: из когтей друг у друга добычу рвут.

— Полно брехать, — возразил краснобай. — Нашел заговенье. Черный ангел, или, по-книжному, так сказать, Ефиоп, завсегда у каждого человека за левым плечом стоит да не смигнувши сторожит, как бы натолкнуть на грех. Не слыхали вы разве, что было у пятницы на Пустыне о прошлых Святках?

— А что такое? — вскричали многие любопытные. — Расскажи, пожалуйста, Ванюша; только не умори с ужасти.

Рассказчик оглянулся на двери, на окно, на лица слушателей, крякнул протяжно, оправил правой рукою кудри и начал:

— Дело было, как у нас, на посиделках. Молодцы окручались в личины и такие хари, что и днем глядеть — за печку спрячешься, не то чтобы ночью плясать с ними. Шубы навыворот, носищи семи пядей, рога словно у сидоровой козы, а в зубах по углю так и зияют. Умудрились, что петух приехал верхом на раке, а смерть с косою на коне. Петрушка-чеботарь спину представлял, так он мне все и рассказывал.

Вот как разыгрались они, словно ласточки перед погодою, одному парню лукавый, знать, и шепнул в ухо: «Сем-ка, я украду с покойника, что в часовне лежит, саван да венец, окручусь в них, набелюся известкою, да и приду мертвецом на поседки». На худое мы не ленивы: скорей, чем сгадал, он в часовню слетал — ведь откуда, скажите на милость, отвага взялась. Чуть не до смерти перепугал он всех: старый за малого прячется... Однако ж, когда он расхохотался своим голосом да стал креститься и божиться, что он живой человек, пошел смех пуще прежнего страху. Тары да бары да сладкие разговоры, ан и полночь на дворе, надо молодцу нести назад гробовые обновки; зовет не дозовется никого в товарищи; как опала у него хмелина в голове, опустились и крылья соколиные; одному идти — страх одолевает, а приятели отпираются. Покойник давно слыл колдуном, и никто не хотел, чтобы черти свернули голову на затылок, свои следы считать. Ты, дескать, брал напрокат саван, ты и отдавай его; нам что за стать в чужом пиру похмелье нести.

И вот, не прошло двух мигов... послышали, кто-то идет по скрипучему снегу... прямо к окну: стук, стук...

— С нами крестная сила! — вскричала хозяйка, устремив на окно испуганные очи. — Наше место свято! — повторила она, не могши отвратить взглядов от поразившего ее предмета. — Вон, вон, кто-то страшный глядит сюда!

Девки с криком прижались одна к другой; парни кинулись к окну, между тем как те из них, которые были поробче, с выпученными глазами и открытым ртом поглядывали в обе стороны, не зная, что делать. В самом деле, за морозными стеклами как будто мелькнуло чье-то лицо... но, когда рама была отперта, — на улице никого не было. Туман, врываясь в теплую избу, ходил коромыслом, затемняя на время блеск лучины. Все понемногу успокоились.

— Это вам почудилось, — сказал рассказчик, оправляясь сам от испуга; его голос был прерывен и неровен. — Да вот, дослушайте бывальщину: она уж и вся-то недолга. Когда переполошенные в избе люди осмелились да спросили: «Кто стучит?» — пришлец отвечал: «Мертвец пришел за саваном». Услышав это, молодец, окрученный в него, снял с себя гробовую пелену да венец и выкинул их за окошко. «Не принимаю! — закричал колдун, скрипя зубами. — Пускай где взял, там и отдает мне». И саван опять очутился посреди избы. «Ты, насмехаючись, звал меня на посиделки, — сказал мертвец страшным голосом, — я здесь! Чествуй же гостя и провожай его до дому, до последнего твоего и моего дому». Все, дрожа, молились всем святым, а бедняга-виноватый ни жив ни мертв сидел, дожидаясь злой гибели. Мертвец между тем ходил кругом, вопя: «Отдайте мне его, не то и всем несдобровать!» Сунулся было в окошко, да, на счастье, косяки были святой водой окроплены, так его словно огнем обдало, взвыл да назад кинулся. Вот грянул он в вороты — и дубовый запор, как соль, рассыпался... Начал всходить по съезду... Тяжко скрипели бревна под ногою оборотня; собака с визгом залезла в сенях под корыто, и все слышали, как упала рука его на щеколду. Напрасно читали ему навстречу молитву от наваждения, от призора; однако ничто не забрало... Дверь со стоном повернулась на пятах — и мертвец шасть в избу!

Дверь избы нашей точно растворилась при этом слове, будто кто-нибудь подслушивал, чтобы войти в это мгновение. Нельзя описать, с каким ужасом вскрикнули гости, поскакав с лавок и столпясь под образами. Многие девушки, закрыв лицо руками, упали за спины соседок, как будто избежали опасности, когда ее не видно. Глаза всех, устремленные к порогу, ждали встретить там по крайней мере остов, закутанный саваном, если не самого нечистого с рогами; и в самом деле, клубящийся в дверях морозный пар мог показаться адским серным дымом. Наконец пар расступился, и все увидели, что вошедший имел вид совершенно человеческий. Он приветливо поклонился всей беседе, хотя и не перекрестился перед иконами. То был стройный мужчина в распашной сибирке, под которою надет был бархатный камзол; такие же шаровары спускались на лаковые сапоги; цветной персидский платок два раза обвивал шею, и в руках его была бобровая шапка с козырьком, особого вида. Одним словом, костюм его доказывал, что он или приказчик, или поверенный по откупам. Лицо его было правильно, но бледно как полотно, и черные потухшие глаза стояли неподвижно.

— Бог помочь! — сказал он, кланяясь. — Прошу беседу для меня не чиниться и тебя, хозяин, обо мне не заботиться. Я завернул в вашу деревню на минуту: надо покормить иноходца на перепутье; у меня вблизи дельце есть.

Увидев меня в мундире, он раскланялся очень развязно, даже слишком развязно для своего состояния, и скромно спросил, не может ли чем послужить мне? Потом, с позволения подсев ко мне ближе, завел речь о том и о сем, пятом и десятом. Рассказы его были очень забавны, замечания резки, шутки ядовиты; заметно было, что он терся долго между светскими людьми как посредник запрещенных забав или как их преследователь, — кто знает, может быть, как блудный купеческий сын, купивший своим имением жалкую опытность, проживший с золотом здоровье и добрые нравы. Слова его отзывались какою-то насмешливостью надо всем, что люди привыкли уважать, по крайней мере наружно. Не из ложного хвастовства и не из лицемерного смирения рассказывал он про свои порочные склонности и поступки; нет, это уже был закоснелый, холодный разврат. Злая усмешка презрения ко всему окружающему беспрестанно бродила у него на лице, и, когда он наводил свои пронзающие очи на меня, невольный холод пробегал по коже.

— Не правда ли, сударь, — сказал он мне после некоторого молчания, — вы любуетесь невинностию и веселостью этих простяков, сравнивая скуку городских балов с крестьянскими посиделками? И право, напрасно. Невинности давно уж нету в помине нигде. Горожане говорят, что она полевой цветок, крестьяне указывают на зеркальные стекла, будто она сидит за ними, в позолоченной клетке, между тем как она схоронена в староверских книгах, которым для того только верят, чтоб побранить наше время. А веселость, сударь? Я, пожалуй, оживлю вам для потехи эту обезьяну, называемую вами веселостью. Штоф сладкой водки парням, дюжину пряников молодицам и пары три аршин тесемок девушкам — вот мужицкий рай; надолго ли?

Он вышел и, возвратясь, принес все, о чем говорил, из санок. Как человек привычный к этому делу, он подсел в кружок и совершенно сельским наречием, с разными прибаутками, потчевал пряничными петушками, раздаривал самым пригоженьким ленты, пуговицы на сарафаны, сережки со стеклами и тому подобные безделки, наливал парням водку и даже уговорил некоторых молодиц прихлебнуть сладкой наливки. Беседа зашумела как улей, глаза засверкали у молодцов, вольные выражения срывались с губ, и, слушая россказни незнакомца, нашептываемые им на ухо, красные девушки смеялись, и уж гораздо ласковее, хотя исподлобья поглядывали на своих соседов. Чтобы довершить суматоху, он подошел к светцу, в котором воткнутая лучина роняла огарки свои в старую сковороду, стал поправлять ее и потушил, будто ненарочно. Минут десять возился он в темноте, вздувая огонь, и в это время звуки многих нескромных поцелуев раздавались кругом между всеобщим смехом. Когда вспыхнула опять лучина, все уже скромно сидели по местам; но незнакомец лукаво показал мне на румяные щеки красавиц. Скоро оказались тлетворные следствия его присутствия. Охмелевшие крестьяне стали спорить и ссориться между собою; крестьянки завистливым глазом смотрели на подруг, которым достались лучшие безделки. Многие парни, в порыве ревности, упрекали своих любезных, что они чересчур ласково обходились с незнакомым гостем; некоторые мужья грозили уже своим половинам, что они докажут кулаком любовь свою за их перемиги с другими; даже ребятишки на полатях дрались за орехи.

Сложив руки на груди, стоял чудный незнакомец у стенки и с довольною, но ироническою улыбкою смотрел на следы своих проказ.

— Вот люди! — сказал он мне тихо... но в двух этих словах было многое.

Я понял, что он хотел выразить: как в городах и селах, во всех состояниях и возрастах подобны пороки людские; они равняют бедных и богатых глупостию; различны погремушки, за которыми кидаются они, но ребячество одинаково. То, по крайней мере, высказывал насмешливый взор и тон речей; так, по крайней мере, мне казалось.

Но мне скоро наскучил разговор этого безнравственного существа, и песни, и сельские игры; мысли пошли опять привычною стезею. Опершись рукою об стол, хмурен и рассеян отвечал я на вопросы, глядел на окружающее, и невольный ропот вырывался из сердца, будто пресыщенного полынью. Незнакомец, взглянув на свои часы, сказал мне: «Уж скоро десять часов». Я был очень рад тому; я жаждал тишины и уединения.

В это время один из молодцов, с рыжими усами и открытого лица, вероятно осмеленный даровым ерофеичем, подошел ко мне с поклоном.

— Что я тебя спрошаю, барин, — сказал он, — есть ли в тебе молодецкая отвага?

Я улыбнулся, взглянув на него: такой вопрос удивил меня очень.

— Когда бы кто-нибудь поумнее тебя сделал мне подобный спрос, — отвечал я, — он бы унес ответ на боках своих.

— И, батюшка-сударь, — возразил он, — будто я сомневаюсь, что ты с широкими своими плечами на дюжину пойдешь, не засуча рукавов; такая удаль в каждом русском молодце не диковинка. Дело не об людях, барин; я хотел бы знать, не боишься ли ты колдунов и чертовщины?

Смешно бы было разуверять его; напрасно уверять в моем неверии ко всему этому.

— Чертей я боюсь еще менее, чем людей! — был мой ответ.

— Честь и хвала тебе, барин! — сказал молодец. — Насилу нашел я товарища. И ты бы не ужаснулся увидеть нечистого носом к носу?

— Даже схватить его за нос, друг мой, если б ты мог вызвать его из этого рукомойника...

— Ну, барин, — промолвил он, понизив голос и склонясь над моим ухом, — если ты хочешь погадать о чем-нибудь житейском, если у тебя есть, как у меня, какая разлапушка, так, пожалуй, катнем; мы увидим тогда все, что случится с ними и с нами вперед. Чур, барин, только не робеть; на это гаданье надо сердце-тройчатку. Что ж, приказ или отказ?

Я было хотел отвечать этому долгополому гадателю, что он или дурак, или хвастун и что я, для его забавы или его простоты, вовсе не хочу сам делать глупостей; но в это мгновение повстречал насмешливый взгляд незнакомца, который будто говорил: «Ты хочешь, друг, прикрыть благоразумными словами глупую робость! Знаем мы вашу братью, вольномыслящих дворянчиков!» К этому взору он присоединил и увещание, хотя никак не мог слышать, что меня звали на гаданье.

— Вы, верно, не пойдете, — сказал он сомнительно. — Чему быть путному, даже забавному от таких людей!

— Напротив, пойду!.. — возразил я сухо. Мне хотелось поступить наперекор этому незнакомцу. — Мне давно хочется раскусить, как орех, свою будущую судьбу и познакомиться покороче с лукавым, — сказал я гадателю. — Какой же ворожбой вызовем мы его из ада?

— Теперь он рыщет по земле, — отвечал тот, — и ближе к нам, нежели кто думает; надо заставить его сделать по нашему веленью.

— Смотрите, чтобы он не заставил вас делать по своему хотенью, — произнес незнакомец важно.

— Мы будем гадать страшным гаданьем, — сказал мне на ухо парень, — закляв нечистого на воловьей коже. Меня уж раз носил он на ней по воздуху, и что видел я там, что слышал, — примолвил он, бледнея, — того... Да ты сам, барин, попытаешь все.

Я вспомнил, что в примечаниях к «Красавице озера» («Lady of the lake») Вальтер Скотт приводит письмо одного шотландского офицера, который гадал точно таким образом, и говорит с ужасом, что человеческий язык не может выразить тех страхов, которыми он был обуян. Мне любопытно стало узнать, так ли же выполняются у нас обряды этого гаданья, остатка язычества на разных концах Европы.

— Идем же сейчас, — сказал я, опоясывая саблю свою и надевая просушенные сапоги. — Видно, мне сегодня судьба мыкаться конями и чертями! Посмотрим, кто из них довезет меня до цели!

Я переступил за порог, когда незнакомец, будто с видом участия, сказал мне:

— Напрасно, сударь, изволите идти: воображение — самый злой волшебник, и вам бог весть что может почудиться!

Я поблагодарил его за совет, примолвив, что я иду для одной забавы, имею довольно ума, чтоб заметить обман, и слишком трезвую голову и слишком твердое сердце, чтоб ему поддаться.

— Пускай же сбудется чему должно! — произнес вслед мой незнакомец.

Проводник зашел в соседний дом.

— Вечор у нас приняли черного как смоль быка, без малейшей отметки, — сказал он, вытаскивая оттуда свежую шкуру, — и она-то будет нашим ковром-самолетом.

Под мышкой нес он красного петуха, три ножа сверкали за поясом, а из-за пазухи выглядывала головка полуштофа, по его словам, какого-то зелья, собранного на Иванову ночь. Молодой месяц протек уже полнеба. Мы шли скоро по улице, и провожатый заметил мне, что ни одна собака на нас не взлаяла; даже встречные кидались опрометью в подворотни и только, ворча, выглядывали оттуда. Мы прошли версты полторы; деревня от нас скрылась за холмом, и мы поворотили на кладбище.

Ветхая, подавленная снегом, бревенчатая церковь возникала посреди полурухнувшей ограды, и тень ее тянулась вдаль, словно путь за мир могильный. Ряды крестов, тленных памятников тлеющих под ними поселян, смиренно склонялись над пригорками, и несколько елей, скрипя, качали черные ветви свои, колеблемые ветром.

— Здесь! — сказал проводник мой, бросив шкуру вверх шерстью. Лицо его совсем изменилось: смертная бледность проступила на нем вместо жаркого румянца; место прежней говорливости заступила важная таинственность. — Здесь! — повторил он. — Это место дорого для того, кого станем вызывать мы: здесь, в разные времена, схоронены трое любимцев ада. В последний раз напоминаю, барин: если хочешь, можешь воротиться, а уж начавши коляду, не оглядывайся, что бы тебе ни казалось, как бы тебя ни кликали, и не твори креста, не читай молитвы... Нет ли у тебя ладанки на вороту?

Я отвечал, что у меня на груди есть маленький образ и крестик, родительское благословение.

— Сними его, барин, и повесь хоть на этой могилке: своя храбрость теперь нам оборона.

Я послушался почти нехотя. Странная вещь: мне стало будто страшнее, когда я удалил от себя моих пенатов от самого младенчества; мне показалось, что я остался вовсе один, без оружия и защиты. Между тем гадатель мой, произнося невнятные звуки, начал обводить круг около кожи. Начертив ножом дорожку, он окропил ее влагою из склянки и потом, задушив петуха, чтобы он не крикнул, отрубил его голову и полил кровью в третий раз очарованный круг. Глядя на это, я спросил:

— Не будем ли варить в котле черную кошку, чтобы ведьмы, родня ее, дали выкупу?

— Нет! — сказал заклинатель, вонзая треугольником ножи, — черную кошку варят для привороту к себе красавиц. Штука в том, чтобы выбрать из косточек одну, которою если тронешь, на кого задумаешь, так по тебе с ума сойдет.

«Дорого бы заплатили за такую косточку в столицах, — подумал я, — тогда и ум, и любезность, и красота, самое счастие дураков спустили бы перед нею флаги».

— Да все равно, — продолжал он, — можно эту же силу достать в Иванов день. Посадить лягушку в дырявый бурак, наговорить да и бросить в муравейник, так она человеческим голосом закричит; наутро, когда она будет съедена, останется в бураке только вилочка да крючок: этот крючок — неизменная уда на сердца; а, коли больно наскучит, тронь вилочкой, — как рукавицу долой, всю прежнюю любовь снимет.

«Что касается до забвения, — думал я, — для этого не нужно с нашими дамами чародейства».

— Пора! — произнес гадатель. — Смотри, барин: коли мила тебе душа, не оглядывайся. Любуйся на месяц и жди, что сбудется.

Завернувшись в медвежью шубу, я лег на роковой воловьей шкуре, оставив товарища чародействовать, сколько ему угодно. Невольно, однако ж, колесо мыслей опять и опять приносило мне вопрос: откуда в этом человеке такая уверенность? Он мог ясно видеть, что я вовсе не легковерен, следственно, если думает морочить меня, то через час, много два, открою вполне его обманы... Притом, какую выгоду найдет он в обмане? Ни ограбить, ни украсть у меня никто не посмеет... Впрочем, случается, что сокровенные силы природы даются иногда людям самым невежественным. Сколько есть целебных трав, магнетических средств в руках у простолюдинов... Неужели?.. Мне стало стыдно самого себя, что зерно сомнения запало в мою голову. Но когда человек допустит себе вопрос о каком-либо предмете, значит, верование его поколеблено, и кто знает, как далеки будут размахи этого маятника?.. Чтобы отвлечь себя от думы о мире духов, которые, может статься, окружают нас незримо и действуют на нас неощутимо, я прильнул очами к месяцу.

«Тихая сторона мечтаний! — думал я. — Неужели ты населена одними мечтаниями нашими? Для чего так любовно летят к тебе взоры и думы человеческие? Для чего так мило сердцу твое мерцанье, как дружеский привет иль ласка матери? Не родное ли ты светило земле? Не подруга ли ты судьбы ее обитателей, как ее спутница в странничестве эфирном? Прелестна ты, звезда покоя, но земля наша, обиталище бурь, еще прелестнее, и потому не верю я мысли поэтов, что туда суждено умчаться теням нашим, что оттого влечешь ты сердца и думы! Нет, ты могла быть колыбелью, отчизною нашего духа; там, может быть, расцвело его младенчество, и он любит летать из новой обители в знакомый, но забытый мир твой; но не тебе, тихая сторона, быть приютом буйной молодости души человеческой! В полете к усовершенствованию ей доля — еще прекраснейшие миры и еще тягчайшие испытания, потому что дорогою ценой покупаются светлые мысли и тонкие чувствования!»

Душа моя зажглась прикосновением этой искры; образ Полины, облеченный всеми прелестями, приданными воображением, несся передо мною...

«О! зачем мы живем не в век волшебств, — подумал я, — чтобы хоть ценой крови, ценою души купить временное всевластие, — ты была бы моя, Полина... моя!..»

Между тем товарищ мой, стоя сзади меня на коленах, произносил непонятные заклинания; но голос его затихал постепенно; он роптал уже, подобно ручью, катящемуся под снежною глыбою...

— Идет, идет!.. — воскликнул он, упав ниц.

Его голосу отвечал вдали шум и топот, как будто вихорь гнал метель по насту, как будто удары молота гремели по камню... Заклинатель смолк, но шум, постепенно возрастая, налетел ближе... Невольным образом у меня занялся дух от боязненного ожидания, и холод пробежал по членам... Земля звучала и дрожала — я не вытерпел и оглянулся...

И что ж? Полштоф стоял пустой, и рядом с ним храпел мой пьяный духовидец, упав ничком! Я захохотал, и тем охотнее, что предо мной сдержал коня своего незнакомец, проезжая в санках мимо. Он охотно помог мне посмеяться такой встрече.

— Не говорил ли я вам, сударь, что напрасно изволите верить этому глупцу. Хорошо, что он недолго скучал вам, поторопившись нахрабрить себя сначала; мудрено ли, что таким гадателям с перепою видятся чудеса!

И между тем злые очи его проницали морозом сердце, и между тем коварная усмешка доказывала его радость, видя мое замешательство, застав, как оробелого ребенка, впотьмах и врасплох.

— Каким образом ты очутился здесь, друг мой? — спросил я неизбежного незнакомца, не очень довольный его уроком.

— Стоит обо мне вздумать, сударь, и я как лист перед травой... — отвечал он лукаво. — Я узнал от хозяина, что вам угодно было ехать на бал князя Львинского; узнал, что деревенские неучи отказались везти вас, и очень рад служить вам: я сам туда еду повидаться под шумок с одною барскою барынею. Мой иноходец, могу похвалиться, бегает как черт от ладану, и через озеро не далее восьми верст!

Такое предложение не могло быть принято мною худо; я вспрыгнул от радости и кинулся обнимать незнакомца. Приехать хоть в полночь, хоть на миг... это прелесть, это занимательно!

— Ты разодолжил меня, друг мой! Я готов отдать тебе все наличные деньги! — вскричал я, садясь в саночки.

41

— Поберегите их у себя, — отвечал незнакомец, садясь со мною рядом. — Если вы употребите их лучше, нежели я, безрассудно было бы отдавать их, а если так же дурно, как я, то напрасно!

Вожжи натянулись, и как стрела, стальным луком ринутая, полетел иноходец по льду озера. Только звучали подрези, только свистел воздух, раздираемый быстрою иноходью. У меня занялся дух и замирало сердце, видя, как прыгали наши казанки через трещины, как вились и крутились они по закраинам полыней. Между тем он рассказывал мне все тайные похождения окружного дворянства: тот волочится за предводительшей; та была у нашего майора в гостях под маскою; тот вместо волка наехал с собаками на след соседа и чуть не затравил зверька в спальне у жены своей. Полковник наш поделился сколькими-то тысячами с губернатором, чтоб очистить квитанцию за постой... Прокурор получил недавно пирог с золотою начинкою, за то, чтоб замять дело помещика Ремницына, который засек своего человека, и проч., и проч.

— Удивляюсь, как много здесь сплетней, — сказал я, — дивлюсь еще более, как они могут быть тебе известны.

— Неужели вы думаете, сударь, что серебро здесь ходит в другом курсе или совесть судейская дороже, нежели в столицах? Неужели вы думаете, что огонь здесь не жжет, женщины не ветреничают и мужья не носят рогов? Слава богу, эта мода, я надеюсь, не устареет до конца света! Это правда, теперь больше говорят о честности в судах и больше выказывают скромности в обществах, но это для того только, чтоб набить цены. В больших городах легче скрыть все проказы; здесь, напротив, сударь, здесь нет ни модных магазинов, ни лож с решетками, ни наемных карет, ни посещений к бедным; кругом несметная, но сметливая дворня и ребятишки на каждом шагу. Вышло из моды ходить за грибами, и еще не введены прогулки верхом, так бедняжкам — нежным сердцам, чтобы свидеться, надо ждать отъезжего поля, или престольного праздника у соседов, или бурной ночи, чтобы дождь и ветер смели следы отважного обожателя, который не боится ни зубов собак, ни языков соседок. Впрочем, сударь, вы это знаете не хуже моего. На бале будет звезда здешних красавиц, Полина Павловна.

— Мне все равно, — отвечал я хладнокровно.

— В самом деле? — произнес незнакомец, взглянув на меня насмешливо-пристально. — А я бы прозакладывал свою бобровую шапку и к ней в придачу свою голову, что вы для нее туда едете... В самом деле, вам бы давно пора осушить поцелуями ее слезы, как это было три недели тому назад, в пятом часу после обеда, когда вы стояли перед ней на коленах!

— Бес ты или человек?! — яростно вскричал я, схватив незнакомца за ворот. — Я заставлю тебя высказать, от кого научился ты этой клевете, заставлю век молчать о том, что знаешь.

Я был поражен и раздражен словами незнакомца. От кого мог он сведать подробности моей тайны? Никому и никогда не открывал я ее; никогда вино не исторгало у меня нескромности; даже подушка моя никогда не слыхала звука изменнического; и вдруг вещь, которая происходила в четырех стенах, между четырьмя глазами, во втором этаже и в комнате, в которой, конечно, никто не мог подсмотреть нас, — вещь эта стала известною такому бездельнику! Гнев мой не имел границ. Я был силен, я был рассержен, и незнакомец дрогнул, как трость в руке моей; я приподнял его с места. Но он оторвал прочь руку мою, будто маковку репейника, и оттолкнул, как семилетнего ребенка.

— Вы проиграете со мной в эту игру, — сказал он хладнокровно, однако ж решительно. — Угрозы для меня монета, которой я не знаю цены; да и к чему все это? Скрипучую дверь не заставишь молчать молотом, а маслом; притом же моя собственная выгода в скромности. Вот уж мы и у ворот княжьего дома; помните, несмотря на свою недоверчивость, что я вам на всякую удалую службу неизменное копье. Я жду вас для возврата за этим углом; желаю удачи!

Я не успел еще образумиться, как санки наши шаркнули к подъезду и незнакомец, высадив меня, пропал из виду. Вхожу, — все шумит и блещет: ельский бал, что называется, в самом развале; плясуны вертелись как по обещанию, дамы, несмотря на полночь, были очень бодры. Любопытные облепили меня, чуть завидев, и полились вопросы и восклицания ливмя. Рассказываю вкратце свое похождение, извиняюсь перед хозяевами, прикладываюсь к перчаткам почетных старух, пожимаю руки друзьям, бросаю мимоходом по лестному словцу дамам и быстро пробегаю комнаты одну за другою, ища Полины. Я нашел ее вдали от толпы, одинокую, бледную, с поникшею головою, будто цветочный венок подавлял ее как свинец. Она радостно вскрикнула, увидев меня; огневой румянец вспыхнул на лице; хотела встать, но силы ее оставили; и она снова опустилась в кресла, закрыв опахалом очи, будто ослепленная внезапным блеском.

Укротив, сколько мог, волнение, я сел подле нее. Я прямо и откровенно просил у ней прощенья в том, что не мог выдержать тяжкого испытания, и, разлучаясь, может быть навек, прежде чем брошусь в глухую, холодную пустыню света, хотел еще однажды согреть душу ее взором, — или нет: не для любви — для науки разлюбить ее приехал я, из желания найти в ней какой-нибудь недостаток, из жажды поссориться с нею, быть огорченным ее упреками, раздраженным ее холодностию, для того, чтобы дать ей самой повод хотя в чем-нибудь обвинять меня, чтобы нам легче было расстаться, если она имеет жестокость называть виною неодолимое влечение любви, помня заветы самолюбца-рассудка и не внимая внушениям сердца!.. Она прервала меня.

— Я должна бы была упрекать тебя, — сказала она, — но я так рада, так счастлива, тебя увидев, что готова благодарить за неисполненное обещание. Я оправдываюсь, я утешаюсь тем, что и ты, твердый мужчина, доступен слабости; и неужели ты думаешь, что, если б даже я была довольно благоразумна и могла бы на тебя сердиться, я стала бы отравлять укоризнами последние минуты свидания?.. Друг мой, ты все еще веришь менее моей любви, чем благоразумию, в котором я имею столько нужды; пусть эти радостные слезы разуверят тебя в противном!

Если б было возможно, я бы упал к ногам ее, целовал бы следы ее, я бы... я был вне себя от восхищения!.. Не помню, что я говорил и что слышал, но я был так весел, так счастлив!.. Рука об руку мы вмешались в круг танцующих.

Не умею описать, что со мною сталось, когда, обвивая тонкий стан ее рукою, трепетною от наслаждения, я пожимал другой ее прелестную ручку; казалось, кожа перчаток приняла жизнь, передавая биение каждой фибры... казалось, весь состав Полины прыщет искрами! Когда помчались мы в бешеном вальсе, ее летающие, душистые локоны касались иногда губ моих; я вдыхал ароматный пламень ее дыхания; мои блуждающие взгляды проницали сквозь дымку, — я видел, как бурно вздымались и опадали белоснежные полушары, волнуемые моими вздохами, видел, как пылали щеки ее моим жаром, видел — нет, я ничего не видал... пол исчезал под ногами; казалось, я лечу, лечу, лечу по воздуху, с сладостным замиранием сердца! Впервые забыл я приличия света и самого себя.

Сидя подле Полины в кругу котильона, я мечтал, что нас только двое в пространстве; все прочее представлялось мне слитно, как облака, раздуваемые ветром; ум мой крутился в пламенном вихре.

Язык, этот высокий дар Небес, был последним средством между нами для размена чувствований; каждый волосок говорил мне и на мне о любви; я был так счастлив и так несчастлив вместе. Сердце разрывалось от полноты; но мне чего-то недоставало... Я умолял ее позволить мне произнести в последний раз люблю на свободе, запечатлеть поцелуем разлуку вечную... Это слово поколебало ее твердость! Тот не любил, кто не знал слабостей... Роковое согласие сорвалось с ее языка.

Только при конце танца заметил я мужа Полины, который, прислонясь к противуположной стене, ревниво замечал все мои взгляды, все наши разговоры. Это был злой, низкой души человек; я не любил его всегда как человека, но теперь, как мужа Полины, я готов был ненавидеть его, уничтожить его. Малейшее столкновение с ним могло быть роковым для обоих — я это чувствовал и удалился. Полчаса, которые протекли между обетом и сроком, показались мне бесконечными. Через длинную галерею стоял небольшой домашний театр княжьего дома, в котором по вечеру играли; в нем-то было назначено свиданье. Я бродил по пустой его зале, между опрокинутых стульев и сгроможденных скамей. Лунный свет, падая сквозь окна, рисовал по стенам зыбкие цветы и деревья, отраженные морозными кристаллами стекол. Сцена чернелася, как вертеп, и на ней в беспорядке сдвинутые кулисы стояли будто притаившиеся великаны; все это, однако же, заняло меня одну минуту. Если бы я был и в самом деле трус перед бестелесными существами, то, конечно, не в такое время нашла бы робость уголок в груди: я был весь ожидание, весь пламя. Ударило два часа за полночь, и зыблющийся колокол затих, ропща, будто страж, неохотно пробужденный; звук его потряс меня до дна души... Я дрожал как в лихорадке, а голова горела — я изнемогал, я таял. Каждый скрип, каждый щелк кидал меня в пот и холод... И наконец желанный миг настал: с легким шорохом отворились двери; как тень дыма, мелькнула в нее Полина... еще шаг, и она лежала на груди моей!! Безмолвие, запечатленное долгим поцелуем разлуки, длилось, длилось... наконец Полина прервала его.

— Забудь, — сказала она, — что я существую, что я любила, что я люблю тебя, забудь все и прости!

— Тебя забыть! — воскликнул я. — И ты хочешь, чтобы я разбил последнее звено утешения в чугунной цепи жизни, которую отныне осужден я волочить, подобно колоднику; чтобы я вырвал из сердца, сгладил с памяти мысль о тебе? Нет, этого никогда не будет! Любовь была мне жизнь и кончится только с жизнию!

И между тем я сжимал ее в своих объятиях, между тем адский огонь пробегал по моим жилам... Тщетно она вырывалась, просила, умоляла; я говорил:

— Еще, еще один миг счастья, и я кинусь в гроб будущего!

— Еще раз прости, — наконец произнесла она твердо. — Для тебя я забыла долг, тебе пожертвовала домашним покоем, для тебя презрела теперь двусмысленные взоры подруг, насмешки мужчин и угрозы мужа; неужели ты хочешь лишить меня последнего наружного блага — доброго имени?.. Не знаю, отчего так замирает у меня сердце и невольный трепет пролетает по мне; это страшное предчувствие!.. Но прости... уж время!

— Уж поздно! — произнес голос в дверях, растворившихся быстро.

Я обомлел за Полину, я кинулся навстречу пришедшему, и рука моя уперлась в грудь его. Это был незнакомец!

— Бегите! — сказал он, запыхавшись. — Бегите! Вас ищут. Ах, сударыня, какого шуму вы наделали своею неосторожностью! — примолвил он, заметив Полину. — Ваш муж беснуется от ревности, рвет и мечет все, гоняясь за вами... Он близко.

— Он убьет меня! — вскричала Полина, упав ко мне на руки.

— Убить не убьет, сударыня, а, пожалуй, прибьет; от него все станется; а что огласит это на весь свет, в том нечего сомневаться. И то уж все заметили, что вы вместе исчезли, и, узнав о том, я кинулся предупредить встречу.

— Что мне делать? — произнесла Полина, ломая руки и таким голосом, что он пронзил мне душу: укор, раскаяние и отчаяние отзывались в нем.

Я решился.

— Полина! — отвечал я. — Жребий брошен: свет для тебя заперт; отныне я должен быть для тебя всем, как ты была и будешь для меня; отныне любовь твоя не будет знать раздела, ты не будешь принадлежать двоим, не принадлежа никому. Под чужим небом найдем мы приют от преследований и предрассудков людских, а примерная жизнь искупит преступление. Полина! время дорого...

— Вечность дороже! — возразила она, склонив голову на сжатые руки.

— Идут, идут! — вскричал незнакомец, возвращаясь от двери. — Мои сани стоят у заднего подъезда; если вы не хотите погибнуть бесполезно, то ступайте за мною!

Он обоих нас схватил за руки... Шаги многих особ звучали по коридору, крик раздавался в пустой зале.

— Я твоя! — шепнула мне Полина, и мы скоро побежали через сцену, по узенькой лесенке, вниз, к небольшой калитке.

Незнакомец вел нас как домашний; иноходец заржал, увидев седоков. Я завернул в шубу свою, оставленную на санях, едва дышащую Полину, впрыгнул в сани, и, когда долетел до нас треск выломленных в театре дверей, мы уже неслись во всю прыть, через село, вкруг плетней, вправо, влево, под гору, — и вот лед озера звучно затрещал от подков и подрезей. Мороз был жестокий, но кровь моя ходила огневым потоком. Небо яснело, но мрачно было в душе моей. Полина лежала тиха, недвижна, безмолвна. Напрасно расточал я убеждения, напрасно утешал ее словами, что сама судьба соединила нас, что если б она осталась с мужем, то вся жизнь ее была бы сцепление укоризн и обид!

— Я все бы снесла, — возразила она, — и снесла терпеливо, потому что была еще невинна, если не перед светом, то перед Богом, но теперь я беглянка, я заслужила свой позор! Этого чувства не могу я затаить от самой себя, хотя бы вдали, в чужбине, я возродилась граждански, в новом кругу знакомых. Все, все можешь ты обновить для меня — все, кроме преступного сердца!

Мы мчались. Душа моя была раздавлена печалью. «Так вот то столь желанное счастье, которого и в самых пылких мечтах не полагал я возможным, — думал я, — так вот те очаровательные слова „я твоя", которых звук мечтался мне голосом неба! Я слышал их, я владею Полиною — и я так глубоко несчастлив, несчастнее чем когда-нибудь!»

Но если наши лица выражали тоску душевную, лицо незнакомца, сидящего на беседке, обращалось на нас радостнее обыкновенного. Коварно улыбался он, будто радуясь чужой беде, и страшно глядели его тусклые очи. Какое-то невольное чувство отвращения удаляло меня от этого человека, который так нечаянно навязался мне со своими роковыми услугами. Если б я верил чародейству, я бы сказал, что какое-то неизъяснимое обаяние таилось в его взорах, что это был сам лукавый, — столь злобная веселость о падении ближнего, столь холодная, бесчувственная насмешка были видны в чертах его бледного лица! Недалеко было до другого берега озера; все молчали, луна задернулась радужною дымкою.

Вдруг потянул ветерок, и на нем послышали мы за собой топот погони.

— Скорей, ради Бога, скорей! — вскричал я проводнику, укоротившему бег своего иноходца.

Он вздрогнул и сердито отвечал мне:

— Это имя, сударь, надобно бы вам было вспомнить ранее или совсем не упоминать его.

— Погоняй! — возразил я. — Не тебе давать мне уроки.

— Доброе слово надо принять от самого черта, — отвечал он, как нарочно сдерживая своего иноходца. — Притом, сударь, в Писании сказано: «Блажен, кто и скоты милует!» Надобно пожалеть и этого зверька. Я получу свою уплату за прокат; вы будете владеть прекрасною барынею; а что выиграет он за пот свой? Обыкновенную дачу овса? Он ведь не употребляет шампанского, и простонародный желудок его не варит и не ценит дорогих яств, за которые двуногие не жалеют ни души, ни тела. За что же, скажите, он надорвет себя?

— Пошел, если не хочешь, чтобы я изорвал тебя самого! — вскричал я, хватаясь за саблю. — Я скоро облегчу сани от лишнего груза, а свет от подобного тебе бездельника!

— Не горячитесь, сударь, — хладнокровно возразил мне незнакомец. — Страсть ослепляет вас, и вы становитесь несправедливы, потому что нетерпеливы. Не шутя уверяю вас, что иноходец выбился из сил. Посмотрите, как валит с него пар и клубится пена, как он храпит и шатается; такой тяжести не возил он сроду. Неужели считаете вы за ничто троих седоков... и тяжкий грех в прибавку? — примолвил он, обнажая злой усмешкою зубы.

Что мне было делать? Я чувствовал, что находился во власти этого безнравственного злодея. Между тем мы подвигались вперед мелкою рысцою. Полина оставалась как в забытьи: ни мои ласки, ни близкая опасность не извлекли ее из этого отчаянного бесчувствия. Наконец при тусклом свете месяца мы завидели ездока, скачущего во весь опор за нами; он понуждал коня криком и ударами. Встреча была неизбежна... И он, точно, настиг нас, когда мы стали подниматься на крутой въезд берега, обогнув обледенелую прорубь. Уже он был близко, уж едва не схватывал нас, когда храпящая лошадь его, вскочив наверх, споткнулась и пала, придавив под собою всадника. Долго бился он под нею и наконец выскочил из-под недвижного трупа и с бешенством кинулся к нам; это был муж Полины.

Я сказал, что я уже ненавидел этого человека, сделавшего несчастною жену свою, но я преодолел себя: я отвечал на его упреки учтиво, но твердо; на его брань — кротко, но смело и решительно сказал ему, что он, во что бы ни стало, не будет более владеть Полиною; что шум только огласит этот несчастный случай и он потеряет многое, не возвратив ничего; что, если он хочет благородного удовлетворения, я готов завтра поменяться пулями!

— Вот мое удовлетворение, низкий обольститель! — вскричал муж ее и занес дерзкую руку...

И теперь, когда я вспомню об этой роковой минуте, кровь моя вспыхивает как порох. Кто из нас не был напитан с младенчества понятиями о неприкосновенности дворянина, о чести человека благорожденного, о достоинстве человека? Много-много протекло с тех пор времени по голове моей; оно охладило ее, ретивое бьется тише, но до сих пор, со всеми философическими правилами, со всею опытностию моею, не ручаюсь за себя, и прикосновение ко мне перстом взорвало бы на воздух и меня, и обидчика. Вообразите ж, что сталось тогда со мною, заносчивым, вспыльчивым юношею! В глазах у меня померкло, когда удар миновал мое лицо: он не миновал моей чести! Как лютый зверь кинулся я с саблею на безоружного врага, и клинок мой погрузился трижды в его череп, прежде чем он успел упасть на землю. Один страшный вздох, один краткий, но пронзительный крик, одно клокотание крови из ран — вот все, что осталось от его жизни в одно мгновение! Бездушный труп упал на склон берега и покатился вниз на лед.

Еще несытый местью, в порыве исступления сбежал я по кровавому следу на озеро, и, опершись на саблю, склонясь над телом убитого, я жадно прислушивался к журчанию крови, которое мнилось мне признаком жизни.

Испытали ли вы жажду крови? Дай Бог, чтобы никогда не касалась она сердцам вашим; но, по несчастию, я знал ее во многих и сам изведал на себе. Природа наказала меня неистовыми страстями, которых не могли обуздать ни воспитание, ни навык; огненная кровь текла в жилах моих. Долго, неимоверно долго мог я хранить хладную умеренность в речах и поступках при обиде, но зато она исчезала мгновенно, и бешенство овладевало мною. Особенно вид пролитой крови, вместо того чтобы угасить ярость, был маслом на огне, и я, с какою-то тигровою жадностию, готов был источить ее из врага каплей по капле, подобен тигру, вкусившему ненавистного напитка. Эта жажда была страшно утолена убийством. Я уверился, что враг мой не дышит.

— Мертв! — произнес голос над ухом моим. Я поднял голову: это был неизбежный незнакомец с неизменною усмешкою на лице. — Мертв! — повторил он. — Пускай же мертвые не мешают живым. — И толкнул ногой окровавленный труп в полынью.

Тонкая ледяная кора, подернувшая воду, звучно разбилась; струя плеснула на закраину, и убитый тихо пошел ко дну.

— Вот что называется: и концы в воду, — сказал со смехом проводник мой.

Я вздрогнул невольно; его адский смех звучит еще доселе в ушах моих. Но я, вперив очи на зеркальную поверхность полыньи, в которой, при бледном луче луны, мне чудился еще лик врага, долго стоял неподвижен. Между тем незнакомец, захватывая горстями снег с закраин льда, засыпал им кровавую стезю, по которой скатился труп с берега, и приволок загнанную лошадь на место схватки.

— Что ты делаешь? — спросил я его, выходя из оцепенения.

— Хороню свой клад, — отвечал он значительно. — Пусть, сударь, думают, что хотят, а уличить вас будет трудно: господин этот мог упасть с лошади, убиться и утонуть в проруби. Придет весна, снег стает...

— И кровь убитого улетит на небо с парами! — возразил я мрачно. — Едем!

— До Бога высоко, до царя далеко, — произнес незнакомец, будто вызывая на бой земное и небесное правосудие. — Однако ж ехать точно пора. Вам надобно до суматохи добраться в деревню, оттуда скакать домой на отдохнувшей теперь тройке и потом стараться уйти за границу. Белый свет широк!

Я вспомнил о Полине и бросился к саням; она стояла подле них на коленах, со стиснутыми руками, и, казалось, молилась. Бледна и холодна, как мрамор, была она; дикие глаза ее стояли; на все вопросы мои отвечала она тихо:

— Кровь! На тебе кровь!

Сердце мое расторглось... но медлить было бы гибельно. Я снова завернул ее в шубу свою, как сонное дитя, и сани полетели.

Один я бы мог вынести бремя зол, на меня ниспавшее. Проникнутый светскою нравственностию или, лучше сказать, безнравственностию, еще горячий местью, еще волнуем бурными страстями, я был недоступен тогда истинному раскаянию. Убить человека, столь сильно меня обидевшего, казалось мне предосудительным только потому, что он был безоружен; увезти чужую жену считал я, в отношении к себе, только шалостью, но я чувствовал, как важно было все это в отношении к ней, и вид женщины, которую любил я выше жизни, которую погубил своею любовью, потому что она пожертвовала для меня всем — всем, что приятно сердцу и свято душе, — знакомством, родством, отечеством, доброю славою, даже покоем совести и самым разумом... И чем мог я вознаградить ее в будущем за потерянное? Могла ли она забыть, чему была виною? Могла ли заснуть сном безмятежным в объятиях, дымящихся убийством, найти сладость в поцелуе, оставляющем след крови на устах, — и чьей крови? Того, с кем была она связана священными узами брака! Под каким благотворным небом, на какой земле гостеприимной найдет сердце преступное покой? Может быть, я бы нашел забвение всего в глубине взаимности; но могла ли слабая женщина отринуть или заглушить совесть? Нет, нет! Мое счастие исчезло навсегда, и самая любовь к ней стала отныне огнем адским.

Воздух свистел мимо ушей.

— Куда ты везешь меня? — спросил я проводника.

— Откуда взял — на кладбище! — возразил он злобно.

Сани влетели в ограду; мы неслись, задевая за кресты, с могилы на могилу и наконец стали у бычачьей шкуры, на которой совершал я гаданье: только там не было уже прежнего товарища; все было пусто и мертво кругом, я вздрогнул против воли.

— Что это значит? — гневно вскричал я. — Твои шутки не у места. Вот золото за проклятые труды твои; но вези меня в деревню, в дом.

— Я уж получил свою плату, — отвечал он злобно, — и дом твой здесь, здесь твоя брачная постеля!

С этими словами он сдернул воловью кожу: она была растянута над свежевырытою могилою, на краю которой стояли сани.

— За такую красотку не жаль души, — примолвил он и толкнул шаткие сани...

Мы полетели вглубь стремглав.

Я ударился головою в край могилы и обеспамятел; будто сквозь мутный сон, мне чудилось только, что я лечу ниже и ниже, что страшный хохот в глубине отвечал стону Полины, которая, падая, хваталась за меня, восклицая: «Пусть хоть в аду не разлучают нас!» И наконец я упал на дно... Вслед за мной падали глыбы земли и снегу, заваливая, задушая нас; сердце мое замлело, в ушах гремело и звучало, ужасающие свисты и завывания мне слышались; что-то тяжкое, косматое давило грудь, врывалось в губы, и я не мог двинуть разбитых членов, не мог поднять руки, чтобы перекреститься... Я кончался, но с неизъяснимым мучением души и тела. Судорожным последним движением я сбросил с себя тяготящее меня бремя: это была медвежья шуба...

Где я? Что со мной? Холодный пот катился по лицу, все жилки трепетали от ужаса и усилия. Озираюсь, припоминаю минувшее... И медленно возвращаются ко мне чувства. Так, я на кладбище!.. Кругом склоняются кресты; надо мной потухающий месяц; подо мной роковая воловья шкура. Товарищ гаданья лежал ниц в глубоком усыплении... Мало-помалу я уверился, что все виденное мною был только сон, страшный, зловещий сон!

«Так это сон?» — говорите вы почти с неудовольствием. Други, други! Неужели вы так развращены, что жалеете, для чего все это не сбылось на самом деле? Благодарите лучше Бога, как возблагодарил его я, за сохранение меня от преступления. Сон? Но что же иное все былое наше, как не смутный сон? И ежели вы не пережили со мной этой ночи, если не чувствовали, что я чувствовал так живо, если не испытали мною испытанного в мечте, — это вина моего рассказа. Все это для меня существовало, страшно существовало, как наяву, как на деле. Это гаданье открыло мне глаза, ослепленные страстью; обманутый муж, обольщенная супруга, разорванное, опозоренное супружество и, почему знать, может, кровавая месть мне или от меня — вот следствия безумной любви моей!!

Я дал слово не видеть более Полины и сдержал его.

М. П. Погодин
ВАСИЛЬЕВ ВЕЧЕР

Весь левый низменный берег Оки, почти от устья Москвы-реки, чрез Клязьму, до самой Волги, покрыт густыми сосновыми лесами, в иных местах верст на семьдесят шириною. Леса сии мало-помалу редеют с того времени, как московский топор, добравшись до них, начал просекать сквозные дороги чрез их заповедные чащи; но лет за пятьдесят, за шестьдесят много еще было таких, куда человек не ступал никогда ногою и даже ворон, по старинной пословице, костей не занашивал. Вечерняя темнота не рассветала в них ни летом, ни зимою; и лишь в березовые рощи, рассеянные кое-где между непроницаемыми соснами и елями, прокрадывались лучи дневные. Тишина глубокая. Иногда только ветер гудел в сокровенной середине, силясь напрасно прорваться сквозь плотные частые преграды; и изредка слышен был медведь, который, взлезая на сосну за бортным медом, царапал своею широкою лапой по древесной коре, или волк, который, почуя дальнюю падаль, скакал по земле, покрытой иглами. Но среди сих дремучих боров есть многие болота, покрытые серым мохом и густою осокою, приволье диких птиц всякого рода, широкие озера, богатые рыбою;

и здесь-то исстари находились деревни, основанные охотниками, угольниками и предприимчивыми хозяевами, кои селились в этой глуши, надеясь собирать больший доход с наследственных своих угодий.

У одного из них, премьер-майора Захарьева, который переехал из Москвы в Муромскую деревню с тоски по умершей жене, а остался по привычке и страсти к охоте, затеялось игрище в Васильев вечер для единственной дочери, девятнадцатилетней девицы. Все соседи, ближние и дальние, почти за неделю собрались к богатому и радушному хозяину; и в назначенный день, чуть только смерклось, между тем как старики в особых комнатах сидели за отменным пенником и густыми наливками, хвастаясь друг перед другом своими подвигами, нетерпеливая молодежь начала святочные игры; запели песни, заплели хороводы, пустились вприсядку. Поднялся шум, крик, смех, раздались веселые плески. Жмурки, гулючки, жгуты, носки следовали одни за другими, прерываясь только общим хохотом, когда кто-нибудь второпях ушибался до крови об угол, или падал стремглав на подставленные ноги, или получал удар побольнее в спину, от которого трещали зубы и из глаз сыпались искры. Ближе к ночи начались гадания, любимая забава взрослых девушек. Они принялись топить олово, выливать в холодную воду и в застывающих образах читать свою участь. Другие выставлялись лицом за окно, накликая суженого: «Шени меня, мани меня лисьим хвостиком», — и мягкое прикосновение сулило им богатство, так как жесткое — бедность. Третьи выбегали на мороз и всем телом ложились на рыхлый снег, чтоб по замерзлому отпечатку судить о доброте и лихости будущих мужьев своих. Иные, наконец, бегали слушать на паперть, под церковное окно, иные на мельницу, на погребицу, к закормам, на гумно. Всего занимательнее было толкование предвещаний, когда девушки, одни белые, как молоко, другие красные, как кровь, испугавшись или ободрившись, набежали опять со всех сторон в комнату и стали пересказывать друг другу полученные вести. Вот тут-то надо было послушать споров: один и тот же знак, один и тот же звук иные принимали к добру, другие к худу, одни плакали, а другие смеялись. А как наконец начались поздравления, утешения, шутки, насмешки! Словом, шумному веселью не было бы конца, если бы старики, успевшие раза по два напиться и проспаться, не стали вызывать игруш домой: на общем совете у них положено было разъехаться теперь же, несмотря на позднюю пору, для того чтоб удобнее было на третий день собраться к одной дальней имениннице. Девушкам было очень досадно оставить такое раздолье, но их утешили надеждой вскоре возобновить прерываемую забаву; и они, перецеловавшись с молодою хозяйкою, поблагодарив ее за ласковое угощение, уговорясь о наступающем празднике, одни за другими разъехались с своими родителями, уложенные и укутанные. Старик взялся сам проводить одну свою приятельницу, трусливую вдову с двумя дочерями, жившую верстах в двадцати от его усадьбы.

Дочь осталась дома одна. Гаданья в этот вечер возвестили ей печаль наравне с радостию и взаимно себе противоречили: на стене, например, в тени от оловянных вылитков она увидела две церкви, а между ними глубокую впадину с колючим ежом, знаком потаенного врага. На морозе с одной стороны кто-то погладил ее пушистым хвостом, а с другой — оцарапал голиком, и песня ей спелася очень странная:

Сиди, ящер, в ореховом кусте;
Щипли, ящер, спелые орехи;
Грызи, ящер,ореховы ядра;
Лови девку за русую косу,
Лови красну за алую ленту.

Она была в большом сомнении и, чтоб выйти из него, наслышанная много о сбыточных гаданьях в таинственный Васильев вечер, решается на последнее, самое действительное. Одна в своей комнате, в самую полночь, когда улеглись все домашние и только двое слуг в передней, дремля, дожидались барина, она садится перед зеркалом между двумя свечами и наводит другое так, что оно отразилось в первом двенадцать раз и представило даль бесконечную.

Туда, на самую крайнюю точку, до которой едва досягал напряженный взор, устремила она все свое внимание и с трепетом ожидала, что там ей представится: венец или заступ, счастье или несчастье.

Долго, долго смотрит она, ни об чем не думая, и воображение наконец берет верх над прочими способностями; она совершенно забывается, не знает уже, где она, что делает и чего желает, а между тем все смотрит, смотрит, смотрит...

Вдруг на далеком-далеком краю что-то чернеется... шевелится... ближе и ближе, больше и больше... неясные черты собираются в человеческий образ... призрак идет и растет, идет и растет... уж можно различить и черты: черные глаза, как горячие уголья, навислые брови, как сосновые ветви, рот с дупло, голова с пивной котел, волосы всклокоченные овином... а все еще он толстеет и длиннеет... уж это исполин во всю комнату... уж близко ее... и ударил по руке железной лапой... Ах!

Страх возвращает девушке память. Она перекрестилась и видит перед собою высокого толстого мужика в нагольном полушубке с топором в одной руке и потаенным фонарем в другой.

— Ключи от денег! — спрашивает он ее охриплым голосом.

— Не знаю, — отвечает девушка.

— Врешь! Сказывай! Убью! — И замахнулся топором над нею.

— Здесь в образной, — отвечает она, трепещущая, и подает толстую связку.

— Веди под пол! Где ход?

Дрожащей рукою указывает она половицу, которую разбойник тотчас поднимает, толкает вперед девушку и сам спускается вслед за нею по маленькой лесенке; нагнувшись, ведет она его по разгороженному подвалу к углу, где стоял большой дубовый сундук, окованный со всех сторон железом.

Разбойник, осмотревшись, примерясь, кладет на землю топор и фонарь, становится на колена, повертывает с напряжением длинный ключ в заржавом замке и силится поднять примерзлую крышу; а что делает девушка?

Образумясь уже от страха, видя себя в выгодном положении, сия мужественная дочь дикой природы, привыкшая с малых лет к былям и сказкам о страшных приключениях, уже решилась на смелый поступок: она взяла потихоньку топор, не-вдомек занятому разбойнику, и, изловчась, со все-го размаху вдруг ударила его сзади обухом по го-лове, так что в то же мгновение вылетел из не-го дух...

Между тем в ближней стороне слышится шо-рох: кто-то подлезает через отдушину под дом и из-дали шепчет:

— Эй, Степка! что ж ты! Да скоро ли?

Не теряя духа, ободренная успехом, девушка от-вечает сиповатым голосом:

— Да не управлюсь, поди сюда, пособи.

А сама, закрыв фонарь, прячется у дороги за столбом. Второй разбойник ползет на голос, ругая темноту и тесноту. Лишь только поравнялся он с нею, она из всех сил топором его в самое темя — и тот повалился, не испустив даже стона.

Она спешит оставить мертвецов, но испытание ее не кончилось: еще слышится шорох, подлезает третий:

— Ребята, скорее, барин уж близко.

Уйти ей невозможно: половицу над лестницею первый разбойник крепко прихлопнул, спустившись под пол, и поднять ее без шума нет средства — опас-ность увеличивается. Разгоряченная, с помутившим-ся уже умом, она дожидается нового гостя и встреча-ет его с меньшею осторожностию и меньшим успе-хом: удар попал не в голову, а по руке... Между тем на дворе послышался шум, залаяли собаки... разбой-ник, ошеломленный внезапным ударом, — назад, а героиня с последними силами — на лестницу, в свою комнату, и без памяти покатилась на пол.

Это в самом деле приехал барин. Видя свет в комнате у дочери, он заходит к ней проститься —

и как же ее находит? Она лежит бледна как смерть, без голоса, без движения; подле нее окровавленный топор; нагорелые свечи перед зеркалом; другое зеркало, разбитое вдребезги, — на полу. Он не понимает, что все это значит, зовет в ужасе людей, оттирает полумертвую льдом. Она приходит на минуту в себя, поводит мутными глазами и чуть выговаривает прерывающимся голосом:

— Четвертый... пятый... я устала... нет больше сил... — и опять лишается чувств.

Напрасно старик употреблял все средства, чтоб вывести ее из этого положения. Целую ночь провела она в бреду и изредка произносила:

— Кровь на мне... Я убила двух... трех... Господи, помилуй.

К позднему утру уже она опомнилась совершенно и, увидя подле себя отца, бросилась к нему на шею в горьких слезах:

— Батюшка! Вы ли?.. у нас были разбойники, я убила троих. — И рассказала удивленному старику свои ночные приключения.

Старик не верит ушам своим, почитая слова дочери продолжающимся бредом, хоть этого и не показывает. С сомнением поднимает он половицу и спускается под пол с своими людьми; но каково же было его изумление, когда в самом деле видит там мертвые тела и отрубленную кисть! Он расспрашивает дочь о подробностях, посылает верховых в Муром за командою, а между тем принимает все предосторожности на случай внезапного нападения. Однако ж день прошел благополучно, кроме того, что переволнованная девушка слегла в постелю, занемогши горячкою. На другое утро приехала земская полиция с понятыми, отобрали показания, освидетельствовали трупы, объехали дачу, искав горячих следов; но следы простыли, и они, оставив несколько гарнизонных солдат в деревне, отправились обратно для дальнейших поисков. Но все их старания были безуспешны, и сыщики, разосланные по околотку, не привезли никаких объяснительных известий. Между тем девушка выздоровела, старик успокоился, суд забыл о следствии, занявшись свежими уголовными делами, и только молва о мужестве барышни Захарьевой распространялась более и более, так что на противоположном краю лесов говорили, будто она перебила чуть не всех муромских разбойников.

Прошло полгода. Все дела в доме господина Захарьева пошли по прежнему порядку.

Около Петрова дня заезжает к нему сын старинного его сослуживца и крестного брата, жившего под Брянском.

— Батюшка, — сказал молодой человек, — зная, что ваша деревня недалеко от большой дороги в Макарьев, куда я еду с своим приказчиком, велел мне непременно заехать к вам и осведомиться о вашем здоровье и обстоятельствах. Вот вам и письмо от него.

Сельские жители знают, как приятно в глухой деревне увидеть незнакомое лицо и поговорить о чем-нибудь новом, вне круга ежедневных бесед, и потому нетрудно себе представить, с каким удовольствием старик встретил нечаянного гостя. Расцеловав его, припомнив, что за столько-то лет в такой-то праздник, при таких-то гостях он нянчил его на руках своих; познакомив с своею дочерью, майор со слезами на глазах прочел послание задушевного своего друга и требовал потом неотступно от сына погостить у него хотя недолго. Проезжий отговаривался недосугом и просил позволения немедленно отправиться в свой путь. Старик, однако ж, никак не согласился отпустить его, прежде нежели не расспросил подробно обо всех его братьях, сестрах и родственниках — о том, как отец его проводит время, чем занимается и по-прежнему ль метко стреляет дичину. Молодой человек отвечал так ловко и удовлетворительно, что старик полюбил его с первого дня и взял с него честное слово заехать на возвратном пути и погостить у него подольше.

В самом деле, чрез три месяца, после скучных ожиданий, в продолжение коих майор начинал уже сердиться на ветреность людей нового поколения, жданный гость, к сердечному удовольствию, явился в сопровождении прежнего приказчика — и не с пустыми руками: в знак благодарности за ласковое гостеприимство он привез дочери в гостинец собольи якутские хвосты, а отцу — устюжскую серебряную табакерку с чернью. Старик был очень рад, не знал, чем его потчевать и забавлять; услышав же, что он сдержит свое обещание, начал показывать ему свое хозяйство, водил на охоту с ружьем, ездил с ним бить медведя, а по вечерам молодой человек рассказывал, в свою очередь, о брянском обиходе, о Макарьевской ярмарке, о петербургских новостях и до такой степени понравился, что майор, под конец недели заметив, какие ласковые взгляды среди разговора бросал он на его дочь, слушавшую с глубоким вниманием, вздумал предложить ему запросто ее руку вместе со всем ее имением.

— Мы выросли с твоим отцом вместе, крестами поменялись, — сказал ему старик, разнеженный любимой мыслью, — одною палкою биты в полку — мне больно хочется под старость пожить с ним еще вместе и порадоваться на общих внучат.

— Василий Демидович! Признаться ли вам — я затем сюда и приезжал, чтоб увидеть дочь вашу, ибо батюшка и спит и видит, чтоб я женат был на ней и породнил его с вами. Получив от меня известие, он сам хотел было приехать к вам и просить ее мне в замужество.

— Настенька! По сердцу ли тебе Григорий Григорьевич? — закричал восхищенный старик.

Настенька пришла и потупила глаза.

— Ермошка! за попом! Целуйтесь, жених и невеста.

Благословленный жених просил не откладывать и свадьбы, ибо отца дожидаться здесь было бы очень долго, а пост был уж на дворе; ехать к нему всем было также затруднительно, потому что целое семейство вдруг подняться не может, да и хозяйство от этого потерпело бы очень много.

Эти причины показались уважительными, особливо невесте. Дожидаться больше было нечего: приданое Настеньке еще покойная мать приготовила, и сундуки в кладовых стояли верхом, церковь была близко, и так, чрез неделю при множестве повещенных гостей была разыграна свадьба.

Старик не мог нарадоваться на молодых, а они друг от друга были в восхищении. Муж ласкал жену от утра до вечера, смотрел ей в глаза и предупреждал всякое желание. Только и дела было у них, что они целовались и миловались. Между тем званые обеды у себя, в гостях, гулянья, катанья, вечерние пиры не прерывались.

Месяца чрез два зять сказал, что ему пора уж ехать с женою к отцу, который в своем письме понуждает его воротиться, желая поскорее увидеть молодую невестку.

— Делать нечего, детушки, — сказал наконец старик, — ступайте с Богом! Настенька, не плачь! не век прожить тебе в отцовской пазушке! Убравшись дома, я сам приеду к вам по первопутенке.

— А потом мы к вам всею семьею, — перервал веселый молодой.

— Вот и ладно! так мы и станем провожать друг друга — из муромских лесов да в брянские, а из брянских в муромские.

В неделю молодые собрались; они распорядились ехать на своей тройке, то есть на той, на которой ездил муж к Макарью, а за приданым хотели из дома уж прислать после подводы четыре. Когда все готово было к отъезду, отслужили, по обыкновению, путевой молебен. Дочь рыдала безутешно, несмотря на прежние веселые сборы, и, прощаясь, так повисла на шею отцу, что едва мог оттащить ее муж. Старик благословил ее в кибитке почти без памяти: так тяжело было ей расставаться с своим родимым обиталищем. Ямщик ударил по лошадям. Поехали.

Много ли, мало ли времени в тот день они проехали, неизвестно: муж, имея слабое зрение, опустил рогожу с кибитки от солнца, а жена, утомленная при прощанье, уснула на десятой версте и проснулась уж вечером, когда лошади остановились у ночлега.

— Вставай, — сказал муж.

Она встала и увидела перед собою ветхую избенку при дороге, чуть наторенной.

— Разве мы ехали не большой дорогой? — спросила она мужа.

— Здесь ближе, — отвечал он ей отрывисто.

Она бросилась было поцеловать друга; тот отворотился с нахмуренными глазами и пошел в другую сторону. Молодая не понимает такой внезапной перемены и, забывая собственную печаль, старается отгадать причину. Между тем вошли в избу. На столе приготовлен был ужин: пироги, ватрушки, ветчина, вино. Прислужников никого не было; приезжие перекусили все вместе: господа, и приказчик, и ямщик; никто как будто не смел прерывать молчания. Чрез несколько минут хозяин-угольщик пришел сказать, что свежая тройка готова. Между тем на дворе было уж очень темно.

— Едем, — сказал муж.

Жена опять бросилась поцеловать его по-прежнему. Он улыбнулся, но без нежности, даже с какою-то злобою. Молча сели они опять в кибитку.

Несмотря на темноту, жена примечает, что следу становится меньше и меньше, лес гуще и гуще. Ни одной души навстречу не попадается. Ямщик с трудом пробирается в чаще и беспрестанно повертывается около деревьев.

— Куда мы едем? — спрашивает дрожащим голосом молодая.

— Куда надо, — отвечает он сквозь зубы.

Наконец стало рассветать. Глушь и дичь ужасная, но лицо мужа становится веселее: он начинает взглядывать на нее с каким-то удовольствием, приказчик на облучке с ямщиком пересмеивается, и она ободрилась. Так это был напрасный страх. Два месяца любил он ее так нежно, целовал ее так сладко, угождал ей так искренно. Чего же дурного ожидать ей? Верно, сам он боялся ехать по такому дремучему лесу, и эта боязнь отпечатывалась на его словах и действиях; или, может быть, он хотел испытать ее доверенность, испугать нарочно, чтоб после посмеяться над ее прежней храбростию или, наконец, доставить ей нечаянное удовольствие. А теперь, верно, опасность миновалась, и оттого стал он веселее.

Молодая женщина предается снова приятным мечтам, воображает себя в кругу своего нового семейства, среди милых сестер, в объятиях пламенного мужа — как вдруг, выехав из густой чащи на широкую поляну, свистнул он с такой силою, что листья на деревьях, кажется, зашевелились, и вся ее внутренность похолодела... Пронзительный гул пронесся по всей окружности, и тотчас как будто в ответ поднялся в лесу со всех сторон и свист, и крик, и гам... Ямщик и приказчик, гаркнув, приударили по лошадям... Лошади пустились вскачь... Шум увеличивается и приближается, как будто весь лес проснулся и двинулся с своего места, идет к ним навстречу, идет и шумит, идет и шумит. Молодая не взвидела света божия! Что это такое? Куда везут ее, и кто ее муж? Что он замышляет? Господи! умилосердись!

Несколько минут лихая тройка неслась во весь опор.

— Стой! — закричал наконец молодой.

Ямщик осадил приученных лошадей, и они на всем скаку остановились как вкопанные, фыркая и роя копытами землю. Барин и приказчик мигом выскочили из кибитки, подхватили под руки изумленную женщину, которая, вне себя от страха, не знала, что с нею делается, и потащили по длинной узкой гати, заваленной с переднего конца валежником и хворостом...

С половины открылся пред ними на пригорке деревянный дом, окруженный со всех сторон каменной оградой с железными воротами посредине. Они уже отворялись, и со двора высыпало множество народа с веселым криком и шумом навстречу ожиданным гостям. Все мужчины, высокие, толстые, пухлые, в лаптях, сапогах, босиком, кто в кафтане, кто в рясе, кто в красной рубахе, кто подпоясан, кто нараспашку, с синими пятнами и рубцами на лицах, остриженные и длинноволосые.

— Гей! сюда! ура! Скорей! Давай ее — змею подколодную! — гамели они издали, сверкая глазами, размахивая кулаками, засучивая рукава.

— Вот вам она! — закричал запыхавшийся молодой, перебежав с своим товарищем во весь дух остальную половину дороги. — Вот вам она! — И бросил полумертвую в средину разъяренной толпы.

— Ай, атаман! Спасибо! исполать! Сослужил нам службу! — раздалось со всех сторон, и разбойники, кажется, тут же растерзали б на части ненавистную им женщину, попавшуюся в их когти, если б один из них, с подвязанною рукою, не остановил своих товарищей.

— Ребята! постойте, выслушайте меня: одной смерти мало этой злодейке; ее надо измучить так, чтоб черти расплакались — за наших двух молодцов, царство им небесное! — что по ее милости издохли не в чистом поле, не в темном лесе, не красною смертью, а под полом, как мокрые мыши от кошечьей лапы. Ребята! отдайте ее мне в волю — за эту руку, которая двадцать лет служила вам верой и правдой, а теперь мотается без пальцев, — уж я вас распотешу!

— Дело! дело! быть по-твоему! Лишь поскорее! поскорее!

— Атаман! ты что скажешь на это?

— Вина, вина! — закричал атаман, переведя дыхание и поднявшись с земли, на которую повалился от усталости. — Вина! не быть было мне вашим атаманом... обольстила меня Ева... и если б не побожился я тебе, Иван Артамонович, привезти ее живую или мертвую, если б не привиделся еще мне ночью удалый наш Степка, не погрозил мне окровавленным пальцем и не указал мне на рассеченное темя, — братцы, изменил бы я вам, — да откиньте ее с глаз моих подальше, прелестницу... Видите, как она смотрит на меня умильно! Вина! вина!

— Ах, она, злодейка! ах она, змея! Да она колдунья! чернокнижница! Нашего Грозу отвадить хотела! Вот мы ее! вот мы ее!

А между тем принесено было горячее вино, и жадные разбойники, как пчелы улей, облепили глубокую ендову. Атаман одним духом выпил с ковшик, за ним все товарищи, и началось разгульное похмелье.

Перед нашими вороты,
Перед нашими широки,
Перед нашими широки
Разыгралися ребята,
Все ребята молодые,

Молодые, холостые:
Они шуточку сшутили,
В новы сени подскочили,
Новы сени подломили,
Красну девку подманили,
В новы сани посадили.

— Гей! еще вина! заповедного! отрывайте ледник, выкатывайте бочку, починайте мартовское пиво! Живей! удалей!

Так буйствовала радостная шайка, пылая мщением за погибших товарищей; несчастная жертва, обреченная на погибель, стояла одаль, потупив глаза, бледная и безмолвная, и ожидала с нетерпением конца своим мучениям. Вот кто был ее муж! вот зачем он женился на ней... Но чувство любви к злодею еще не остыло в ней: она как будто не верит самой себе и с ужасом старается отклонить мысли от этого горестного предмета... «Что будет с отцом моим, — думает она, — когда он услышит, в какой обман он попался, в чьи руки предал единственную любимую дочь свою, и какие мучения должна переносить она по его неосторожности?» И залилась горючими слезами.

Между тем ковши по нескольку раз обошли опьянелую шайку...

— Чего же дожидаетесь вы, братцы, — закричал один, — или за попом посылать хотите? Эй, расстрига, дьячок, благослови!

— Вот я благословлю, — загремел косматый толстый мужик с длинной бородой и заплетенною позади косою, подскочил к ней и со всего размаху хватил ее по щеке, так что она зашаталась и упала.

— Те, волосатик, — закричали прочие, грозя ему кулаками, — ты пой, а рукам воли не давай!

— Ребята! в самом деле, зевать нечего, говорите вы прежде, что делать с нею! — закричал Иван Артамонович.

— Головою об угол?

— Мало.

— Колесовать?

— Мало!

— Повесить за ногу на суку!

— Разорвать по кускам?

— Мало, мало!

— Так что же?

— Сжечь на малом огне! — закричал смеющийся изверг. — Ха! ха! ха!

— Жечь, жечь ее! Скорее дров, огня, костер!

— Братцы! пусть она сама носит на себя дрова.

— Носи же, бесова дочь! — закричали все разбойники, и ближние толкнули ее к поленнице, а другие притащили из подвала большую железную решетку.

— А нам покамест закусить давайте! Кашевар! Что есть в печи, все на стол мечи!

Разбойники на широком двору, поросшем травою, расположились полдничать; несчастная женщина под надзором троих сторожей ходила взад и вперед, согнувшись под тяжелыми ношами, а злодеи посматривали на нее с свирепым удовольствием, ругали и швыряли оглоданными мосолыгами.

Атаман сидел задумавшись, отворотясь от нее в другую сторону.

Один молодой парень подвернулся к нему и хотел развеселить.

— Об чем ты, друг наш, призадумался? За что про что ты повесил свою буйную головушку? Послушай-ка меня, слуги своего верного, как я спою тебе песенку, песенку вещую, справедливую.

Стругал стружки добрый молодец,
Брала стружки красна девица,
Бравши стружки, на огонь клала,
Все змей пекла, зелье делала.
Сестра брата извести хочет:
Встречала брата середи двора,
Наливала чашу прежде времени,
Подносила ее брату милому.
— Ты пей, сестра, наперед меня.
— Пила, братец, наливаючи,
Тебя, братец, поздравляючи.
Как канула капля коню на гриву,
У добра коня грива загорается,
Молодец на коне разнемогается.
Сходил молодец с добра коня,
Вынимал из ножен саблю острую,
Сымал с сестры буйну голову:
«Не сестра ты мне родимая,
Что змея ты подколодная...»

«Не сестра ты нам родимая,
Что змея ты подколодная!» —

подхватили другие разбойники.

— Зажигайте костер! огневщик, чего ты зеваешь?

— Вина, вина! — кричал атаман, в котором тлилась искра сострадания к молодой жене.

Тотчас разбойник высек огню, другие надрали бересты, зажгли подтопку, и черный дым густыми облаками уж поднялся кверху... как вдруг благим матом прискакивает вестовой на замученной лошади...

— Ребята! скорее на коней! обоз едет!

— Где?

— В вечерни пошел от Полусмирного, теперь должен быть близко Волчьего врагу.

— Велик ли?

— Большущий.

— С чем?

— С овощным товаром: сахар, чай, кизлярская водка, сласти, — чего хочешь, того просишь. Добыча — разлюли. Трошка подпоил извозчиков на постоялом дворе. У всех в голове шумит, и они едут спустя рукава. Всех руками бери и делай что хочешь. Только не мешкайте! Скорее!

— Нельзя ли подождать?

— Ни-ни! как они выедут на чистое место да протрезвятся, так взятки с них будут гладки. Еще попутчик, может быть, подвернутся. Команда, слышно, из Мурома едет зачем-то в уезд. Скорее. Да что вы тут развеселились, что вам не хочется с печкой расставаться?

— Чего, брат, гостью Бог нам послал, прошеную и званую (Ба, ба! здорово, краличка! да какая же красивенькая, смазливенькая!), — так мы угостить ее хотим...

— Эва? Что вам мешает! Успеем разделаться с нею, воротясь; надолго ль там работы: окружим, наскочим, закричим, цап-царап — и дома.

— И то, — подхватили другие, — все равно здесь дожидаться: дрова не разгорелись еще.

— На коней — да поедем все гурьбою, чтоб скорее порешить, — и назад, на пирушку.

— А с нею кого здесь оставить?

— Тимофея хромого: пусть стережет ее да огонь раздувает.

Разбойники побежали под навес за лошадьми, которые стояли у них готовые, оседланные и взнузданные. Иван Артамонович скрутил молодой женщине руки назад, ударив раза три по голове за то, что она воротилась, наказал строго-настрого оставленному сторожу не спускать с нее глаз, запереть ворота и дожидаться их возвращения. Лошади были выведены, оружие вынесено — кистени, сабли, ружья, рогатины; разбойники выбрали кому что было надо и, одевшись, оправясь, вооружась, сели на коней, свистнули, гаркнули и поскакали ватагами в разные стороны.

Хромой запер за ними ворота и сел к огню, смотря с сожалением на связанную женщину. В самом деле, красавица собою, в цвете лет, высокая, стройная — и в таком горестном положении, похищенная из отеческого дома, ни мужняя жена, ни девушка, во власти неистовых палачей, у костра, на котором должна чрез несколько часов погибнуть в ужасных мучениях, — она могла возбудить жалость в самом закоренелом злодее, и только месть ожесточила сердца прочих разбойников, связанных узами условного родства до такой степени, что ни в одном не раздался голос человеческого чувства.

Настенька тотчас заметила действие, производимое ею над молодым сторожем, — она начинает просить его:

— Спаси меня... ты добрый человек... Это видно по лицу твоему... Заставь о себе вечно Бога молить... Спаси.

— Что ты? Что ты? Мне жаль тебя, правду сказать, но, видно, так тебе на роду написано: за то Бог наверстает на том свете. Спасти я не в силах; как я могу?

— Убежим вместе.

— Помилуй, я хромаю, у меня пуля в ноге... двадцати шагов не пройду... сил нет, куда мне теперь бежать!

— Ну отпусти меня одну, развяжи только мои руки. Сжалься надо мной, молюся тебе.

— Но они убьют меня самого на месте, как увидят, что я изменил им и выпустил их пленницу. И так меня не любят и беспрестанно подозревают.

— Разве ты здесь недавно?

— Недавно, — они меня сманили в трактире под недобрый час, когда мне было до зла-горя и вовсе невинный шел я под суд, — теперь я опомнился; мне самому хочется оставить этот вертеп, но меня ранили в первой схватке, и я дожидаюсь, как излечится моя рана.

— О, будь моим ангелом-хранителем, ради Бога, прошу тебя.

— Рад бы, да как же?

— Послушай... вот что. Сам Бог меня надоумил... перережь мою веревку... ляг... я убегу... ты скажешь, что я освободила себе руки, толкнула тебя сзади... прибила... связала тебя, а сама убежала... они поверят... они знают меня.

— Да как?

— Как-нибудь! Сделай милость, сделай милость, они тебя не тронут. Все это похоже на правду...

— Но куда бежать тебе? догонят тотчас.

— Попытаюсь... все равно... ведь и без этого умирать мне надо. Авось Бог поможет. Христа ради. Христа ради. Господь наградит за доброе дело, может быть, и я успею помочь тебе. Друг мой...

Из глаз ее лились слезы ручьями, на лице выражалось такое страдание, в голосе слышалось такое убеждение...

И молодой человек побежден; подвергая жизнь свою опасности, он решается исполнить такую усильную просьбу: молча берет топор — но перерубить узлы неловко, они плотно завязаны на теле... надо развязывать. Женщина трепещет от радости и нетерпения, между тем как ее благодетель продевает из петлей толстые концы... вдруг слышится шум... у него опустились руки.

— Господи, они возвращаются.

— Не может быть — это, верно, упало дерево; слышишь, как ветер шумит.

— И собаки бегут к воротам. Все пропало.

— Нет — собаки играют, видишь: они таскают какую-то ветошку.

— Ах! я слышу хохот.

— Совы хохочут в лесу, — развязывай, остался один только узел, последний!

— Свистят!

— Это орел свистит. Вот и все. Ну слава богу! Благодарю, благодарю тебя. Теперь постой, сейчас я свяжу тебе руки... хоть слабо... будто после ты их распутал... вот так... прощай! Если Бог мне поможет, я тебя не забуду. Если нет — все-таки не забуду на том свете, пред Божией Матерью... Ах, я не спросила еще о дороге.

— Я не знаю, меня привезли с завязанными глазами, и один раз только ночью я выезжал на разбой, где меня ранили.

— Боже мой! По крайней мере... как ты думаешь: в которой стороне город?

— Кажется, в этой...

— Прощай и молись обо мне... Да займи их здесь подольше... опорежься... ляг к забору, — прощай!..

Решительная женщина поцеловала его и изо всей мочи побежала...

— Ах! ворота заперты. Тебе нельзя их отпереть.

— Назади есть калитка, пройди через нее.

Собаки с лаем погнались было за нею, но, остановленные знакомым голосом, оставили ее в покое.

Между тем разбойники сделали свое дело, хотя и не с полным успехом. Приехав несколько поздно, они захватили только половину многолюдного обоза, из которого многие воза успели до их появления выбраться на безопасное место. Перевязав остальных ямщиков по рукам и ногам, уложив их в рытвину подле дороги, они отвели подводы в другую сторону, выбрали все, что было полегче и нужнее, навязали на своих лошадей и, поведя за собою несколько выпряженных, пустились разными дорогами к своему притону.

Уж брезжилось утро, как они стали подъезжать к воротам. Подают условный знак — ни ответу, ни привету. Стучатся — то же молчание. Еще шибче — и опять напрасно. Кричат, кличут — все без успеху. Наконец несколько человек перелезают через забор и отпирают ворота.

Нетерпеливые бросаются... на дворе нет ни сторожа, ни пленницы... огонь чуть светится... недоумение... вдруг слышат стон... идут, ищут и находят своего товарища под забором, окровавленного, охающего от боли...

— Что с тобою сделалось?.. где она?

— Ой-ой-ой! ее нет?

— Чего же ты смотрел, мошенник?

— Чего я смотрел! я только оборотился от нее и стал подгребать уголья... ой, ой... мочи нет... как она толкнула меня в огонь, ударила по шее...

— Да ведь она была связана.

— А черт ее знает, как она развязалась, окаянная. Сам бес ей, видно, помог... да отнесите меня на печь. Я прозяб.

— Куда ж она бежала?

— Она побежала в покои...

Несколько человек бросились тотчас в дом.

— Но как попал ты под забор?

— От удара лежал я без памяти... Она из дома опять прибежала ко мне... взяла да связала... да за ноги и оттащила к забору, в крапиву...

— А после что?

— В покоях нет нигде: мы перешарили все мышьи норки, — прибежали сказать разбойники.

— А после что она сделала, тебе говорят, хромой черт?

— А как мне было видеть... Я слышал только, собаки лаяли вот там... к калитке.

— Да что же, дьявол, ты не сказал этого прежде?

— Братцы! опять на коней! — закричал в бешенстве Иван Артамонович. — Врассыпную! И кто привезет ее сюда живую, тому вся моя доля и тому я слуга до второго пришествия; смотрите ж, чтобы не посмеялася баба над молодецкою шайкою!

Человек восемь разбойников тотчас поскакали из ворот во все стороны, ругая и страшно проклиная нашу героиню, которая в другой раз нанесла им такое оскорбление.

Остальные, уложив привезенную добычу в подвалах, пустилися вслед за ними. Дома остались человек пять особенно уставших и Иван Артамонович, который вне себя от ярости то подкладывал дрова, то подходил к воротам смотреть, не везут ли беглянку, то раздувал огонь, то разжигал клещи.

Избегнет ли несчастная женщина приготовленных мучений? Получаса еще не прошло, как она оставила адское жилище. Далеко ли могла она удалиться! Одна, не зная дороги, в дремучем лесу, в котором среди белого дня заблуждаются, может ли она укрыться от своих преследователей? Они знают все заячьи тропинки! Они не оставят ни одного кустика без осмотра. И сколько пустилось их за нею в погоню? Двадцать. Все они раздражены на нее за смерть двух главных своих товарищей. Их злоба теперь получила новую пищу, им стыдно упустить жертву, с таким трудом приобретенную... Притом, спасшись, она может служить к их погибели... Несчастная! Для чего же она поверила обольстительной надежде, для чего за сомнительную минуту отважилась на лишние мучения?

Впрочем, любезные мои читатели, я не скажу вам вдруг, хорошо ли или дурно она это сделала; я скажу вам только, что много обстоятельств может встретиться в ее пользу, так же как и во вред ее; а какие из них случились именно, то есть погибла ли она или спаслась, о том вы узнаете не так еще скоро.

Бывали ль вы, московские мои читатели, в Охотном Ряду накануне Благовещенья или Светлого воскресенья? Видали ль вы там, как, в исполнение священного завета старины, добрые наши простолюдины выкупают пленных птичек и из своих рук пускают на волю? Случалось ли вам когда слышать самый первый звук, которым под облаками поздравляют они Божие творение?

Ах! этот святой звук всегда проникал до глубины моего сердца. Никакая ученая музыка не производила во мне приятнейшего умиления. Я не знаю сильнейшего выражения беззаботной, чистой, полной радости: освобожденная пташка в одну минуту забывает свой грустный плен, свою тесную клетку; она не боится ни людей, ни сетей; она чувствует только свою волю; она только наслаждается своим счастием. Счастливее и счастливее — взвивается она выше и выше...

С таким-то чувством наша Настенька оставила ужасный вертеп разбойников: она бежит, бежит, не оглядываясь, не слыша земли под собою; ничто ее не останавливает — чрез колючие иглы, по колено в болоте, по грязи, в частом кустарнике она бежит, как будто по гладкой дороге.

Темнота в лесу ужасная: на небе, покрытом тучами, не мелькнет ни одна звездочка, не выглянет месяц; но ей кажется, что все светло вокруг нее; и она бежит прямо, ни на шаг не сворачивая в сторону, перепрыгивает, переползает, наклоняется, нагибается, боком, всем телом. Ночь холодная, осенняя; но она вся горит, и пот катится с нее градом. Из лица ее течет кровь, волосы треплются ветром, платье беспрестанно зацепляется...

Нужды нет! она утирает лицо, расправляет волосы, отрывает лохмотье, и все дальше, все дальше, по одному направлению.

Наконец повеял утренний ветерок, небо малопомалу очистилось, занялась заря и стало рассветать. Глаз ее устремляется сквозь древесную чащу на самый край: не видать ли какого жилья, не встречается ли человек, не близка ли дорога?..

Нет, глушь и дичь кругом, и лесу нет конца. Ах, если она заблудилась! Силы ее оставляют, колена подсекаются, ей трудно переводить дыхание... и в эту минуту вдали послышался конский топот, раздались людские голоса. Господи! это верно они!

Несчастная побледнела, ей представились уже их зверские лица, их дикие вопли, она уже мучится. Вдруг опять все затихло. Так! Опасность, верно, только почудилась расстроенному воображению! Но страх подкрепил ее силы. Она опять пускается... Шум послышался снова... громче и громче... прямо на нее. Нет! Это точно разбойники. Что делать?

Спастись невозможно. Несчастная женщина остановилась, осмотрелась кругом: перед нею дерево — высокое, суковатое, с широкими, густыми ветвями. Последняя надежда. Она бросается на него, с ветви на ветвь; гнется одна — она уж на другой, на третьей... перебирается выше и выше... и долезла до вершины; там укрылась она так ловко в листьях, что снаружи ее стало неприметно, и шум, произведенный в дереве, затих, прежде чем показались разбойники.

Их было двое.

— Проклятая! вот не было горя, да черти накачали! Чем бы теперь пировать на радостях, а мы на холоду стучи зубом о зуб! Ох, если б теперь попалась мне в руки... Те, постой. Что-то шумит.

Разбойники, приблизясь, остановились под самым деревом, на котором, ни жива ни мертва, ожидала решения своей судьбы несчастная Настенька.

Ну если отломится сучок, ну если она потеряет равновесие, из рук выронит ветвь... на ней нет башмака... ну если он скинулся, когда она лезла на дерево или где-нибудь вблизи, и разбойники увидят его на земле!

С каким горячим чувством стала молиться несчастная!

— Нет, тебе, верно, так показалось, — возразил другой, прислушиваясь к шороху.

— Чего, братец, показалось — смотри, вон пробирается волк, видишь, как сверкает он глазами... Прицеливайся, пали.

И разбойники в два ружья выстрелили в дикого зверя, который с страшным стоном в ту же минуту упал мертвый.

— Мы оставим добычу здесь, — сказал старший разбойник, прикалывая волка, — а сами поедем дальше.

— Куда еще дальше, в омут, — отвечал другой. — Поедем назад: ее, знать, давно поймали!

— Полно врать. Если б поймали, мы услыхали б свист. Иван Артамонович всем приказывал знак подать. Доедем хоть до Терешиной дороги, до камня.

— Шутка, до Терешиной дороги — версты две, а уж день высоко.

— Зато ведь любо, как она попадется к нам в лапы. Ей-богу, Гриша, мне чудится, что змея где-нибудь здесь проползает. Ведь досадно будет, если по усам потечет, а в рот не попадет.

— Пожалуй, я поеду с тобою, но не дальше Терешина камня, а после, как ты себе хочешь, я прямо домой: и так я устал как собака, и есть, мочи нет, хочется. Да куда ты воротишь направо? Вот где надо ехать.

— Досталось тебе учить меня, дрянь! ступай за мной.

— Мне все равно, — отвечал молодой разбойник, оборачивая лошадь, — но ты увидишь, дядя Иван, что мы не попадем, куда хочешь.

Разбойники поехали.

Настенька отдохнула. Бережно раздвигает она ветви смотрит вслед за ними, пока не потерялись они из виду, чтоб заметить их путь. Однако ж беда не совсем еще миновалась.

Слезть с дерева ей невозможно и бежать некуда — иначе она повстречалась бы с своими преследователями.

Она должна дожидаться их здесь, пока они воротятся за оставленным волком и уедут назад. Так и быть: она избирает последнее решение и остается на своем месте.

Эта невольная остановка имела на нее спасительное действие: упавшие ее силы восстановились, дух ободрился; а если б, без последней опасности, она продолжала бежать по-прежнему, без памяти, то вскоре изнемогла б совершенно и пала б жертвою усталости, голода или того хищного зверя, от которого теперь избавили ее разбойники. Притом она узнает теперь наверное, куда ей бежать, по тому ли направлению, по которому старший разбойник повел младшего, или по тому, которое избрать советовал сей последний. Настенька ждет не дождется, чтоб скорее приехали разбойники, и смотрит на все стороны. Чрез час она в самом деле завидела их издали. Они ехали шагом и бранились между собой.

— Да перестань, грыжа! — говорил старший. — Эка важность, размок совсем!

— Тебе хорошо, а меня еще черт сунул вперед, попал в такую трущобу, что насилу вылез; спасибо, что лошадь вынесла.

— Черт знает, братец, как это я ошибся. Со двора надо держаться права; так, кажется, мы и ехали, а не туда приехали. Вот что... ну смекнул теперь: у этого дерева, помнишь, мы останавливались, — вот когда я смешался: я позабыл, с которой стороны мы к нему подъехали.

Старший разбойник остановился в раздумье, осматривался кругом, между тем как младший отъехал подальше за застреленным волком.

— Точно, Гриша, твоя правда... Отсюда надо бы ехать прямо... Придет озерко, мимо его взять поправее... Так и есть, болото, в котором мы было увязли, и останется влево... за озером перелесок с полверсты, а там на версту поруснику, а там и дорога. Тьфу, черт возьми, как будто леший меня обошел.

— Толкуй теперь по субботам, а если б послушался меня, так не бывать бы нам в воде, — сказал младший разбойник, привязав свою добычу к седлу и сев на лошадь.

— Полно, Гришуха, не сердись: тебе не в первой раз из воды вылезать суху. Поедем, поедем, отогреешься; видно, нашу голубку в самом деле другие поймали и нас дома дожидаются. Чтоб тебя с корнем вон, проклятое! — вскрикнул он, ударив палашом по ветвям того дерева, на котором сидела наша пленница, так что шишки сверху посыпались, и поскакал с своим товарищем.

Настенька слезла с дерева и пала на колена, воссылая к небу теплую молитву.

— Господи, благодарю Тебя! Ты снял меня с пылающего котла. Ты отворил мне ворота в разбойничьем доме. Ты указал мне это спасительное дерево — доведи, доведи меня до большой дороги.

Кончив свою молитву, она пускается бежать, как сами разбойники указали ей. Солнце блистало на небе; в воздухе распространялась теплота, птицы пели кругом; мертвый лес оживился, и у нее сердце забилось спокойнее, надежда увеличилась; ей остается только две версты до дороги, до человеческого следа. Там предел ее мучениям.

Ах, Настенька! счастлива ты, что не представляешь себе теперь никаких других опасностей, которые тебя ожидают. Терешинская дорога!

Но кто тебе сказал, что это большая дорога?

Ну если ведет она к прежнему вертепу, из которого ты только что вырвалась, или к другому разбойничьему притону? Два разбойника воротились домой! Но их еще рассыпано двадцать по лесу, и как легко тебе встретиться с ними на каждом шагу!

Теперь светло тебе, но зато и тебя увидеть легче по следу издали. Чем больше ты затрудняешь своих мучителей, тем больше увеличиваешь свои мучения. Случай помог тебе, но случай же и погубить может: так часто любит он шутить над своими игрушками!

Но, к счастию, ничего этого не приходит ей в голову. Она бежит, твердя только про себя слова старшего разбойника о дороге. Вот озеро. Она сворачивает направо. Вот и перелесок. Она все бежит, бежит. И перелесок миновался. Вот пошел кустарник. Уж четверть версты до дороги... сейчас, сейчас... Вдруг, откуда ни взялись, опять послышались двое верховых...

Ах! куда деваться: деревьев нет кругом... Они уж близко... скачут во весь опор. Настенька бросается под первый куст.

Не успела еще она улечься, нога еще была на виду, как показались разбойники. Шевелиться невозможно: привлечешь их внимание. Она остается в первом положении, полумертвая. К счастию, разбойники неслись во весь опор и не смотрели около себя. Но одному путь был вплоть мимо куста, под которым она лежала; лошадь на всем скаку наступила на ногу несчастной и раздробила копытом пятку. Ни малейшего стона не испустила мужественная женщина до тех пор, пока удалились разбойники.

Уже чрез несколько минут страдалица встала... она решилась как-нибудь добираться до дороги: авось они поворотят в другую сторону, авось она встретится там с какими-нибудь проезжими.

Опасность же и здесь, на открытом месте, как там, одинокая. Удерживая стоны, перетерпливая мучительную боль, она поволоклась кой-как вперед.

Надежда ее почти оставляла; нет, ей, видно, не избегнуть казни; ей, видно, не избегнуть от руки этих палачей; она получит, видно, наказание за невольное убийство.

В таких мыслях дотащилась она до дороги.

Смотрит в одну сторону: разбойники шагом удаляются; смотрит в другую — едут мужики с сеном. «Слава Богу! Вот, вот мои избавители! наконец Милосердый сжалился надо мною».

Настенька как будто воскресла, дожидается их и прямо в ноги.

— Отцы родные! спасите! защитите!

— Что ты, голубушка! Чья ты такая?

— Я дочь господина Захарьева.

— Того барина, что в Синькове живет, Ивана Григорьевича, — знаем. Да как ты сюда попала?

— Разбойники меня увезли, замучили было — Бог помог мне убежать от них. Но они гонятся за мною. Родимые, пустите душу на покаяние, поминаючи своих родителей.

— Да как же нам упасти тебя, касаточка. Мы сами на оброке у этих разбойников и из их воли выступить николи не смеем. Они запалят нашу деревню, коли узнают, что мы тебя из-под их рук утащили. Житья ведь нам не будет, хоть со свету беги, — а от господ защита тоже плохая: они сами с ними хлеб-соль водят.

— Батюшки! сжальтеся! у вас свои дети есть. Бог вам невидимо пошлет, если вы меня, сироту, от лютой смерти избавите; да и накажет Он вас на том свете, если меня им предадите. Отец мой дал бы вам выкуп за меня, какой угодно: я единственная дочь его и наследница.

— Родная! и жалко нам тебя, да делать нечего. Посиди лучше здесь у дороги: авось, на твое счастье, попадется какой-нибудь проезжий помогучее, офицер или подьячий, так и ты целее будешь, и мы себе беды не накличем.

— Нет, мои отцы! Здесь усидеть мне недолго, я голодна, холодна, избита, ослабла, разбойники рыщут поминутно; если уж спасти кому меня, так только вам, — а вы, Бог с вами, не хотите. Буди воля Божия! Здесь я умру. Отсюда на вас Отцу Небесному и поплачуся!

— А что, братцы, — сказал один разжалобленный крестьянин, — ведь нам в самом деле грех ее оставить на верную смерть. Зароем ее в сено. Авось так провезем благополучно до Щиборова, а за ночь-то завтра не мудрость доставить ее и в Синьково.

— Ну как попадутся нам разбойники?

— Авось не догадаются; а мы скажем, что видели в кустах на стороне какую-то женщину — они поторопятся. Ребята, вы как? — спросил он, оборотившись к прочим товарищам.

— Батюшки! спасите! — воскликнула Настенька, залившись слезами и повалилась мужикам в ноги.

— Пожалуй, мы не прочь, — отвечали все они один за другим.

— Благодарю, благодарю вас, мои благодетели.

— В чей же воз зарывать ее? — спросил Петр.

— Вестимо, в твой, — закричало несколько голосов. — Ты ведь затеял ее спрятать.

— Эхма, ребята, — отвечал Петр, почесывая голову, — видите, у меня какой возище навит: пудов тридцать. Не в твой ли, дядя Федор?

— Что ты, дура, городишь! у меня клячонка насилу ноги передвинет. Как прибавлять еще ей тяги?

— Али к тебе, Яша?

— Братцы! я еду впереди. Ну если, оборони Господи, они встренутся, так долго ли первый воз разметать? И вам тогда не уйти от беды.

— Эка хитрость! — возразил Федор, — ну да я, пожалуй, поеду впереди.

— А! теперь ты вызываешься, а даве так заартачился, — и, слово за слово, поднялась брань между мужиками.

Настенька между тем со страхом и трепетом смотрела во все стороны, опасаясь, чтоб не показались где-нибудь ее гонители и не застали ее на открытом месте. Не видя конца спорам, испугавшись даже, чтоб мужики не переменили своего намерения, она вступается в их распоряжения.

— Благодетели мои! Чем спорить, киньте жребий. Пусть сам Создатель укажет того доброго человека из вас, который должен взять меня под свое покровительство и получить лишнее награждение от батюшки, — хотя повторю вам, друзья мои, и все вы не будете обижены.

Некоторые мужики, услышав такое обещание, выдвинулись было наперед и, заикаясь, стали вызываться и затевать новый, противоположный спор; но прочие в один голос закричали:

— Кинем жребий!

Проворный Петруха отломил от дерева длинный сучок. Все мужики начали хвататься за него руками, и верхний конец, с обязанностию взять женщину к себе на воз, достался дяде Федору, у которого, однако ж, Андрей, сговорившись, перенял ее к себе.

Прочие мужики бросились тотчас к его возу, разметали его до половины и положили туда Настеньку, которая между тем выпросила кусок хлеба у своего хозяина, и потом засыпали ее снятою прежде половиною.

— Лешие! — сказал дядя Федор, — ведь она задохнется.

— Не то, — отвечал Петр, — мы позабыли про это, — и тотчас провертел отверстие в возе к заднему боку, к которому Настенька лежала головою.

Воз этот поставили они потом на самый конец, предпоследним, помолились Богу, побожились друг другу под страшною клятвой не изменять, не выдавать и длинной вереницей пустились в дорогу.

Не успели они отъехать полверсты, как навстречу им пятеро разбойников.

— Стой! — закричали они на мужиков.

Обробелые, остановились и все повалились им в ноги.

— Откуда едете?

— С отходной пустоши. Барское сено везем. Здравствуйте, батюшка Дмитрий Алексеевич.

— Давно ли в дороге?

— Вчера на ночь выехали.

— Не видали ли вы кого-нибудь по дороге? Молодую женщину?

— Нет, батюшка, вот те Христос! никого не видали. Не останавливайте нас. Бога ради. Спешим ко дворам. Барин у нас, сами изволите знать, такой строгий.

— Да что вы переминаетесь, сиволапые, — закричал другой разбойник, — что вы перешептываетесь? Братцы! размечем воза! посмотрим! Верно, они спрятали ее: нельзя же ей сквозь землю провалиться. Не в третий же раз пошлют нас ее отыскивать.

Обробелые мужики заплакали и снова повалились в ноги.

— Отцы родные! что вы над нами делать хотите? Ей-богу, никого видом не видали, ни про кого слыхом не слыхали. С нами уж повстречались Степан Герасимович да Ваня Тяжелый; они нас оспрашивали.

— Врете, канальи, вы что-то испугались не путем. Развевайте! — И трое разбойников принялись за первый воз.

— Как не испугаться вашей милости? — отвечал Петр, — да подумайте сами: или мы о двух головах, что вас обмануть в глазах не побоимся, — или мы какие безблагодарные, что против вас, господ наших, замыслим недоброе, — или мы какие глупые, что из одной бабы себе гнев ваш накликаем. Разметывайте воза, пожалуй, — сами увидите.

Первый воз был разметан совсем. Разбойники начали складывать сено со второго. Мужики с большим воплем и рыданием бросились в ноги и стали просить их, чтобы по крайней мере прочих возов не касалися.

— Вот видите, что у нас нет ничего спрятанного; нам только сено сорить не хочется. Ведь мы его весом приняли. Да и времени погубим много, а нам барин настрого наказывал быть ныне к вечеру домой. Он с живых нас шкуру спустит. Не задерживайте нас, батюшки, мы вам за это хоть своих баб руками выдадим.

— Тьфу, дурачье, — сказал один разбойник. — Мы сами под началом. Нам накрепко велено не оставлять никого без осмотра. Ну долго ли опять навить вам воза? Нет так нет, вам же лучше.

Мужики замолчали, как к смерти приговоренные, и заплакали, а разбойники разметывали один воз за другим. Они уж окончили седьмой, оставалось шесть — и только четыре до того, в котором лежала наша несчастная Настенька. Однако же они устали, задыхались от пыли — на что мужики только и надеялись. Хитрые тотчас сметили это, приступили со слезами к разбойникам, когда они с меньшим усердием и охотою принялись за осьмой воз.

— Отцы наши, сжальтесь над сиротами. Ведь вот вы уж семь возов осмотрели, а ничего не нашли. И в остальных ничего не найдете. Только доброе, на нашу голову, рассорите.

— А вот что, ребята, — сказал один разбойник помоложе, — мы не станем больше разметывать сена, а перещупаем остальные воза пиками.

— И то дело, — отвечал старший, — вот если так, то не за что укорить нас будет Ивану Артамоновичу. Ай, Сенька! догадался, собаку съел!

И все они пошли щупать воза с разных сторон, руками, шестами, пиками; трясут их, валяют на-бок, приподнимают — подходят наконец и к роковому, предпоследнему...

Мужики бледнеют, колеблются, на языке у них вертится уже признание, они готовы повиниться — но Сенька запустил уж свою пику и вынул ее без затруднения, в другой раз также, в третий, в четвертый она что-то остановилась. Он рванул ее и не смог вырвать, пошатнулся...

— Верно, сучок какой попался, батюшка, — сказал, подвернувшись, Петр и, схватив за ручку, помог ему вытащить пику.

Семен отошел к последнему возу. Мужики отдохнули и прочли про себя молитву.

Вы думаете, читатели, что по счастливому случаю ни одного раза пика не коснулась до нашей героини. Нет, в последний раз Сенька острием именно ей проткнул руку; но, терпеливая и сильная, она приняла рану без малейшего стону и при втором порыве догадалась обтереть кровь с острия.

Когда разбойники осмотрели таким образом все воза, то старший сказал мужикам:

— Побожитесь еще, что нет у вас никакого обмана.

— Чтоб мне до Миколина дня не дожить, чтоб глаза у меня потемнели, если... если... у нас есть что чужое.

— Ну, делать нечего, ребята, — сказал разбойник, — потревожили мы вас по-пустому. Прощайте.

Мужики, переговоря между собою, повалились опять им в ноги.

— Отцы родные! сами вы знаете, что люди мы бедные, господские; сена домой не довезти нам и половины теперь. Времени много прошло, да и еще лишний раз на дороге кормить нам надо, еще потравим немало — тринадцать лошадей, — с нас все станут доправлять деньгами на барском дворе. Сделайте божескую милость, киньте нам что-нибудь на бедность за изъяны.

— Ах вы, разбойники, да вы уж около нас живиться хотите! Вот я сотворю тебе божескую милость! — закричал, смеясь, старший и ударил Петруху нагайкою по голове.

— На всем довольны, батюшки, — отвечал Петр, отходя к стороне, — благодарим покорно, дай Бог вам всякого благополучия.

— Приходи, приходи к нам, Петруша, не потачь, мы тебе сполна все выдадим, — прибавил Сенька.

— А если, батюшки, — сказал Федор, — еще с нами встретится кто из вашинских?

— Скажите им, мы вас обыскивали, а в подтвержденье наше слово: «Гляди в оба», — они вас и не тронут.

— Спасибо вам, кормильцы!

Разбойники поскакали в лес.

Мужики проводили их глазами и потом подошли к предпоследнему возу.

— Жива ли ты, боярышня? — закричал в проверченное отверстие Петр. — Благодари Бога. Беда миновалася!

— Рука проколота, — простонала несчастная, — дайте тряпку перевязать; благодарю вас, мои благодетели. Это вашими святыми молитвами Господь спас меня, грешную.

Мужики кое-как перевязали ей руку, уложили ее в возу повыше, полегче — собрали разметанное сено и поехали, спокойные и веселые, по своей дороге.

— Ай Петруха! Ай Андрюха! Вот как — разбойников обманули! Молодцы! Уж барина ли теперь не обманем?

— Обманите-ка, попытайте, — возразил опытный дядя Федор. — Нет, братцы, увечья нам за сено не миновать, и вздуют нас теперь, что твою сидорову козу. Да так тому и быть. И перед Богом хорошо, и отец-атаман нас не оставит.

Среди сих рассуждений мужики благополучно ехали во весь день по своей дороге, часто наведываясь, жива ли их пленница, — и к ночи доехали благополучно, без всяких приключений, до своей деревни. С общего совета они оставили Настеньку на ночь в сарае у Андрея, а сами тогда же отправили его в Синьково к господину Захарьеву с вестью, что дочь его освободили они от разбойников и будущей ночью привезут к нему тайно, — и с разными наставлениями, которые мы вскоре узнаем.

Можно себе представить, с каким изумлением услышал спокойный отец, что дочь его, которую он полагал в Брянске, в доме у своего ближнего приятеля, счастливою и благополучною, находилась в руках у разбойников и только благодаря удивительному стечению обстоятельств избавилась от верной, бесчестной смерти. Он осыпал рубликами радостного вестника. В ту же минуту он хотел было ехать вместе с ним в их деревню; но Андрей удержал его, сказав, что все товарищи требуют непременно, дабы все это дело шло без огласки и никто, не только разбойники, не узнал бы о участии, принятом ими в спасении его дочери; в противном случае все они подвергнутся великой опасности от разбойников, которые во всю жизнь свою не простят им такого оскорбления и вместе с их барином отомстят за оное им и даже детям их. Как ни старался нетерпеливый отец убедить нашего Андрея, что нечего бояться им разбойников, что завтра же он с целым полком пойдет на них из города и переловит всех, прежде нежели они успеют дотронуться до кого-нибудь из его товарищей, Андрей стоял на своем и требовал, даже неотступно, чтоб его самого барин куда-нибудь спрятал, а ночью с верным человеком выехал навстречу к своей гостье — взял ее с рук на руки и держал взаперти до тех пор, пока тем или другим образом успеет он снять с их деревни всякое подозрение. Старик должен был согласиться. Обдумав зрело это происшествие, после первого пыла он увидел, что мужик говорил правду и что он сам, в своем доме, не может еще до времени надеяться на совершенную безопасность от сильных разбойников. Он решился последовать совету, запер на день в светелке Андрея, которого в доме, к счастию, видел только его старый прислужник, и считал часы, горя нетерпением прижать к своему сердцу несчастную дочь и любопытством узнать ее странные приключения. Наконец пробило двенадцать часов. Уложив всех спать заранее, он вышел вместе с своим старым прислужником и Андреем на дорогу...

Как билось его сердце... долго он ждал... начинал уже бояться, не случилось ли с его дочерью нового несчастия, как наконец она, в сопровождении пяти мужиков, с ног до головы вооруженных, вдали показалась. Без памяти бросился он к ней навстречу и принял ее в свои распростертые объятия. Но что было с нею! Без памяти, без ума почти, она и плакала, и смеялась, и кричала, целуя беспрестанно своего отца, которого видеть было отчаялась.

Старик оделил ее спасителей полными пригоршнями денег и отпустил домой, повторив им честное слово скрыть до времени дочь и всеми силами стараться о том, чтоб они не попали в ответ. Мужики с своей стороны хотели распустить по лесу молву о найденной мертвой женщине, чтоб отклонить разбойников от всяких дальнейших поисков. Старик повел ее домой и там услышал от нее все ужасы, которых она насмотрелась, наслушалась и настрадалась. Оба пали они на колена пред Создателем, который даровал ей терпение, твердость, такое присутствие духа и тем спас от неминуемой гибели.

Но вся ли беда ее миновалась? О нет, совсем нет. Много терпеть еще придется несчастной Настеньке. Слушайте, читатели.

Утаивать Настеньку слишком долго от домашних было невозможно: на другой день показывались чужие люди в деревне, которые высматривали и выспрашивали о барине и его дочери; разбойники, удостоверясь, легко могли бы напасть ночью на барский дом и опять похитить свою добычу; держать лишнюю стражу около дома старик побоялся, чтоб не привлечь подозрения. Итак, выспросив у нее подробно о дороге, которою она бежала, и о жилище разбойников, майор решился ехать во Владимир с подробным описанием о происшедшем и просить местное начальство о разорении злодейского гнезда. Взять ее с собою было невозможно: мстительные разбойники могли напасть на него дорогою. Отец не решился подвергать ее новой опасности. Он придумал оставить ее дома. «Разбойникам никак не придет в голову, — рассудил он, — чтоб я мог покинуть ее одну, и они удостоверятся, что она не дошла до меня».

Благословив Настеньку, запертую в чулан, и поручив ее попечениям старого своего прислужника, которому даны были самые подробные и обстоятельные наставления на всякий случай, отправился он из своей деревни. Домашним было сказано, что он из Брянска от своего друга получил странные противоречащие известия о женитьбе его сына, а с другой стороны, услышал о поднятом в лесу трупе, сходном по приметам с его дочерью, и потому хотел поискать на первый случай в городе каких-нибудь объяснительных сведений.

Новый владимирский наместник, старинный сослуживец Захарьева, который был гораздо деятельнее своего предшественника и давно уже думал о средствах, как бы очистить леса от разбойников, случился на ту пору в Муроме; он принял живейшее участие в его положении и согласился послать немедленно целую роту на ужасную шайку. Майор, пылая местию за оскорбление дочери, вызвался быть предводителем и, выписав трех мужиков из Щиборова в провожатые, отправился в поход.

Из Мурома выступил отряд под выдуманным предлогом. Майор ехал одаль. Они приноровили, по указанию Андрея, прийти около вечерен к тому месту на дороге, которое находилось прямо против Терешина камня. Там остановились они, будто ночевать, а лишь только смерклось, пустились врассыпную к разбойничьему вертепу, условясь к утру соединиться по известному знаку в одном захолустье.

Всю ночь они пробирались по лесу и еще задолго до рассвета собрались в назначенном месте.

Там, усталые от трудной дороги, решились они переждать день, а в сумерки опять пуститься вперед, чтоб в самую глухую пору окружить воровскую крепость. Успех соответствовал их ожиданию: весь день пробыли они спокойно в своем убежище, а вечером рассыпались опять и пробрались благополучно до самого притона, встретясь только около полуночи с двумя разбойниками, которых без дальнего шума положили на месте.

Майор начал учреждать приступ.

Около ограды расставил он солдат двойною цепью с строгим приказанием не пропускать ни одного разбойника, который покусился бы бежать: всех вязать или бить, кроме одного хромого, с данными приметами. Сам с прочими солдатами хотел он по веревочным лестницам перелезать через ограду, но ротный командир уговорил пылкого старика остаться при цепи и предоставить ему сражение.

Только что поднялись солдаты на ограду местах в десяти и начали спускаться на двор, как залаяла чуткая собака, к ней пристали другие, проснулись сторожа, ударили тревогу, из дома выскочило несколько разбойников в одних рубашках. Впросонках они не понимали, что случилось, и метались как угорелые.

— Сдавайтесь! — закричал им капитан. — Вы пойманы Богом и государем!

— Да много ли вас здесь! — отвечали разбойники.

102

— А вот сосчитай! — подхватили солдаты и зарубили их, как прежде сторожей, тесаками. Поднялся крик, вопль, стон. В окошках засветились огни, задребезжали стекла, несколько голов высунулось и спряталось. Капитан начал ломать железные двери.

Разбойники увидели, что приходит им худо, заперлись и начали обороняться дома. Увидя такое сопротивление, начальник был минуты две в нерешимости: ломиться ли ему в дом или выманивать и выжидать разбойников на двор. Вдруг раздался выстрел, прямо ему в руку, другой, третий, — градом из всех окошек. Многие солдаты повалились. К счастию, в потемках разбойникам неловко было прицеливаться.

— Ребята! напролом! — закричал разъяренный капитан.

Солдаты бросились, но железные двери противостояли их усилиям.

— Что, взяли? — кричал атаман. — Давайте лучше уговариваться... Возьмите все наше добро... Пустите только нас на чистое поле.

— Вот мы вас отпустим! — отвечали пылкие офицеры. — Зажигайте дом!

Разбойники, услышав это приказание, мало-помалу затихли: они стали выбираться из дома чрез слуховые окна, по крыше, с заднего крыльца, решившись бегством спасти жизнь свою.

Между тем двери наконец были разобраны. Солдаты кинулись в покои, но уж никого почти не нашли там, и разбойники на дворе начали с остальными рукопашный бой, и очень выгодно; однако, видя беду неминучую, некоторые стали отвертываться и, пользуясь темнотою ночи, успели отпереть калитку и начали выбираться в поле; за ними последовали и все прочие, когда солдаты из комнат присоединились к своим товарищам и драться стало им не под силу, — но за оградой всех их встретил полным залпом майор, который давно уж скрежетал зубами от бездействия и с нетерпением ожидал своей очереди. Почти все разбойники с атаманом были перебиты. Немногие сдались и были перевязаны. Человек пять успело убежать.

Расправясь таким образом со всеми, солдаты принялись тушить огонь; проливной дождь на ту пору пособил им сохранить законную их добычу. К утру они успели разделить по себе все доброе, найденное в покоях и кладовых, навьючили забранных лошадей и, зажегши с четырех сторон злодейское гнездо, отправились в деревню к майору, желавшему с предварительного позволения наместника угостить их всех у себя дома в знак благодарности за кровавую месть, которую совершить они ему пособили.

Сам он отправился в кибитке вперед, чтоб изготовиться к принятию дорогих гостей... Но каково было его удивление и ужас, когда после двухдневного пути, подъезжая к своему дому, он увидел издали на его месте одни дымящиеся головни и торчащие печи...

— Где дочь моя? где дочь моя? — без памяти спрашивает он первого встречного.

— Мы спасли боярышню, — отвечал староста, — и она находится благополучна у меня в избе.

Поймали и зажигателя — он сидит на цепи, — только дома твоего, батюшка, уберечь не умудрились. Не клади на нас гнева, кормилец, и прости виноватых.

— Бог вас простит, — отвечал успокоенный старик, — ведите меня к дочери.

— Еще случилось с нами несчастие, батюшка! — так встретила его горестная женщина.

— По крайней мере, последнее, — отвечал старик, сжимая ее в своих объятиях. — Злодеи твои и мои все наказаны.

— Не все еще, отец наш! — сказал староста, приведший в эту же минуту знакомого нам Ивана Артамоновича.

Настенька при одном взгляде на него упала было в обморок. Майор тотчас велел отвесть и держать его под крепкою стражею. Успокоив дочь свою, набожный старик пошел с нею в церковь и принес благодарную молитву милосердому Богу за спасение от толиких бедствий.

Этот разбойник успел бежать из последнего сражения и, узнав в лицо майора, командовавшего цепью, догадался, кто виною их гибели, бросился по кратчайшей дороге в его деревню и в следующую ночь поджег в нескольких местах его дом.

Здесь и оканчивается повесть, думают некоторые мои читатели. Совсем нет, милостивые государи. Разумеется, я не стану описывать вам ни трехдневного угощения солдат, пришедших через день на званый пир к радушному майору, ни окончательных распоряжений с пленными разбойниками, ни допросов Ивану Артамоновичу; не стану даже объяснять всем, каким образом атаману удалось сначала так искусно разыграть чужую роль и поймать в свои сети легковерного отца.

Но вы помните Тимофея хромого — его спас майор во время всеобщей резни по предварительной просьбе дочери. Это был сын богатого муромского купца; разбойники заманили его к себе случайно; живя у них только полгода, он не принимал никакого участия в их грабежах и смертоубийствах, кроме одной схватки, в которую вовлечен был невольно и на которой был ранен в ногу. Он раскаялся совершенно в первом, необдуманном по молодости, проступке, был прощен благодаря ходатайству и заступлению майора и отдан на поруки к сему последнему. Он был молод и хорош собою и успел оказать такую услугу его дочери — спас ее от мучительной смерти, жертвуя своею собственною жизнию. Она после виденных ужасов должна была питать к нему самую пламенную благодарность...

Ну, да вы догадываетесь теперь, читатели, что еще хочу я вам сказать. Согласитесь, что в этом новом супружестве нет ничего невероятного, согласитесь, что разбойничья вдова не могла надеяться на лучшую партию, — по крайней мере, согласитесь, что я не мог лучше схоронить своих концов...

— Но какую нравственную цель имеет эта длинная повесть? — ворчат наши незваные критики.

— Я сам не знаю, милостивые государи.

— Зачем же вы написали ее?

— Признаюсь вам откровенно, милостивые государи: новый журналист заказывал мне написать ему на зубок сказку для первых книжек пострашнее, ибо-де это любит наша любопытная публика. Мне не хотелось на первый случай огорчить его отказом, а у меня не было никакого задуманного содержания; и я решился рассказать одну полубыль, слышанную от него же. Вот вам и происхождение повести. Да что же, впрочем, я слишком робею пред вами, строгие мои рецензенты! Чем это не нравственное правило: присутствие духа спасает человека в минуту величайших опасностей, и, пока человек дышит, до тех пор он может надеяться. Довольны ли вы? По крайней мере, я сам доволен тем, что могу наконец поставить точку и сказать с поэтом:

Насилу дописал.

В. Ф. Одоевский
НОВЫЙ ГОД
(Из записок ленивца)

«Если записывать каждый день своей жизни, то чья жизнь не будет любопытна?» — сказал кто-то.

На это я мог бы очень смело отвечать: «Моя». Что может быть любопытного в жизни человека, который на сем свете ровно ничего не делал!

Я чувствовал, я страдал, я думал за других, о других и для других. Пишу свои записки, перечитываю — и не нахожу в них только одного: самого себя. Такое самоотвержение с моей стороны должно расположить читателей в мою пользу: увидим, ошибся ли я в своем расчете, вот несколько дней *не моей* жизни; если они вам не слишком наскучат, то расскажу и про другие.

Действие I

— Вина! вина! наливай скорее; уже без пяти минут двенадцать.

— Неправда, еще целых полчаса осталось до Нового года... — отвечал Вячеслав, показывая с гордостью на свои деревянные часы с розанами на циферблате и чугунными гирями.

— Это по твоим часам: они всегда целым часом отстают!..

— Зато они иногда двумя часами бегут вперед; оно на то же и наведет, — заметил записной насмешник.

— Неправда, они очень верны, — возразил Вячеслав с досадою, — я их каждый день поверяю по городским...

— Сколько ему гордости придают его часы! — продолжал насмешник. — Купил у носящего за целковый, повесил на стену, смотрите, точно гостиная...

— Неправда, они куплены у часовщика, и за них заплачено двадцать пять рублей...

— Объявляю вам, господа, что от этой славной покупки у нас будет двумя бутылками меньше...

Так мы кричали, шумели, спорили и болтали всякий вздор накануне Нового года в маленькой комнатке Вячеслава в третьем этаже. Нас было человек двенадцать, все мы только что вышли из университета. Вячеслав был немногим богаче всех нас, но как-то щеголеватее и к тому же большой мастер устраивать в своей комнате и хозяйничать: например, у Вячеслава сверх табака водились всегда сыр и так называемое вино из *ренскового* погреба; в комнате вместо классической железной кровати студента с байковым одеялом стоял диван, обтянутый полосатою холстинкою; на этом диване лежали кожаные подушки, с которых на день снимались наволочки; возле дивана был растянут сплетенный из покромок ковер, от чего диван получал вид роскошного оттомана; книги лежали не на полу, по общему обыкновению, но на доске, прибитой к стене под коленкоровой занавеской; не только был стол для письма, но и еще другой стол особенно, хотя и без ящика; над единственным окошком висел кусок полотна; даже были вольтеровские кресла; наконец, знаменитые часы гордо размахивали маятником и довершали убранство комнаты.

Такое пышное устройство возбуждало всеобщую зависть и всеобщее удивление и с тем вместе было причиною, почему квартира Вячеслава была всегда местом наших собраний. Так было и сегодня. За месяц еще Вячеслав преважно пригласил нас встретить у него Новый год, обещая даже сделать жженку. Разумеется, отказа не было. Мы знали, что он уже давно хлопочет о приготовлениях, что заказан пирог и что, сверх обыкновенного его так называемого вина, будет, по крайней мере, три бутылки шампанского!

После смеха и шума к двенадцати часам все пришло в порядок.

Как мы все уселись на трех квадратных саженях, я теперь уже не понимаю, только всем было место: кому на диване, кому на окошке, кому на столе, кому на полке; на одних вольтеровских креслах сидели, мне кажется, три человека! Вот на столе уже уставлены огромный пирог, огромный сыр, бутылки и, разумеется, череп — для того, чтоб наше пиршество больше приближалось к лукулло-ву. Двенадцать трубок закурились в торжественном молчании, но едва деревянные часы продребезжали полночь, мы чокнулись стаканами и прокричали «ура» Новому году. Правда, шампанское было немножко тепло, а горячий пирог был немножко холоден, но этого никто не заметил.

Беседа была веселая. Мы только что вырвались из школьного заточения, мы только что вступали в свет: широкая дорога открывалась перед нами — простор молодому воображению. Сколько планов, сколько мечтаний, сколько самонадеянности и сколько благородства! Счастливое время! Где ты?..

К тому же мы были люди важные: мы уже имели наслаждение видеть себя в печати — наслаждение, в первый раз неизъяснимое! Уже мы принадлежали к литературной партии и защищали одного добросовестного журналиста против его соперников и ужасно горячились. Правда, за то нам и доставалось. Сначала раздаватели литературной славы приняли было новых авторов с отеческим покровительством, но мы в порыве беспристрастия, в ответ на нежности, задели всех этих господ без милосердия. Такая неблагодарность с нашей стороны чрезвычайно их рассердила. В эту позорную эпоху нашей критики литературная брань выходила из границ всякой благопристойности: литература в критических статьях была делом совершенно посторонним: они были просто ругательство, площадная битва площадных шуток, двусмысленностей, самой злонамеренной клеветы и обидных применений, которые часто простирались даже до домашних обстоятельств сочинителя; разумеется, в этой бесславной битве выигрывали только те, которым нечего было терять в отношении к честному имени. Я и мои товарищи были в совершенном заблуждении: мы воображали себя на тонких философских диспутах портика или академии или, по крайней мере, в гостиной; в самом же деле мы были в райке: вокруг пахнет салом и дегтем, говорят о ценах на севрюгу, бранятся, поглаживают нечистую бороду и засучивают рукава, — а мы выдумываем вежливые насмешки, остроумные намеки, диалектические тонкости, ищем в Гомере или Виргилии самую жестокую эпиграмму против врагов наших, боимся расшевелить их деликатность... Легко было угадать следствие такого неравного боя. Никто не брал труда справляться с Гомером, чтобы постигнуть всю едкость наших эпиграмм: насмешки наших противников в тысячу раз сильнее действовали на толпу читателей и потому, что были грубее, и потому, что менее касались литературы.

К счастию, это скорбное время прошло. Если бы остаткам героев того века и хотелось возобновить эту выгодную для них битву, такое предприятие едва ли увенчается успехом; общее презрение мало-помалу налегло на достойных презрения — и им уже не приподняться! Но тогда — тогда другое дело. Многие из нас были задеты этими господами со всею лакейскою грубостью; насмешники были против нас, и, стыдно признаться, глупые шутки наших критиков звенели у нас в ушах; мы чувствовали всю справедливость нашего дела, и тем досаднее была нам несправедливость общего голоса. В зрелых летах человек привыкает к людской несправедливости, находит ее делом обыкновенным, часто горьким, чаще смешным; но в юности, когда так хочется верить всему высокому и прекрасному, несправедливость людей поражает сильно и наводит на душу невыразимое уныние. Этому состоянию духа должно приписать тот байронизм, в котором, может быть, уже слишком упрекают молодых людей и в котором бывает часто виновата лишь доброта и возвышенность их сердца. Люди бездушные никогда и ни о чем не тоскуют.

Как бы то ни было, эти нападки бесславных врагов, их торжество в общем мнении сближали товарищей в нашем маленьком кругу; здесь мы отдыхали; каждый знал труды другого; каждый по себе ценил усилия товарища; общая несправедливость была нам даже полезна: мы с большею бодростию поощряли друг друга к новым трудам и с каждым днем становились более строги к самим себе.

Наша беседа перед Новым годом была полна этой пламенной, этой живой, юношеской жизни. Сколько прекрасных надежд! Сколько планов, перемешанных с тонкими аттическими эпиграммами против наших гонителей!.. Вячеслав был душою нашего общества: он нам преважно доказал, что Новый год непременно должно начать чем-нибудь дельным, сам в качестве поэта схватил лист бумаги и стал импровизировать стихи, а нам предложил каждому выбрать себе какую-нибудь дельную, важную работу, которой надлежало предаться в течение года. Предложение было принято с восторгом, и в этот день мы погрозились читателям несколькими системами философии, несколькими курсами математики, несколькими романами и несколькими словарями. От близкой работы мы перешли к отдаленной: все отрасли деятельности были разобраны: кто обещался возвысить наукою воинственное имя своих предков; кто — перенести в наш мир промышленности все знания Европы; кто — на царской службе принести в жертву жизнь на поле брани или в тяжких трудах гражданских. Мы верили себе и другим, ибо мысли наши были чисты и сердце не знало расчетов. Между тем Вячеслав окончил свои стихи, в которых намекал о трудах, заказанных нами самим себе. Нет нужды сказывать, что мы провозгласили его истинным поэтом и убедительно ему доказывали, что его предназначение в этой жизни — *развивать идею поэзии*; долго потом, встречаясь, мы вместо обыкновенного «здравствуй» приветствовали друг друга стихами нашего поэта: они наводили светлый радужный отблеск на все наши мысли и чувства.

Мы расстались с дневным светом, обещали друг другу сбираться всем в этот день ежегодно у Вячеслава, несмотря на все препятствия, и давать друг другу отчет в исполнении своих обещаний.

Несколько лет мы были неразлучны. Многих судьба переменилась; кромчатый ковер заменился хитрыми изделиями английской промышленности; маленькая комнатка обратилась в пышные, роскошные хоромы; шампанское мерзло в серебряных вазах, наполненных химическим холодом, но мы в честь старой студенческой жизни сходились запросто, в сюртуках, и по-прежнему делились откровенными мыслями и чувствами. Между тем некоторые из наших работ были начаты, большая часть — не окончены, остальные переменены на другие. Мало-помалу судьба разнесла нас по всем концам мира; оставшиеся сходились по-прежнему в первый день года; отсутствующие писали к нам, что они в эти дни мысленно переносились к друзьям: кто из цареградского храма Св. Софии, кто с берегов Ориноко, кто от подошвы Эльборуса, кто с холмов древнего Рима.

Действие II

Прошло еще несколько лет. Судьба носила меня по разным странам. Я приехал в Москву накануне Нового года; искать Вячеслава — нет его: он в подмосковной верст за десять; я в том же экипаже в подмосковную, куда приехал около полуночи. Лошади быстро пронесли меня по запушенному снегом двору; в барском доме еще мелькал огонь. Прошед несколько слабо освещенных комнат, я дошел до кабинета. Вячеслав на коленях перед колыбелью спящего младенца; ему улыбалась прекрасная, в цвете лет женщина; он узнал меня и дал знак рукою, чтоб я говорил тише. «Он только что стал засыпать», — сказал Вячеслав шепотом; жена его повторила эти слова.

Несколько минут я смотрел с умилением на эту семейную картину. Видно было по всему, что в этом доме жили, а не кочевали; все было придумано с английскою прозорливостию для жизни семейной, ежедневной: стол был покрыт книгами и бумагами, мебель спокойная, необходимая занятому человеку; везде беспорядок, составляющий середину между порядком праздного человека и небрежностью ленивца; на креслах пюпитры для чтения, фортепьяно, начатая канва, развернутые журналы; и наконец, воспоминание прежней нашей жизни — студенческие деревянные часы. Я не успел еще осмотреться, когда младенец заснул крепким сном невинности. Вячеслав приподнялся от колыбели и сжал меня в своих объятиях.

— Это мой старый товарищ, — говорил он, знакомя с своею женою, — сегодня канун Нового года, надобно встретить его по старине.

Мы уселись втроем за маленьким столиком; в двенадцать часов чокнулись рюмками и стали вспоминать о былом, припоминать товарищей... Многих недосчитывались: кто погиб славною смертью на поле брани, кто умер не менее славною смертью, изнуренный кабинетным трудом и ночами без сна; кого убила безнадежная страсть, кого — невозвратимая потеря, кого — несправедливость людская; но половины уже не существовало в сем мире!

Не было криков, не было юношеских восторгов на этом мирном пире, не было необдуманных обещаний, легкомысленных надежд; мы говорили шепотом, чтоб не разбудить дитя; часто мы останавливались на недоконченной фразе, чтоб взглянуть на спящего младенца; мы говорили не о будущем, но лишь о прошедшем и настоящем; наш разговор был тот тихий семейный лепет, где вас занимают не сказанные слова, но тот, кто сказал их; где мысль вполовину угадывается и где говорят, кажется, для того только, чтоб иметь предлог посмотреть друг на друга.

— Мое время прошло, — сказал наконец Вячеслав. — Стихи мои в камине; попытки не удались; юношеских сил не воротить; великим поэтом мне не бывать, а посредственным быть не хочу; но то, чего я не успел доделать в себе, то постараюсь докончить в нем, — прибавил Вячеслав, указывая на колыбель, — здесь моя настоящая деятельность, здесь мои юношеские силы, здесь надежды на будущее. Ему посвящаю жизнь мою; у него не будет другого, кроме меня, наставника; у него не будет минуты, которой бы он не разделил со мною, ибо в воспитании важна всякая минута: один миг может разрушить усилия целых годов; отец, не порадевший о своем сыне, есть в моих мыслях величайший преступник. Кто знает, природа на растениях производит слабый, будто ненужный листок, который вырастает только для того, чтоб сохранить нежный зародыш и потом увянуть незаметно: не случается ли того же и между людьми? Может быть, я — этот слабый, грубый листок, а мой сын — зародыш чего-нибудь великого; может быть, в этой колыбели лежит поэт, музыкант, живописец, которому вверило Провидение всю будущность человечества. Я увяну незаметно, но все, что есть в моем сыне, выведу в мир; в этом, я верю, единое назначение моей второстепенной жизни!

Тут Вячеслав принялся мне рассказывать план, предпринятый им для воспитания сына; его библиотека была наполнена всеми возможными книгами о воспитании; он показал мне кучу огромных выписок: он учился не шутя, но по-нашему, по-старинному, как студент, готовящийся к строгому экзамену.

Я расстался с Вячеславом рано; мы не выпили и четверти бутылки: он, как человек семейный, не любил обращать ночи в день; я не хотел заставить его переменить заведенный им строгий порядок. Часы, проведенные с ним, оставили надолго в душе моей сладкое и невыразимое чувство.

Действие III

Прошло еще несколько лет. Однажды, под Новый год, судьба занесла меня в П. Я знал, что Вячеслав поселился уже более двух лет в этом городе. Я бросил в трактире мой экипаж и чемоданы и по-старому, не переодеваясь, как был в дорожном платье, сел на первого попавшегося мне извозчика и поспешил скорее к прежнему товарищу. Быстрое движение блестящих карет, скакавших по улице, привело меня с непривычки в какое-то онемение; я едва мог выговорить мое имя швейцару, встретившему меня у Вячеславова крыльца. Думаю, что он принял меня за сумасшедшего, потому что несколько времени смотрел мне в глаза и не отвечал ни слова.

— Барин сейчас едет, барыня уже уехала, — наконец проговорил он.

— Какой вздор! быть не может.

— Карета уже подана, барин одевается...

— Быть не может.

— Позвольте об вас доложить...

— Я хожу без доклада.

— Однако же...

Я оттолкнул верного приставника и поспешно пробежал ряд блестящих комнат. В доме все суетилось; в крайней комнате я нашел Вячеслава во всем параде перед зеркалом; он ужасно сердился на то, что башмак отставал у него от ноги; парикмахер поправлял на голове его накладку.

Вячеслав, увидя меня, обрадовался и смешался.

— Ах, братец! — говорил он мне с досадою, обращаясь то к камердинеру, то к парикмахеру. — Затяни этот шнурок... Зачем было мне не сказать, что ты здесь?

— Я сейчас только из дорожной кареты.

— Я бы как-нибудь отделался. Ты не знаешь, что такое здешняя жизнь... прикрепи эту пуклю... ни одной минуты для себя, не успеваешь жить и не чувствуешь, как живешь...

— Ты едешь — я тебе не мешаю...

— Ах, как досадно! Как бы хотелось с тобою остаться... здесь накладка сползает... но невозможно, поверишь мне, что невозможно...

— Верю, верю; какое-нибудь важное дело...

— Какое дело! Я дал слово князю Б. на партию виста... перчатки... он человек, от которого многое зависит, — нельзя отказаться. Ах, как бы хорошо нам встретить Новый год по старине, вспомнить былое... шляпу...

— Сделай милость, без церемоний...

Тут вошел сын его с гувернером:

— Adieu, papa[1].

— А, ты уж возвратился? весел ли был ваш маскарад? Ну, прощай, ложись спать... затяни еще шнурок... Бог с тобою. Ах, боже мой, уже половина двенадцатого... прощай, моя душа! Помнишь, как мы живали! Карету, карету!..

Вячеслав побежал опрометью; я пошел за ним тихо, посмотрел на прекрасные комнаты — они были блестящи, но холодны; в кабинете величайший порядок, все на своем месте: пакеты, чернильница, на камине часы *rococo*, на столе развернутый адрес-календарь...

Этот Новый год я встретил один, перед кувшином зельцерской воды, в гостинице для проезжающих.

---

[1] Прощай, папа (*фр.*).

В. И. Даль
АВСЕНЬ

— Груша что-то затевает, — сказала одна из трех девок, сошедшихся в авсень, Васильев или богатый вечер на улице. Трескучий мороз донимал их порядочно, сквозь башмачки с чулочками и ситцовые юбчонки, хотя они и кутались под самый нос и уши куценькими штофными шубейками, с красивыми, нашитыми на тесьму сборками по заду лифа.

— У нее, вишь, всё свои затеи, — сказала, подтягивая одну ножку под себя, другая подружка, пониже всех их ростом, но пребойкая и превлюбчивая, как знатоки замечали по скорому и мягкому говору ее, а еще более по быстрым, искательным глазам. — А что, — продолжала она, — не хочет, что ли, с нами погадать?

— Да видно, что не хочет, — отвечала другая, более рослая и белолицая, подувая под шубейкой в кулак и переступая с ноги на ногу, — она приговаривает, что-то, вишь, будто голова болит; хоть приду — не приду, говорит, а не ждите.

— Ой, Груша, Груша, — подхватила опять быстроглазенькая, — много в тебе блох! Ну, Бог с нею; и без нее повеселимся, да скажем завтра ребятам, чтоб ее подразнить маленько! По домам, голубушки, прощайте, на месте не устоишь, студено; мороз так живое тело и донимает! Собирайтесь же!

И все три разбежались.

Между тем в просторной и чистой избе большого села, или посада, три дочери хозяйские приготовляли все для приема гостей и для святочного гаданья. Стали сходиться девушки, обращаясь с обычными приветствиями и пожеланиями к хозяевам, а затем со смешками и шушуканьем к дочерям их, одетым в шелковые сарафаны со сборчатыми, напускными шейными рукавами и убравшим приглаженные головы свои поднизами, а косы лентами. Затем начали показываться и парни, входя очень скромно и чинно и расправляя левой рукой волосы на лбу, после каждого поклона иконам, хозяевам и гостям. Только по плутовской улыбке иного из них было знать, что он встретил тут в числе подружек ту, которую надеялся увидеть; а когда стали садиться для гаданья вкруг браного стола, то наша быстроглазенькая, перемигнувшись с рослою подругою своею, сказала одному молодцу: «Чего ты, сердечный, оглядываешься? Груши нетути». И это была первая шутка, сделавшая переход от чинности к веселью.

Собрали кольца, перстеньки, сережки, один снял и подал ключ с пояса, другой шутник — гребенку, — и все это вместе с ломтиками хлеба положили в чашку, покрыли ширинкой и, спев чинно песню хлебу и соли, принялись за подблюдные песни, вынимали из-под ширинки поочередно что кому приходилось и пророчили будущее, большею частию с намеками на настоящее; там пропели, последнему «Дорогая моя гостейка», свадебную песню, и принялись хоронить золото; за золотом пошли опять гаданья разного рода, где всякий выдумывал и пригадывал свое, кто чему был горазд. Тут и кур снимали с нашести, водили лошадей через оглоблю, вызывали собак лаять, кидали башмак через ворота, бегали с лучиной, считали сучки в полене, дергали рубами солому из омета, прислушивались на перекрестке и, наконец, лили воск и олово.

Все это шло своим чередом, шумное веселье заглушало всякое иное чувство или воспоминание, и во весь вечер и ночь никто не заботился о Груше, которая, как мы видели, оказалась нездоровою и осталась дома.

Груши, однако же, в это время не было и дома; она там сказала, что идет на святочные посиделки. Она не совсем солгала и точно была на посиделках — но на каких? Она была одна, не пригласила никого с собою и никому не сказала, что затеяла. Груша решилась, отогнав от себя всякий страх, дознаться наконец о будущей судьбе своей во что бы ни стало. Она оделась, как в гости, в щегольской, шелковый сарафан свой, с кисейными напускными рукавами, причесалась, повязала повязку с богатою поднизью, накинула на себя шубейку, на голову платочек, но, сошед с крылечка, быстро повернула налево, то есть не к воротам, а к задворью. Пробежав под стенкой мимо коровника и конюшни, сарая, амбара, она перескочила небольшой промежек и вошла к баньке, стоявшей на самых задах, где уже начинался коноплянник.

Едва переводя дух, она осторожно притворила за собою двери передбанника, вошла в баню, — мороз пробежал у нее по хребту, — но она еще раз ощупью воротилась к наружным дверям, засунула засов, опять вошла в баню, осмотрела против неба продушину, или оконце, хорошо ли оно закрыто, вырубила огня и зажгла лучину. Банька осветилась, и к одному углу, между полком и лавкой, стоял столик, накрытый столечником, а на нем два прибора, то есть по белой, с синими разводами и точками тарелке, по ножу, деревянной ложке и по утиральнику; перед приборами стоял хлеб, соль, складное зеркальце, обклеенное, как и самый ларчик, красной переплетною бумагой, и две свечи в грубых деревянных шандалах. Груша со страхом перекрестилась, оглянулась, зажгла обе свечи, расставила их по обе стороны зеркала, взяла лежавший в углу на лавке мешок и осторожно положила его поближе к столу. По голосу, который при этом случае раздался внезапно из мешка, надобно было догадываться, что в нем сидит петух. Она села за стол, вздрогнула нечаянно, увидав себя в зеркале, сложила на груди ладони, тяжело, но тихо вздохнула и, взяв с решимостию нож, очертилась им, приговаривая трижды: «Суженый-ряженый, приди ко мне ужинать!..» В первый раз она сказала это почти шепотом и вздрогнула, услышав свой голос; но она смело возвышала его и в третий раз проговорила заклинание громко и твердо, только потупив глаза. Все стихло, красавица одиноко и молча сидела за своим прибором, глядела в зеркальце и с видимым напряжением удерживала голову свою постоянно в этом положении.

Прошло несколько времени — и она вдруг вздрогнула. Кто-то стучался у дверей. Дыхание ее стало чаще, алый румянец бросился в шею и щеки. Стук усиливался; у отдушины, над гадальщицей, послышались голоса; ветер завывал, собаки залаяли, кто-то стал сильно дергать и качать наружные двери, смрадный запах, как от жженой кожи, разнесся по бане.... Груша сидела не шевелясь; виски стучали, дыхание спиралось у нее в груди, которая высоко волновалась.

Наружная дверь бани сильно заскрипела на крюках, как она всегда делывала, когда ее не приподымали, отворяя; затем ее опять захлопнули. Груша услышала топот, вторые двери пошатнулись — но она потупила взоры и не оглядывалась.... Кто-то ступил раза два и сказал ласковым голосом: «Красавица моя, уточка золотая, сизая голубка, люб ли я тебе?»

Теперь только Груша, обомлев почти по наружности, но сохраняя полную волю и сознание, зачуралась еще раз потихоньку и взглянула на гостя. Это был ловкий молодой парень, в синей сибирке по колени, подпоясанный алым шелковым поясом; полосатые шаровары заложены были в сапоги, за поясом голицы, а в руках шляпа со светлой пряжкой и тремя павлиньими перьями. Он умильно глядел на девушку, разглаживая пальцами едва пробившийся ус свой.

Груша глядела на него прямо большими глазами своими, не смигивая, и грудь ее сильно колыхалась: на лице ее было написано какое-то недоумение, будто она не знала, радоваться ли или плакать.

— Ты похож на Федота, — сказала она мягким голосом, — но ты не Федот?..

— Мало ли Федотов на белом свете, — сказал суженый, — я вот весь перед тобой — гляди, любка моя, голубка моя, да урони ненароком слово ласковое: люб ли я тебе?

— Воля батюшкина, — сказала она тихо и все смотрела на него во все глаза, бледная как полотно.

— Что батюшка, — сказал тот, — красавица ты моя белолицая, белогрудая, русокосая, — у меня кони готовы — едем?

— Так только сирот круглых у нас берут, — молвила она, — чтоб для почету отца-матери и кладки не положить.

— А что кладки за тебя? Что запросят, то и положим! Чернобровая моя, за этим не постоим! Никто на селе у вас кладки не даст отцу твоему супротив меня!

— Так поди с Богом, — продолжала она, — когда рожь, тогда и мера; свата пришлешь — отец-мать рассудят.

— Лебедушка ты моя, — вскричал суженый и бросился было прямо к ней — она ахнула, сильно вздрогнула и отклонилась назад, но суженый сам отскочил, протянув руки до очерченного круга. — Лебедушка ты моя, — продолжал он, — заломив руки, — да полно, разжалобись до меня, выдь сюда, поедем! Кони лихие, сани ковром укрыты!

— Да и мне зазорно будет, — продолжала она, успокоившись несколько, — засмеют, застыдят подружки: неужто ты мне ничего не принес гостинца? Без подарочков от суженого девка за муж нейдет.

— Говори, павочка моя, за гостинцем ли дело станет. Проси чего хочешь, все есть, все готово.

— Сарафан матерчатый, — сказала она медленно и со страхом, — коли не поскупишься, да шубейку штофную на белках, да, смотри, на голубеньких, чтобы не стыдно было из-за тебя глаз показать.... кокошничек, чтоб было под чем русу косу схоронить, оплакав свою девью красу, как пойду за тебя, своего разорителя.... плать шелковый, да хоть ниток пяток жемчугу....

Она остановилась, оробев, язык и губы ее шевелились, но дух захватило, и голос осекся: суженый доставал из-под полы, ровно из сундука, каждую вещь, которую она называла, и клал перед нею на приступок полка, довольно ярко освещаемый двумя свечами. Она испугалась, что так поспешно назвала сподряд все, что приходило ей на ум, потому что ей следовало удержать суженого до вторых петухов, иначе он мог ее увезти, и удержать именно заговаривая его спросом подарков; но по два раза нельзя было назвать при этом ни одной вещи. Она знала также, что если осенить украдкою крестным знамением каждый подарок, то он оставался при ней, после того как суженый пропадал; но Груша не решилась на это, потому что считала это грехом и что, сверх того, по рассказу одной знающей старушки, все вещи эти бывают краденые и хозяева легко могли бы опознать на ней свое добро. Ей хотелось только испытать ворожбу и гаданье это, увидать своего суженого и уйти. Но как теперь от него отделаться? Он начинал приставать все смелее и настойчивее, положил уже на лавку, по новому требованию Груши, несколько денег, коты, поясок златотканый, серьги, перстень, чулочки.... Более она в страхе ничего не могла придумать, стала в ужасе оглядываться, будто искала какого нибудь спасения, — и суженый, то с ласкою, то с угрозой, приступал все ближе, укорял ее, что он все исполнил, ему ехать пора, а он без нее не поедет, и протягивал за нею руки.... У нее до этого осталось столько памяти, что она сидела на месте, где зачуралась и очертилась, но голова ее шла кругом, она теряла сознание и соображение.... Вдруг увидела она около себя мешок, потянула его к себе и стала давить и щипать петуха, чтобы вымозжить из него спасительный крик; но петух упорно молчал и раз только подал какой-то неверный голос, более похожий на крик преследуемой курицы. Суженый захохотал недобрым смехом, лицо его начинало изменяться, приемы его делались более смелыми и решительными, слова дерзкими.... Бедная Груша взглянула на него и, увидав какую-то перекосившуюся, страшную рожу, до того испугалась, что, вскрикнув, бросилась к дверям и без памяти грохнулась об пол.

Суженый кинулся на нее, как дикий зверь на добычу, задул свечи, а ее взял на руки, спешно выскочил с нею из бани, бросился в парные сани, стоявшие на задворье, — и лошади помчали их через коноплянник, огород, мимо гумен и в чистое поле. Что бы было с Грушей, куда бы она девалась — не знаю; но в это время вдруг громко закричал петух, сидевший под полстью на одних с ними санях. Вскочив в бане с места, Груша в беспамятстве ухватила с собою мешок с петухом и с ним упала, сжав его судорожно в руках; суженый не догадался, что, усаживая свою Грушу, усаживает с нею вместе и другого, незваного гостя, недруга своего, который и был спасителем ее.

Вместе с криком петуха суженого как будто подкинуло из саней на сажень; кони, сани и возница словно провалились в землю — и все вокруг затихло.

Груша обомлела, но она слышала все, что около нее делалось, и слышала сладкое, спасительное пение петуха. Долго еще не могла она пошевелиться;

наконец пришла в себя, тяжело и мерно вздохнула несколько раз, стала оглядываться и ощупываться и, убедившись в спасении своем, горько зарыдала. Между тем стужа стала сильно донимать ее; она привстала и увидела, что сидела на черной овчине; места же вокруг себя опознать не могла: все пусто, темно и дико вокруг и прямо перед нею глубокий яр. Ей чудилось даже, будто в овраге этом слышны какие-то дикие голоса и свист, а по временам блещет пара огненных глаз, но она быстро отвернулась, взяла своего верного петуха, укуталась шубейкой и скорыми шагами пошла от пропасти в противную сторону. Долго она плутала в холодную и темную ночь эту, накануне Нового года; она сама постепенно остывала, крестилась, молилась и готовилась на смерть. Петух, которого она не покидала, а грела об него руки, запел опять: он услышал чутким ухом своим отдаленный крик своих товарищей, и Груша, прислушавшись хорошенько, услышала тоже. Сердце ее ожило, она поспешила в ту сторону и скоро подошла к своему селу. Укутавшись сколько могла, чтобы кто-нибудь не узнал ее, она скорыми шагами дошла домой, где никто не искал ее, считая ее на святочных посиделках. Тихо вошла она в избу, бросилась на пол перед образами и долго с плачем молилась. Тут же подняли ее утром: она шесть недель пролежала в горячке.

Д. В. Григорович
ПРОХОЖИЙ
(Святочный рассказ)

I

...Да, поистине, это была страшная ночь! Старики говорили правду: такая ночь могла только выпасть на долю *Васильеву вечеру*. И в самом деле, всем и каждому чудилось что-то недоброе в суровом, непреклонном голосе бури. Из пустого не стали бы выводить страхов (этак, пожалуй, пришлось бы бояться каждой метели, а между тем и всей-то зимы никто не боится)! Всякий знает, что зима ходит в медвежьей шкуре, стучится по крышам и углам и будит баб топить ночью печи: идет ли она по полю — за ней вереницами ходят метели и просят у нее дела; идет ли по лесу — сыплет из рукава иней; идет ли по реке — кует воду под следом на три аршина, — и что ж? — всякий встретившийся с нею прикутается только в овчину, повернется спиною да идет на полати! На этот раз, однако ж, иное было дело.

Посреди свиста и завывания ветра внятно слышались дикие голоса и стоны, то певучие и как будто терявшиеся в отдалении за гумнами, то отрывчатые, пронзительные, раздававшиеся у самых ворот и окон и забравшиеся даже в трубы и запечья. Выходит ли кто на улицу — перед ним носились незнакомые, чуждые образы; из мрака и вихрей возникали то и дело страшные, никому не ведомые лики... Да, старики говорили правду, когда, прислушиваясь чутким ухом к реву метели, утверждали они, что буря буре рознь и что шишига, или ведьма, или нечистая сила (что все одно), играла теперь свадьбу, возвращаясь с гулянок. Но хорошо им было так-то разговаривать, сидя на горячей печке. Что им делалось посреди веселья, криков ребят и шумного говора гостей, наполнявших избу! (В Васильев вечер, как ведомо, одна только буря злится да хмурится.) Студеный ветер не проникал их до костей нестерпимым ознобом, снежные хлопья не залипали им очи, шипящие вихри не рвали на части их одежды, не опрокидывали их в снежные наметы... как это действительно было с одним бедняком, прохожим, брошенным в эту ночь посреди поля, далеко от жилья и голоса человеческого.

Много грозных ночей застигало прохожего, много вьюг и непогод вынесла седая голова его, но такой ночи он никогда еще не видывал. Затерянный посреди сугробов, по колена в снегу, он тщетно озирался по сторонам или ощупывал костылем дорогу: метель и сумрак сливали небо с землею, снежные горы, взрываемые могучим ветром, двигались как волны морские и то рассыпались в обледенелом воздухе, то застилали дорогу; гул, рев и смятение наполняли окрестность. Напрасно также силился он подать голос: крик застывал на губах его и не достигал ни до чьего слуха: грозный рев бури один подавал о себе весть в мрачной пустыне. Отчаяние начинало уже проникать в душу путника, страшные думы бродили в голове его и воплощались в видения: на днях знакомый мужичок, застигнутый такою же точно погодой, сбился с пути на собственном гумне своем, и на другой день, об утро, нашли его замерзшего под плетнем собственного огорода; третьего дня постигла такая же участь бабу, которая не могла найти околицы; вечор еще посреди самой улицы нашли мертвую калеку-прохожую, которая за метелью не различила избушек.

Так думал прохожий; а вьюга между тем с часу на час подымалась сильнее и сильнее. Вот повернула она, поднялась хребтом на пригорке, закрутилась вихрем, пронеслась над головой путника, загудела в полях и ударила на деревню. Вздрогнули бедные лачужки, внезапно пробужденные от сна посреди темной холодной ночи; замирая от страха, они тесно прижались друг к дружке, закутались доверху своим снежным покровом, прилегли на бок и трепетно ждут лютого вихря. Но вихрь, привыкший к простору, рвется и мечется пуще прежнего в тесных закоулках и улицах. Разбитый на части, он разом со всех сторон нападает на лачужки, всползает на шаткие стены, гудит в стропилах, ломает там сучья, срывает воробьиные гнезда, сверлит кровлю и, выхватив клок соломы, бросается на кровлю, силясь сбросить петушка или конька на макушке; и тогда как одна часть бури ревет вокруг дома, другая уже давно проползла шипящею змеею под ворота, ринулась в клети и сараи, обежала навесы и, не найдя там, вероятно, ничего, кроме вьющегося снега, напала на беззащитную жучку, свернувшуюся клубком под рогожей... Но вот вихрь прилег наземь, загудел вдоль плетня, украдкою подобрался к калитке, поднялся на дыбы, сорвал ее с петель, бросился на улицу, присоединился к другому, третьему, и снова грозный рев наполняет окрестность...

Но что до этого! По всему крещеному миру не было все-таки бедной избенки, не было такого скромного уголка, где бы не раздавались веселые песни, где бы не было тепло и приятно! Там — шумная толпа ребятишек резво прыгает по лавкам и нарам, выбрасывая из рукава нарочно припасенные про случай хлебные зерна и звонко распевая: «Уроди, Боже, всякого хлебца, по закорму, что по закорму, да по великому, а и стало бы того хлебушка на весь мир крещеный!..» Между тем старшая хозяйка дома — мать или тетка, — отбиваясь одной рукою от колючих игл овса и гречи, пущенных в нее как бы нечаянно шаловливым парнем, другою приподняв над головою зажженную лучину, суетливо ходит взад и вперед и набожно подбирает зерна в лукошко для будущего посева. Остальные члены семьи, кто усевшись под иконы, кто стоя в углу, молча, но весело глядят на совершение обряда; даже старая подслеповатая бабушка, много лет не сходившая с печки, свесилась на перекладину поглядеть на внучек — на семейную радость!

В другой избе крики и хохот раздаются еще громче. Рой молодых девок натискался в избу. Двери плотно заперты; окно на улицу завешено прорванной понявой. Одна из девок — самая вострая — стоит на слуху в сенечках: не идет ли кто? Остальные заняты делом: кто повязывает на голову войлок, обвитый вокруг палки, кто натягивает армяк или покрывает маленькую головку неуклюжей шапкой, обтыканной по краям, ради смеха, льняными прядями, обсыпанными мукою; кто прикутывается в овчину, вывороченную наизнанку, — это ряженые! Хохот, визг, шушуканье, писк не прерываются ни на минуту. Надо же весело справить последний день Васильева вечера! В третьей избе громкий говор и восклицания сменились на минуту молчанкою. Ребята, бабы, большие и малые — все пришипились. Там, под сладкий шумок веретена и прялки, тянутся мерные россказни старика-деда. Семейка села в кружок и, пригнувшись к одной лучине, не пропускает ни одного звука, ни одного движения рассказчика. Рассказ, прерываемый треском мороза, который стучит в углы и заборы, благополучно дотянулся, однако ж, за полночь. Лучина скоро угаснет. И тогда вся семья, женатые и холостые, большие и малые, заползут на печку и предадутся мирному отдыху, нимало не заботясь, что вьюга ревет и завывает в поле и вокруг дома...

О! счастлив, сто раз счастлив тот, у кого в такую ночь родной кров, родная семья и теплая печка!.. Так, по крайней мере, думал... но не до того, впрочем, было прохожему, чтобы умом раскидывать! Отчаяние уже давно завладело его душою. И если какие-нибудь мысли и приходили ему в голову, им все-таки не время теперь было определяться в ясную думу; они мелькали перед ним так же быстро, как снежные хлопья, несомые лютою метелью, посреди которой стоял он с обнаженною седою головою и замирающим сердцем, и так же быстро уносились и сменялись другими мыслями, как один вихрь сменялся другими вихрями...

Силы начинали покидать его. Он провел окоченевшею ладонью по мерзлым волосам, окинул мутными глазами окрестность и крикнул еще раз. Но крик снова замер на помертвелых устах его.

Прохожий медленно опустился в сугроб и трепетною рукою сотворил крестное знамение. Буря между тем пронеслась мимо: все как будто на минуту стихло... и вдруг нежданно, в стороне, послышался лай собаки... Нет, это не обман — лай повторился в другой и третий раз... Застывшее сердце старика встрепенулось; он рванулся вперед, простер руки и пошел на слух... Немного погодя ощупал он сараи, и вскоре из-за угла мелькнули перед ним приветливые огоньки избушек.

II

Хозяин в дому — как Адам в раю,
Виноградье красно-зеленое.
Хозяйка в дому — как оладья в меду,
Виноградье красно-зеленое.
Малые детушки — как олябышки,
Виноградье красно-зеленое!

Народная песня

— Ах вы, пострелы вы этакие!.. Вишь, заладили, пусти да пусти на улицу! Уйметесь вы али нет?.. — закричала в сотый раз старостиха, подбегая дробным шажком к нескольким парнишкам и девчонкам, которые стояли у дверей и голосили на всю избу. — Молчать! вот я вам погуляю!.. Молчать, говорят!.. — прибавила она, внезапно останавливаясь над маленькою толпою с распростертыми в воздухе руками, как коршун над стадом утят.

Но ребятишки успели уже выхватить из среды своей младшего брата, неуклюжего карапузика лет пяти, с огромным куском ржаной лепешки во рту, выставили его вперед и, прежде чем руки матери опустились книзу, отступили в угол.

— Это Филька кричал, а не мы... — проговорили они в один голос, тискаясь друг на дружку.

134

— То-то — Филька, я вам дам Фильку, смотрите вы у меня! — произнесла старуха, отступая, в свою очередь, и грозя в угол.

Она повернулась к ним спиною и мгновенно обратила вскипевшую досаду на старшую дочь — девушку лет семнадцати, сидевшую на лавочке подле окна.

— Ну, чего ты сидишь — ноги-то развесила, — начала старуха, принимаясь снова размахивать руками, — что сидишь?.. Неужто не видишь — лучину надо поправить, словно махонькая какая: все ей скажи, да скажи, сама разума не приложит!..

Девушка встала, молча вынула из горшка новую лучинку, зажгла ее, подержала огнем книзу, заложила в светец и села со вздохом на прежнее место. Дурное расположение старухи нимало, однако ж, не изменилось. Волнение и досада проглядывали по-прежнему в каждом ее движении. Она суетливо подошла к окну, прислушалась сначала к реву бури, которая сердито завывала на улице, потом вернулась на середину избы и, обнаруживая сильное нетерпение, начала вслушиваться в храпенье, раздававшееся с печки.

— Левоныч, а Левоныч, — заговорила она наконец, топнув ногою и устремляя глаза на рыжую бороду, которая выглядывала вострым клином из-за края печки. — Левоныч, слышь, говорят, вставай! Ну чего ты, в самом-то деле, разлегся, словно с устали; полночи дожидаешься, что ли? Вставай, говорят!

— О-о-о! Господи!.. Господи!.. Чего тебе, ну? — отозвался староста, зевая и потягиваясь.

— Тьфу, увалень! прости Господи! Тебе что? тебе что?.. — подхватила она с сердцем и стараясь передразнить его, — тебе что?.. Сам наказывал будить; память заспал, что ли? Я чай, у Савелия давно завечеряли; ты думаешь — староста, так и ждать тебя станут, — нешто возьмешь; вставай, говорят!

— Ммм... — простонал староста, переваливаясь на другой бок; при этом борода его исчезла, и на месте ее показалась багровая, глянцевитая лысина, на которой свет лучины отразился, как в стекле.

— Слышь, говорят, понаведались за тобою от Савелья, сказывают, и мельник там, и пономарь, — крикнула она, обнаруживая крайнее нетерпение.

Но на этот раз лысину покрыл овчинный полушубок, и уже старостиха ничего не услышала, кроме удушливого храпа и сопенья.

Старостиха была баба норовистая и ни в чем не терпела супротивности. Не раздумывая долго, она бросилась к печке и занесла уже правую руку в стремечко, с твердым намерением стащить сонного старосту на пол, как в эту самую минуту раздалась стукотня в окне и вслед за тем кто-то запел тоненьким голосом:

Коляда, коляда!
Пришла коляда!
Мы ходили, мы искали
По всем дворам, по проулочкам...

— Мамка, пусти к ребятам на улицу! — заголосили в то же время ребятишки, выступая из угла, — пусти хоша поглядеть...

— Цыц, окаянные! цыц! — крикнула старостиха, ухватившись второпях за ногу мужа и поворачивая назад голову.

— Мамка, мамка!.. — заголосили громче парнишки, подстрекаемые пением за окном, которое не умолкало, — пусти поглядеть на ребят...

Но старостиха недослышала далее; она соскочила наземь, схватила веник и со всех ног метнулась в угол. Ребятишки снова выставили вперед Фильку. Но на этот раз дело обошлось иначе. Старуха ухватила своего любимца за шиворот, веник зашипел, Филька испустил пронзительный крик и болтнул в воздухе ногами.

— Вот тебе, вот тебе!.. — проговорила мать, скрепляя каждое слово новым ударом. — Ну, перестань же, перестань, — присовокупила она, смягчая неожиданно голос и увлекая его к столу, — перестань, говорят; нá пирожка, нá пирожка, — продолжала старуха, суя ему под нос кусок, — нá пирожка... А, так ты не хочешь, пострел, не хочешь... нá же тебе, нá тебе! — И веник снова зашипел в воздухе. — Ну нá пирожка... возьми... о! о! уймешься ты али нет?! опять!.. постой же, постой...

И веник поднялся уже в третий раз, как за окном раздался новый стук, но только сильнее прежнего, и тот же голос запел, но только настойчивее:

Чанны ворота!
Посконна борода.
Кричать ли Авсень?..

— Матушка, подай им хоть лепешку, — сказала старшая дочь, робко взглядывая на мать и потом обращая с любопытством живые черные глаза свои на окно, — они, матушка, так-то хуже не отстанут...

— Не отстанут! ах, ты дура, дура! — крикнула старостиха, бросая Фильку и останавливаясь впопыхах посредь избы, — а вот погоди, я им дам лепешку...

Но шум под окном обратился уже в неистовые крики, сопровождаемые присвистыванием, прищелкиванием, и голос распевал во все горло:

> Чанны ворота,
> Посконна борода,
> Честь была тебе пропета,
> Подавай лепешку
> В заднее окошко!

Присоединенный к этому вой Фильки и рев остальных детей остервенили вконец старуху; и бог весть, чем бы все это кончилось, если б не голос старосты, который раздался почти в то же время с печки:

— Старуха... о! что у вас там такое? соснуть не дадут... никак колядки задумали петь... гони их...

— А сам-то ты что лежишь на печке, увалень ты этакой. Бьюсь не добьюсь поднять его на ноги; тьфу!..

> Старый черт, подай пирога,
> Не дашь пирога — изрубим ворота.
> Авсень!.. —

раздалось под окном.

— Вишь, черти! — вымолвил староста, подпираясь локтем и лениво потирая лысину, — поди, уйми их, старуха, чего стоишь?

Старостиха подняла окно и высунулась на улицу; но почти в ту же минуту отскочила на середину избы. Несколько комков снега влетели вслед за нею.

— Ух! окаянные! ух, дьяволы! — завопила старуха, протирая глаза и метаясь как угорелая из угла в другой, — где кочерга?.. где? а все ты, увалень! лежит себе, словно с ног смотался, — не шелохнется, хоть дом гори.

> На будущий год
> Осиновый тебе гроб... —

крикнул кто-то звучным голосом, ударив кулаком в оконную раму.

— А вот погоди, погоди, — проговорил староста, спускаясь наконец с печки, — дам тебе осиновый гроб; это, я знаю, все Гришка Силаев озорничает; погоди, я тебе шею накостыляю, — заключил он, став на пол и протирая глаза. — Вы чего?.. Ну, чего воете?

— Тятька, пусти нас на улицу! — жалобно отозвались ребята.

— На улицу! — прытки добре; слышите, погода какая, замерзнуть небось хочется... Парашка, давай кушак да шапку — они, кажись, на лавке под образами, — давай, пора идти, я чай, и взаправду у Савелия завечеряли... — промолвил он, обращая сонные глаза на старшую дочь, которая во все это время так же неподвижно сидела на лавочке, изредка лишь завистливо поглядывая на уличное окно.

— Ну вот, давно бы так, ступай-ка, ступай!.. и то два раза спрашивали, — сказала старуха, торопливо подавая варежки.

— Вот что, хозяйка, — вымолвил муж, останавливаясь у двери, — смотри, без меня никого не пущай в избу; не равно ряженые придут — гони их в три шеи... Повадились нынче таскаться... А пуще всего не пущай Домну. Чтоб и духу ее здесь не было...

— Чего ей ходить-то, — недовольным голосом возразила жена, — небось не придет... Да вот постой, я припру за тобой шестом калитку...

Сказав это, она набросила полушубок на плеча и, ворча что-то под нос, поплелась за мужем. Очутившись на крылечке, староста остановился, ошеломленный стужею и ветром, который с такой силой мутил по двору снег, что нельзя было различить навесов.

— Ух! морозно добре стало, старуха... ух... ишь как ее, погодка-то, разгулялась... у!..

Он ухватился обеими руками за шапку и попятился назад.

— Ну вот еще что выдумал! первинка тебе небось, ступай, ступай; тебе так спросонья почудилось; вестимо, ветер гудет — зимнее дело; ступай, у Савелия давно уже, я чай, завечеряли, — ступай, говорю, не срамись...

И, вцепившись в мужнин кожух, она почти силою стащила его с крылечка и повлекла по двору.

Пробравшись к воротам, она отворила калитку, оглянулась во все стороны и наконец вытолкнула мужа на улицу. Видно было, что она ждала кого-то и боялась, чтобы муж не встретился с гостем. Как только шаги его заглушились ревом бури, лицо старостихи просветлело; вопреки обещанию, она отворила настежь калитку и вернулась в избу.

— Ну, что ж ты, Параша, сидишь? Отец ушел, и ты ступай на улицу, — сказала она, неожиданно обращая речь к старшей дочери.

— Я думала, матушка, ты не велишь... — отвечала девушка, радостно вставая с места.

— Мамка, пусти и нас! — произнес сквозь слезы голос из угла.

— Што-о-о!.. — воскликнула старуха, быстро поворачиваясь к углу.

Злосчастный Филька снова предстал было перед матерью, но с тою, однако ж, разницею, что на этот раз он сильно упирался ногами, кричал во все горло и отбивался руками и ногами от рук сестер и братьев, которые за него прятались.

— Чего вы, пострелы, все его вперед суете? я нешто не вижу?.. подь сюда, касатик, — заключила старостиха, глядя по голове своего любимца и закутывая его в то же время в полушубок. — Ну, — крикнула она, взглядывая нерешительно на угол, — ступайте на улицу!..

Радостный крик, единодушно вырвавшийся из угла, был единственным ответом.

— Цыц, пострелы! — задребезжала старуха, затыкая сначала уши и пускаясь потом вдогонку то за одним, то за другим, — цыц! никого не пущу... тьфу, окаянные, прости Господи! — пошли вон!.. А ты, моя касатушка, не смей у меня шляться по улице! — прибавила она, повертываясь к Параше, которая взялась уже за скобку двери. — Будь довольна, что из избы-то тебя выпустили... не стать же тебе шаламберничать с ребятами; сиди у ворот, шагу не смей ступить без спросу!..

Девушка, не ожидавшая, вероятно, такого притеснения, опустила к полу веселое свое личико и молча последовала за своими братьями и сестрами, голоса которых раздавались уже за воротами.

III

Ах ты, Домна Домна...
...баба ты удалая!
Народная песня

Секунду спустя старостиха осталась одна-одинешенька посреди избы. Этого только, казалось, и добивалась она так долго. Ворчливое выражение на лице ее мигом сменилось какою-то довольною заботливостью. Она бросилась к печке, вынула один за другим несколько горшков, поставила их на стол против образов и приготовила все нужное для сытной трапезы; после этого старуха поспешно набросила на голову старый зипун, зажгла лучину и, заслоняя ее ладонью от ветра, вышла в сени. Тут пригнула она набок голову и стала внимательно вслушиваться; убедившись, что слышанный ею шум происходил единственно от бури, — старуха захлопнула дверь на крылечко и вошла в каморку или чулан, прилепленный, как ласточье гнездо, к одному из углов сеней. Сквозь щели этого чулана, сколоченного живьем из досок, не только проходил свободно ветер, но даже сеялся в изобилии снег, и многих трудов стоило старостихе найти укромное место для лучины; приткнув ее наконец кой-как за пустую бочку, она вытащила из-под нары сундучок, отворила его с помощью витого ключика и принялась выкладывать на пол разное добро: поочередно выступили, одна за другою, старые понявы, куски холста, мотки, коты, низанные бисером подзатыльники и, наконец, полотенца; добравшись до последних, старуха бережно отложила два из них в сторону и продолжала разбирать свое имущество. Она уже подбиралась к самому дну сундучка, как вдруг на крылечке послышалось топанье чьих-то ног; старостиха насторожила слух и затаила дыхание. Раздавшийся немного погодя кашель возвратил, однако ж, спокойствие на лицо ее; откашлянувшись в свой черед, она сунула под мышку отложенные два полотенца и, приподняв над головою лучину, вернулась в сени; задвижка щелкнула, дверь на крылечко отворилась, и в сени вошла, покрякивая и оттаптывая ноги, дюжая, плечистая баба с пухлыми щеками и крошечными черными глазками, которые бегали как мышонки, несмотря на то что им, очевидно, тесно становилось посреди многочисленных складок, образовавшихся от наплывшего жиру. В одной руке держала она довольно полновесный горшок, прикрытый тряпицею; другая рука ее придерживала на груди прорванную шубейку, которая прикрывала ей плечи и голову. Увидя перед собой старостиху, дюжая баба приподняла горшок так, чтобы он бросился ей тотчас же в глаза, и поклонилась.

— Здравствуй, Домна Емельяновна, добро пожаловать! — произнесла та, кланяясь в свою очередь.

Вслед за тем она прикрыла полою зипуна лучину и отошла немного в сторону.

— А что, касатушка, никого у вас нет? — прохрипела Домна, осматриваясь нерешительно на стороны.

— Никого, родная, все, и малы, и велики, со двора ушли, — отвечала старостиха, утвердительно моргая глазами.

Услыша это, гостья мгновенно приободрилась, отряхнула снег, покрывавший шубейку, постучала ногами об пол и оправилась. После того она повернулась спиною к хозяйке и, обмакнув несколько раз сряду жирную ладонь свою в горшок, принялась опрыскивать какою-то жидкостью притолку, стены сенечек и порог, нашептывая что-то под нос. Старостиха стояла во все это время в углу, как стопочка, и только моргала глазами: сморщенное лицо ее поворачивалось и следило, однако ж, подобострастно за каждым движением гостьи. Наконец она проворно вынула одно полотенце и, улучив минуту, когда Домна окончила причитание, подала его с поклоном.

Ощупав полотенце, Домна снова повернулась спиною, покосилась на старуху и, сделав вид, как будто обтирает им спрыснутые дверь и пол, спрятала его за пазуху. После того она закрыла горшок, поставила его на пол и подошла к старостихе как ни в чем не бывало[1].

— Спасибо тебе, Домна Емельяновна, что понаведалась, — сказала старостиха, отвешивая маховой поклон, — а я уже чаяла, касатка, ты за метелю-то не зайдешь ко мне; выходила за ворота, смотрю: гудет погода; нет, думаю, не бывать тебе...

— И-и-и... Христос с тобою, с чего ж не бывать? уж коли посулила, стало, приду, — отвечала скороговоркою Домна, — да и пригоже ли дело, родная, солгать в такую пору...

— То-то, болезная... зайди в избу, Емельяновна, — отогрейся.

— Спасибо тебе на ласковом слове, — отвечала Домна.

Старостиха отворила дверь, и обе вошли в избу.

Хозяйка засуетилась у печки и, пригласив гостью присесть к образам, поставила перед ней скляницу, заткнутую ветошью, вместе с толстеньким стаканчиком, вертевшимся на донышке, как волчок. Гостья не долго отнекивалась, выпила вино бычком, т. е. одним духом до последней капельки, и, кашлянув, закусила пирожком с кашей.

Вообще, должно сказать, Домна не была бабою ломливой или привередливой. Баба она была бойкая, вострая! Да и можно ли, по-настоящему, быть иначе сироте бесприютной, вдове беспомощной? Известно, живешь мирским состраданием, пробавляешься чужими крохами, тут всякий, того и смот-

---

[1] Обряд этот совершается на Васильев вечер и известен в Великороссии под названием: *смывание лихоманок*. Смывание производится (как уверяют, по крайней мере, плутовки, пользующиеся доверием поселян) снадобьем из четверговой соли, золы из семи печей и угля, выкопанного в Иванов день из-под чернобыльника.

ри, сядет тебе на плечи, да еще спасибо скажешь, коли в шею не наколотят. Домна знала это как нельзя лучше, а потому, желая избегнуть по возможности сиротской невзгоды, и норовила всегда сама сесть на чужие плечи. «И будь без хвоста, да не кажися кургуз», — говорит пословица. И так ловко повела она свое дельце, что никто не пенял на нее; каждый, напротив, встречал ее с поклоном и принимал с почетом. С уголька ли спрыснуть, заговорить ли от прострела, смыть ли лихоманку, — везде и всегда она одна. Незадого еще до настоящего времени слыла она первою запевалкою и хороводницею во всем околотке, никто не подлаживал так складно под песню в обломок косы, никто не выплясывал и не разводил так ловко руками, ничей голос не раздавался звучнее; но с тех пор, как надорвала она горло на гулянке в день приходского праздника, и голос ее, дребезжавший на всеобщее удивление, как неподмазанное колесо, захрипел как у опоенной клячи, — слава ее в околотке стала еще почетнее. Леший ее знает, как она это делала, — но теперь в соседних деревнях без Домны — что без правого глаза. Без нее не обходится ни одна свадьба, потому что, не будь Домны, и свадьбе бы не состояться; она поклонилась отцу, поклонилась матери и уладила дельце; на пирах является она бабкою-позываткой: первая затевает пляску, первая пьет сусло и бражку. В зимние долгие вечера Домна — не баба, а просто золото. Она все знает: кто хочет или задумал только жениться, кого замуж выдают, где и за что поссорились люди; там строчит она сказку узорчатую, тут поворожит, здесь спрыснет студенцом — словом, на все про все. И крова, кажись, нету, мужа нету — сирота как есть круглая, а живет себе припеваючи. Да и о чем тужить? Сама не раз говорила Домна: «И то правда, касатушки, под окошечком выпрошу, под третьим высплюсь — поддевочка-то сера, да волюшка-то своя!..»

Так вот какова была гостья старостихи.

— Ну, что, касатка, я чай, у соседей была? — спросила старостиха, придвигая к ней пирог.

— Как же, родная, — скороговоркою отвечала Домна, косясь одним глазом на скляницу, другим на чашку с гороховым киселем, — когда ж и быть-то, как не нынче? кому охота напустить к себе в дом злую лихость? Та: «Домна Емельяновна, пособи», другая также! Ну, я не отнекиваюсь от доброго дела; вестимо, долго ли накликать беду; о-ох! знамо, не простой день, касатка, — Васильев вечер... Ноне, болезная ты моя, лихоманку-то выпирает из преисподней морозом... Вот она и снует, окаянная, по свету — ищет виноватых; где теплая изба, туда и она... притаится, это, за простенок али притолку и ждет, нечисть, не подвернется ли кто... Я сама их видала, всех сестер видала... уж в чем, кажись, только душа есть: тощие, слепые, безрукие такие... а не смей из дому — затрясут, поди, до смерти, — завиралась Домна, надламывая пирожка и взглядывая на старостиху, которая сидела против ее на лавочке и, прищурившись, как кошка на печке, мотала в тягостном раздумье головою.

— Вот скажу тебе, — продолжала Домна, — видела я мужика в Груздочках, так уж подлинно жалости подобно... И здоров был, и рос, что хмелина в весну, а как напала, это, она на него, — похирел, словно трава подкошённая... А все оттого, что жена его поартачилась да не пустила смыть лихоманку в Васильев вечер...

— Ахти, касатка, эки дела какие; что ж она — недобрая мать, — злобу какую на мужа-то имела?.. — спросила старостиха.

— А кто ее знает, я немало ее тогда уговаривала...

— Да что ж ты, родная, не пьешь, не ешь ничего... — произнесла хозяйка, принимаясь суетиться, — не позорь нашего хлеба-соли... выпей еще стаканчик...

— Спасибо тебе на ласковом слове, — отвечала Домна, радостно принимая приглашение, — ну, так вот, родная, как почала она трясти его, трясла уж она, это, трясла, чуть не до смерти; насилу отшептали, совсем было сгиб человек... Да постой, не нынче, так завтра у нас в деревне прилучится такое дело — коли еще не хуже...

— О-ох! — произнесла старостиха, со страхом озираясь на сторону. — Что ж такое, родная?..

— А вот что, — отвечала Домна, отдувая багровые свои щеки, — захожу это я нынче, об утро, к Василисе, соседке твоей — вестимо, касатка, не из корысти какой, чтоб мне сошлось что за хлопоты, захожу к ней, — а так, по простоте моей сиротской, известно, люди бедные, нешто с них возьмешь... «Маешься ты, говорю, Василиса, со своим сыном; дай, говорю, отведу я от него нечистую силу, нынче только, говорю, и можно образумить каженника[1] — сама, чай, ведаешь, день какой». Куда те! и слышать не хочет; да это бы еще нешто, Бог с ней, а то туда же окрысилась на меня: «Вы, говорит, по деревне

---

[1] Каженником называют в деревнях человека, одержимого душевною тоскою, иногда просто без причины. Не ходит парень в хороводы, ну и каженник!

про сына пустили толки, то да се...» Ну, думаю себе, делай как знаешь, сама напоследях спокаешься, несдобровать тебе с твоим каженником!..

Тут Домна покосилась украдкой на старостиху и сказала, понизив голос:

— Ты, касатка, не подпушай его, смотри, близко к дому, я давно хотела с тобой на досуге глаз на глаз поговорить...

Старостиха насторожила уши.

— Он, слышала я от добрых людей, — продолжала таинственно Домна, — за твоей дочкой увивается... избави Господи!.. У каженников дурной глаз! того и смотри, испортит девку...

— Что ты, касатка, — ох!.. Да подступись он только... Да я и ему-то, и его матери-то все глаза выклюю!.. — возразила с негодованием старостиха. — Я, родная, как только проведала про эвто дело, и дочь-то не пускаю со двора, зароком наказала не ходить за ворота...

— То-то, болезная, я не в пронос говорю тебе такое слово; ты девку-то свою не пущай, а он, окаянный, все возьмет свое, коли заберет на ум, — напустит на нее лихость, — а ты, поди, плачь, тоскуй опосля... По-моему, до греха надо отвадить его как ни на есть от нее, чтобы девка-то опостыла ему, — без этого не миновать вам беды... Уж лучше, коли на то пошло, продайте вы ее в чужую деревню, я и женишка приищу. Такого ли жениха вам надыть! Да ему и в рот не вкинется, и во сне не приснится такое счастье... Она у тебя пригожее всех молодиц села... Вот доведалась я (люди добрые сказывали), и она, Василиса-то, на то же норовит; стану, говорит, просить барина!.. Пригодное ли дело, касатка, вам с ними родниться? шиш-голь, да и полно! Вам просвету не дадут: вишь, скажут, породнились с кем!.. Вестимо, кто про что: другому и крохи пропустить нечем, — да добрый человек, а этот, болезная ты моя, каженник! Уж что это за человек: чурается добрых людей, словно собак паршивых, ни с кем слова не промолвит, ни в пляску, ни в песни... я тебе говорю: отлучи ты его, до беды, от девки-то!..

— О-ох! я и сама о том думаю, касатушка... помоги, Домна Емельяновна, — произнесла с явным беспокойством старостиха, — рада служить тебе всем добром, — отведи ты его, Бог с ним, от моей дочери.

Тут старостиха привстала с лавки, поклонилась гостье и положила перед ней на стол второе полотенце.

— Спасибо тебе на ласковом слове, — отвечала Домна, спрятав полотенце, как бы невзначай, за пазуху, — рада и я служить тебе; изволь, помогу; слушай...

И Домна подсела уже к старостихе и прильнула к ее уху; но в эту самую минуту раздался такой сильный удар в ворота, что обе бабы невольно подпрыгнули на лавочке.

— Ох, родная! — воскликнула Домна, бросаясь впопыхах из одного угла в другой. — Никак, муж твой идет, вот накликали беду!..

Старостиха в это время подбежала к окну, подняла его и взглянула на улицу.

— Нет, касатка, не он, — крикнула она, просовываясь в избу и обращаясь к Домне, которая стояла уже в дверях, — не он: ветер сорвал доску с надворотни — не бойся, он у Савелия на вечеринке и не скоро вернется, сиди без опаски...

— Ох, касатка, всполохнулась я добре, — вымолвила гостья, отдуваясь и прикладывая ладонь к левому боку, — ну, кабы он, беда, думаю; серчает он на меня... а сама не знаю за что... провалиться мне, стамши, коли знаю...

Но речь Домны снова была прервана таким страшным грохотом под воротами, у плетней и под навесами, как будто буря, собрав все силы свои, разом ударила на избу старосты.

— С нами крестная сила! — пробормотала хозяйка дома, творя крестное знамение.

— Ох, не к добру, родная, — проговорила Домна, крестясь в свою очередь, — слышь, как вдруг все загудело... Ох, вот так-то, как шла я к тебе... иду, вдруг, отколе ни возьмись, замело меня совсем, и зги не видно; куда идти, думаю, и сама не знаю; стою это я, касатка, слышу, кто-то словно подле меня всплакался... да жалостливо так... Ох, не к добру...

Мало-помалу, однако же, и хозяйка, и гостья успокоились. Буря пронеслась мимо. Старостиха бережно заперла двери и снова села на лавочку; Домна откашлянулась, нагнулась к ее уху и стала что-то нашептывать.

IV

Чижик-пыжик у ворот,
Воробышек махонькой...
Эх, братцы, мало нас!
Голубчики, немножко...
Иван-сударь, поди к нам,
Андреевич, приступись...

Народная песня

Параше страх, однако ж, прискучило сидеть под окнами своей избушки. В первое время после того, как проводила она маленьких сестер и братьев за ворота, ее радовало, что привелось, по крайней мере, раз посидеть свободно на улице, что, может статься, удастся хоть издали прислушаться к веселым песням подруг; полная таких мыслей, она не замечала скуки, пока наконец не увидела ясно, что ожидания обманули ее. Сколько ни напрягала она внимания, всюду слышался рев бури, которая, врываясь поминутно в деревню, грозно завывала, метаясь из конца в конец улицы; глухая ночь царствовала повсюду; изредка лишь, проникая мрак, сквозь снежную сеть мелькали кое-где, как искры, огоньки дальних избушек. Параша не понимала, куда так скоро могла деться резвая толпа ребят и девушек, недавно еще шумевших под ее окнами.

«Неужто запугали их метель и холод? — подумала она, стараясь проникнуть в сотый раз темноту, ее окружавшую. — Чего ж тут бояться?.. О! если б только дали мне волю присоединиться к ним, я бы всех их пристыдила. А может быть, они забились в избы, не страха ради, а ради забавы... Я чай, гадают они или наряжаются... куда как весело!..» Параша взглянула на окно своей избушки и загрустила еще сильнее прежнего. Не смея ослушаться матери, но со всем тем не желая вернуться в скучную избу, она подошла к завалинке, оттоптала снег в углу, между стеною и выступом бревен, прикуталась с головою под овчинным своим тулупчиком и, съежившись клубочком, как котенок, закрыв глаза, принялась с горя умом раскидывать. Она мысленно переносилась в каждую избу; там невидимкою присутствует она посреди веселого сборища; тут прислушивается к говору парней, здесь подруги наряжают ее: она смотрится в крошечное оправленное зеркальце, глядит и глазам не верит, как пристала к ней высокая шапка с золотом, синий кафтан и красная рубаха с пестрыми ластовицами; в другом месте... но не перечесть всего, о чем думает молоденькая девушка. Кончилось тем, что Параша не утерпела, сбросила с головы овчину, заглянула в окно к матери и, убедившись вероятно, что с этой стороны не предстояло опасности, соскочила с завалинки и украдкою подобралась к соседней избе.

Изба эта — хилая лачужка, занесенная почти доверху снегом, — отделялась всего-навсего от избы старосты длинным навесом, а Параше стоило сделать несколько прыжков, чтобы очутиться под единственным ее окошком.

Девушка прильнула свеженьким своим личиком к стеклу, сквозь которое проникал огонек, и, затаив дыхание, долго смотрела на внутренность избушки. Но и тут, казалось, ожидания обманули ее. Параша нахмурила тоненькие свои брови и думала уже вернуться назад, когда совершенно неожиданно до слуха ее коснулся чей-то тоненький голосок. Голос выходил из-за ближайшего овина; Параша притаилась в угол и стала вслушиваться; голос, очевидно принадлежавший женщине, напевал между тем протяжно:

> Ай, звезды, звезды,
> Звездочки!
> Все вы, звездочки,
> Одной матушки,
> Бело-румяны вы
> И дородливы!..
> Гляньте, выгляньте
> В эту ноченьку!..

«Это, должно быть, Кузнецова Дунька загадывает себе счастье... — подумала Параша. — Но где же видит она звезды? — продолжала она, закуты-

152

ваясь в тулупчик и поднимая кверху голову. — Ух! как темно и страшно... ну, долго же придется ей ждать звездочку... А что, все ведь нынче гадают... дай-ка и я себе загадаю... что-то мне выпадет?» Последнее заключила она, стоя уже подле своей избы; она оглянулась сначала на все стороны, потом обратилась снова почему-то к соседней лачужке и произнесла нараспев:

> Взлай, взлай, собачонка,
> Взлай, серенький Волчок!
> Где собачка залает,
> Там и мой суженой...

Но каково же было удивление девушки, когда с соседнего двора, как нарочно, отозвался лай собаки. Лай замолк, а Параша все еще стояла как прикованная на месте; сердце ее билось сильнее; не доверяя своему слуху, она готовилась повторить песню; но голоса и хохот, раздавшиеся внезапно с другого конца улицы, привлекли ее внимание.

— Тащи каженника, тащи его! Что он взаправду артачится... Тащи его, ребятушки, пущай наряжается с нами... тащи его, не слушай! — кричал кто-то, надрываясь со смеху.

Параша бросилась сломя голову на завалинку, вытянула вперед голову и, казалось, боялась проронить одно слово. Голоса и хохот приближались с каждою минутой; вскоре различила она толпу, которая направлялась прямо к ее избе.

— Ребята, никак у старосты огонь! катай туда! — закричал тот же голос, по которому Параша тотчас же узнала первого озорника деревни Гришку Силаева. — Полно тебе, Алешка, козыриться, не топырься, сказано, что не выпустим, так, стало, так и будет; полно тебе слыть каженником, пришло время развернуться, мы из тебя дурь-то вызовем... Тсс! тише, ребята, ни гугу; девки, полно вам шушукаться, никак кто-то сидит у старосты на завалинке...

— Девушки, касатушки... ох!..— заговорило в одно время несколько тоненьких голосков.

— Ну, чего вы жметесь друг к дружке, чего? небось, не съедят, — шепнул Гришка Силаев, — ступайте за мной...

И толпа наряженных, стиснувшись в одну плотную кучку, пододвинулась ближе. Гришка сделал шаг вперед и вдруг залился звонким, дребезжащим хохотом.

— Э! так это вот кто! здравствуй, старостина дочка, — произнес он, снимая обеими руками шапку и кланяясь Параше чуть не в ноги.

— Девушки, касатушки, и вправду она! — воскликнули девушки, окружая подругу. — Что ты здесь делаешь? пойдем с нами, полно тебе сидеть; смотри, как мы нарядились! пойдем...

— Нет, мне нельзя... я и рада бы, да, право, нельзя, касатушки... того и смотри, матушка позовет...— отвечала Параша, заглядывая вправо и влево и как бы желая различить кого-то в толпе.

— А разве матушка твоя дома? — спросил Гришка.

— Дома.

— И отец дома?

— Нет, отец у Савелия на вечеринке.

Гришка радостно хлопнул в ладоши, прыгнул на завалинку и столкнулся нос с носом со старостихою, которая совершенно неожиданно отворила окно и высунулась на улицу. Гришка свистнул и бросился в самую середину толпы, которая откинулась в сторону.

— Ах вы, проклятые!.. Кто там?.. Чего вам надыть?.. Пошли прочь, окаянные!.. Парашка! Парашка! что те не докличешься... ступай в избу, где ты? о! постой, я тебя проучу.

Парашка откликнулась, набросила на голову полушубок и, вздохнув, отправилась к воротам.

— Параша! — крикнул ей вслед Гришка. — Кланяйся маменьке, целуй у ней ручки; скажи, что все, мол, мы, слава богу, здоровы и ей того мы желаем...

— Ах ты, охлестыш поганый! — взвизгнула старостиха, высовываясь по грудь из окна. — Погоди, постой, я тебе дам знать!

— Что ты, маменька, глотку-то дерешь?.. не обижайся, за добрым делом к тебе, родная...— отозвался Гришка, пробираясь украдкой с огромным комком снега под полою.— Приходили звать тебя в гости; не равно обознаешься; ищи ты нас вот как: ворота дощатые, собака новая, в избе два окна, как найдешь, прямо придешь! — заключил он, пуская комок в старостиху, которая успела, однако ж, вовремя захлопнуть окно.

Толпа захохотала.

— Эх, промахнулся! — произнес Гришка, отряхая руки.— А жаль, кабы не обмишурился, было бы чем закусить... ишь ее, баба-яга какая... Ребята, назло же ей, слушай: старосты нет, пойдемте к ней в избу... выворотим каженнику овчину, он будет медведем, а я вожаком; ладно, что ли? Ну, Михайло Иваныч, поворачивайся, да не пяль глаза в стороны, сказано — не выпустим, пойдешь с нами! — прибавил он, стаскивая полушубок с плеч молодого парня, который, впрочем, довольно охотно поддавался.

— А ну, быть стало по-вашему! — неожиданно воскликнул молодой парень, отрывая глаза от старостина окна и принимая как будто решительное намерение. — Давайте овчину, я сам выворочу... Ну, так ладно, что ли! — заключил он, просовывая руки в рукава вывороченной овчины и тяжело поворачиваясь перед толпою, которая разразилась звонким смехом.

— Ай да молодец! — заревел Гришка, топая в восторге ногами. — Я вам говорил: на него только наговорили, какой он каженник! Давай другую овчину, закутаем ему голову! Так. Ну-кась, Михайло Иваныч: а как ребята за горохом хаживали... ну-у-у!.. ай да Алеха! Я говорил вам, не сплохует! Он только прикидывался тихоней, а они ему верили... Ребята, стойте! — крикнул Гришка, останавливая толпу, которая уже двинулась к воротам старостиной избы. — Стойте; по-моему, вот что: дайте ей, старой ведьме, опомниться; она теперь взбеленилась, так уж заодно придется ей серчать... дадим-ка ей лучше простыть, да тогда, на спокой-то, и потревожим ее, пущай-де знает! Пойдемте, как есть, следом к Савелью, теперь пир горой; народу там гибель, потешимся на славу, а там сюда добро пожаловать... так, что ли?..

— Пойдемте, пойдемте! — отозвались все разом.

И толпа, повернувшись лицом к ветру, весело понеслась за Гришкой на другой конец деревни. Но не достигла она и половины дороги, как вдруг буря, смолкнувшая на время, снова ударила всей своей силой; все помутилось вокруг, и ряженые наши не успели сделать одного шагу, как уже увидели себя окруженными со всех сторон вихрем.

— Держись, не вались! — крикнул Гришка, сгибаясь в три погибели и становясь спиною к метели.— Наша возьмет, стой крепче, не робей! Эй вы, любушки-голубушки, — присовокупил он, пробираясь к девушкам, — что пришипились? играйте песни!..

— Полно тебе, Гришка... Ох, девушки, страшно! ох, касатушки, страшно! — раздавалось то с одной стороны, то с другой.

— Страшно... у! у! у!.. — произнес Гришка, становясь на четвереньки и принимаясь то хрюкать свиньею, то выть волком. — Ой, девушки, смотрите-ка, смотрите... вон ведьма на помеле едет, ей-ей, ведьма, у! смотри, сторонись, — хвостом зацепит.

Девушки, прятавшиеся друг за дружкою, подняли головы и вдруг испустили пронзительный крик. В стороне, за метелью, послышался действительно чей-то прерывающийся, замирающий стон... В эту самую минуту ветер рванул сильнее, вихрь пронесся мимо, и в мутных волнах снега, между сугробами, показался страшный образ старика с распростертыми вперед руками.

Но толпа успела уже разбежаться во все стороны.

V

За дубовы столы,
За набранные,
На сосновых скамьях,
Сели званые.
На столах — кур, гусей
Много жареных,
Пирогов, ветчины
Блюда полные!

А. В. Кольцов

Между тем пирушка у Савелия шла на славу; народу всякого, званого и незваного, набралось к нему такое множество, что, кажись, пришел бы еще один человек, так и места бы ему недостало. Даже под самым потолком торчали головы; последние, впрочем, принадлежали большею частью малолетним парнишкам и девчонкам, которые, будучи изгоняемы отовсюду, решительно не знали уже, куда приткнуться. И как, в самом деле, сидеть дома, когда у соседа вечеринка, да еще в какое время — в Святки? Того и смотри, нагрянут ряженые, пойдут пляски, песни... деревенским ребятам все в диковинку! И вот, томимые любопытством, пробираются они сквозь перекрестный огонь пинков и подзатыльников, карабкаются на лавки, всползают на печку и полати, мостятся друг на дружку, лишь бы поглядеть на веселье. Между ними попадаются такие бойкие, которые, не зная, куда девать маленького братишку, заснувшего у них на руках, забрались вместе с ним на зыбкую перекладину и висят себе как ни в чем не бывало!

В избе жарко, как на полке; никто, однако ж, не думает отступать к двери; каждый, напротив того, норовит изо всей мочи как бы протискаться вперед, к красному углу, где происходит угощение. Там, за столом, покрытым рядном, обложенным по краям ложками и обломками пирогов и хлеба, сидели гости званые и почетные. На самом первом месте, под образами, в которых дробился свет восковой свечки вместе со светом сального огарка, воздвигнутого на столе, бросался прежде всего в глаза мельник и жена его, оба толстые, оба красные, как очищенная свекла. Подле них, по правую руку, сидел пономарь из чужой вотчины, долговязый, рябой как кукушка, косой как заяц, с вострым обточенным носом и коротенькой взъерошенной косичкой на затылке; жар действовал на него совсем иначе, чем на мельника: он, казалось, сушил и коробил его, как щепку. Подле пономаря сидел сотский — крошечный, мозглявый старикашка лет семидесяти пяти, но живой и вертлявый, щупавший поминутно то медаль на груди форменной инвалидной шинели, то дергавший себя за кончики седых волос, изредка торчавших по обеим сторонам лысины; слезливые глаза его щурились постоянно, тогда как рот, украшенный одними деснами, был постоянно открыт и сохранял такое выражение, как будто сотского парил кто-то сзади наижесточайшим образом самым жгучим веником. По левую руку мельника находился знакомый уже нам староста, и рядом с ним хозяин дома — рыжий, плечистый мужик, такой же толстый почти, как мельничиха. С обоих пот катил градом, но оба не замечали этого и, казалось, были очень довольны соседством друг друга, потому что то и дело обнимались. По обеим сторонам описанных лиц, на лавочках, подле стола и немного поодаль, сидели еще гости, тоже званые, но менее почетные. Тут были старики, и молодые, и бабы с их ребятами; все они расположились семьями: где муж с женой, где старуха со снохой. Каждая семья явилась в гости с своей чашкой и ложкой; радушие хозяев ограничивалось снабжением съестного, и так как хозяйка приготовила кисленького и солененького вволю, а хозяин припас чем и рот прополоснуть, то гости были очень довольны. Немолчный говор, восклицания, хохот, раздававшиеся вокруг стола, свидетельствовали о довольстве присутствующих. Но всех довольнее был, по-видимому, все-таки сам хозяин.

— Александр Елисеич, сват! кумушка Матрена Алексеевна! Кондратий Захарыч! еще стаканчик, милости просим, понатужьтесь маленько... — кричал Савелий, приподнимаясь поминутно со штофом в одной руке, со стаканом в другой и кланяясь поочередно каждому из гостей своих. — Александр Елисеич, что ж ты, откушай — полно тебе отнекиваться, ну хошь пригубь, — прибавил он, обращаясь настойчивее к мельнику, который пыхтел, как бык, взбирающийся на гору.

— О-ох! не много ли, примерно, будет, Савелий Трофимыч? — отвечал гость, но взял, однако ж, стакан, тягостно возвел к потолку тусклые, водянистые глаза свои, испустил страдальческий вздох и, проговорив: «Господи, прости нам прегрешения наши!» — выпил все до капельки.

— Гости дорогие, милости просим! Данила Левоныч, ты что? Аль боишься уста опорочить? Пей, да подноси соседу, — продолжал Савелий, передавая штоф старосте и подмигивая на пономаря, который сидел, раскрыв рот, как птица, умирающая от жажды, что не мешало ему, однако ж, усердно вертеть левым глазом вокруг мельничихи. — Дядя, а дядя, дядя Щеголев! полно тебе раздобарывать, успеешь еще наговориться... Эх, а еще куражился: всех, говорил, положу лоском! что ж ты?.. Храбр, видно, на словах! — заключил Савелий, протягивая руку к сотскому, который рассказывал что-то мельнику.

— Подноси, подноси знай, да не обноси, — захрипел старикашка, заливаясь удушливым, разбитым смехом; он взял стакан, бодро привстал с места, произнес: «Всем гостям на беседу и во здравие!» — выпил вино, крякнул и постучал себя стаканом в голову.

— Вишь, балагур, занятный какой; ай да Щеголев! — раздалось со всех концов посреди хохота.

— Так как же тяжко, примерно, вам было в ту пору? — спросил мельник, когда уселся Щеголев.

— А ты думаешь как? — возразил Щеголев, бодрившийся и делавшийся словоохотливее по мере того, как штофы пустели. — Куда жутко пришлось: народ весь разбежался; избы, знаешь ты, супостат разорил, очистил все до последнего зернышка; сами прохарчились... захочешь пирожка, ладно, мол, — льду пососешь; захочешь щец — водицы похлебай, а другого и не спрашивай!..

— А что, примерно, бывал сам в сражении? — перебил мельник, выставляя вперед подбородок и осеняя рот крестным знамением.

— И-и... Александр Елисеич, спросите, где он только не был, каких сражений не видал, ходил под Кутузовым против француза, подлинно любопытствия всякого достойно! — произнес пономарь, значительно обводя косыми глазами компанию и потом стараясь снова остановить их на мельничихе, которая переминалась на одном месте, как откормленная гусыня.

— Так ты Кутузова-то видал? сказывают, сильный, примерно, был человек... — спросил мельник, глубокомысленно насупивая брови.

— Кутузова-то! — воскликнул Щеголев, заливаясь снова разбитым своим смехом и хорохорясь несравненно более прежнего. — А ты думаешь как! Как сядет, бывало, на коня... ух! ничего, говорит, не боюсь! Сам батюшка-царь его жаловал, раз на параде собственноручно целовал его. Русак был, настоящий русак! Кутузов, говорит ему, возьми себе за услуги твои Смоленское... возьми уж, говорит, и Голенищева в придачу! Вот так настоящий был воин! Ничего, говорит, не боюсь! Куда ни покажется — так лоском и кладет супостата! Как ты думаешь: сам на коне сидит, а над ним, слышь ты, орел летит... ничего, говорит, не боюсь!..

— Ну, а сам-то ты, сам бывал в сражениях? Страшно, чай? — продолжал расспрашивать Александр Елисеич.

— Чего страшно! ничего не страшно: француз ли, супостат ли... пали, да и только! Бей его, врага-супостата! — крикнул Щеголев, ударив кулаком по столу.

— Я чай, в пушку ударили? — вымолвил пономарь, взглядывая из-за мельничихи.

— В пушки ударили, в барабаны забили — пули и картечи летели нам навстречу! — подхватил Щеголев, отчаянно потряхивая головою, в которой начинала уже бродить нескладица.

— Лександр Елисеич, еще стаканчик, полно тебе спесивиться, — откушай! — перебил Савелий.

— Нет, Савелий Трофимыч, надо настоящим делом рассуждать, ей-ей, примерно не по моготе...

— Кондратий Захарыч, милости просим!

— Много довольны, кушайте сами; много довольны вашим угощением, — отвечал пономарь, принимая стакан и раскланиваясь на стороны.

— Кума Матрена Алексеевна, не обессудь, просим покорно, — продолжал хозяин, осклабляя зубы на мельничиху, которая сидела понурив голову, с видом крайнего изнеможения, — понатужьтесь еще; дай тебе Господи долго жить да с нами хлеб-соль водить...

Мельничиха допила вино, потупила глаза и прокатила стакан по столу, что значило, что она напрямик отказывалась.

— Сват Данила, угощайтесь — ну, первинка тебе, что ли!..

— Так и быть, согрешу — обижу свою душу, — выпью во здравие и многолетие!..

— Вот так-то... Эй, Авдотья, давай перемену! — крикнул хозяин, упираясь спиною и локтями в толпу, которая чуть не сидела на его шее, и оборачиваясь назад к печке, где слышался писклявый говор баб и звяканье горшков.

— Сейчас! — отозвался пронзительный голос, покрывший на минуту шум гостей.

Вслед за тем послышались звуки, похожие на то, когда ломают щепки, но означавшие, в сущности, что хозяйка отвесила несколько подзатыльников ребятам, осаждавшим блюда. Минуту спустя из середины толпы выступила жена Савелия, сопровождаемая двумя снохами, державшими в каждой руке по огромной чашке.

— Куманек, сватушка, кушайте, угощайтесь, милости просим; кумушка Матрена Алексеевна, прикушай, касатка, ты у нас дорогая гостьюшка, — сказала хозяйка, сухая, высокая баба с сморщенным лицом и провалившимися губами, которые корчились и ежились, чтобы произвести приветливую улыбку. — Кушайте, родные вы мои, — не судите хлеб-соль, укланялись, угощаючи вас, — продолжала она, отвешивая маховой поклон мельничихе, тогда как обе снохи подставляли чашки гостям, сидевшим со своими ложками на лавках.

— Много довольны вашим хлебом и солью! спасибо за ласки и угощенье, дай тебе и деткам твоим всяческого благополучия от Царя Небесного! — раздалось отовсюду.

— Авдотья, давай перемену! — крикнул снова Савелий, начинавший покачиваться во все стороны, несмотря на то что сильно упирался на старосту.

— Кумушка Матрена Алексеевна, не побрезгай, возьми хоть орешков, хоть орешков возьми... — говорила хозяйка, кланяясь и поднося чашку с орехами мельничихе. — Возьми, не прогневайся, возьми, ужотко деткам твоим зубки позабавить, себе на потеху...

— Пули и картечи... летели... к нам навстречу! — пробормотал неожиданно Щеголев, поднимая голову.

— Ну, Господь с тобой, касатик, — отвечала хозяйка, — кушай во здравие!..

— Авдотья, давай перемену! — крикнул снова Савелий. — Эге... ге... брат Щеголев, — присовокупил он, размахивая руками пред сотским, который клевал носом корку пирога, — что ж ты хотел-то всех лоском положить?..

— Давай!.. — прохрипел Щеголев, болтнув головою, как будто кто дал ему подзатыльника. — Ничего не боюсь!.. пули... картечи... летели...

— Эй, Кондратий Захарыч, о чем вы тут толмачите? — заключил Савелий, махнув рукою и поворачиваясь к пономарю, который разговаривал с мельником.

— А вот, Александр Елисеич рассказывал, какой случай вышел с шушеловским мужиком, Кириллой Власовым; небось ты его знаешь?

— Трафилось видеть. А что за случай такой?

— Да не сегодня, так завтра помрет, за попом посылали...

— Ой ли? да с чего так?.. — спросило несколько голосов.

— Расскажи, Александр Елисеич, — шепнул пономарь, любознательно вглядываясь одним глазом в мельника, тогда как другой глаз не менее любознательно вновь устремился на мельничиху.

— А вот что, — начал мельник, останавливаясь на каждом слове, чтобы перевести одышку, — недели три тому будет, пошел как-то Кирилла на Каменскую мельницу; дело было к вечеру, гораздо уж смеркалось; взял, примерно, шапку, пошел. Пришел, примерно, на мельницу, помолился, взял мешок с мукой и идет домой. Время стояло, как нынче, метель, примерно, такая буря, зги не видать, — продолжал Александр Елисеич, посматривая поочередно то на того, то на другого, тогда как присутствующие, подстрекаемые любопытством, двигались к нему и вытягивали шеи. — Вот стал он подходить к лесу, миновал было половину, вдруг слышит, кто-то кликнул его по имени. «Кирилла Власов!» — зовет, примерно, как словно какой знакомый человек либо сродственник... Он глядь — никого. В другой раз, он опять остановился — опять никого... «Кто там?» — крикнул. Никто, примерно, не откликается... Чтой-то за диво!.. Вот он опять пошел; что ни шаг ступит — зовет его кто-то по имени, да и полно!.. Вот приходит он домой; сел, поел, лег на печку — не спится... словно, говорит, мутить меня стало... Ну, нечего делать, встал это он, сел на лавку и стал, примерно, сумлеваться. Кто, говорит, звал меня в лесу?.. Стал это он так-то сумлеваться, вдруг слышит — стучат в окно... «Кто? — говорит, — кого надыть?..» — «Пусти, Власыч, пусти, примерно, переночевать!» —

отозвалось за окном. Как услыхал, говорит, так индо по закожью меня и дернуло, вся кровь, говорит, запечаталась во мне... слышу, говорит, тот же голос, что звал меня в лесу...

— Подлинно диковинное дело и всякого любопытствия достойно! — произнес со вздохом пономарь, обращая на этот раз оба глаза на соседку.

Но только что успел он это сделать, как оба глаза его вместе с глазами мельника и всех присутствующих устремились в одно мгновение на уличное окно.

В окне послышался стук. Все оглянулись и невольно попятились назад. Стук в окне повторился.

— Ну, чего вы?.. — крикнул Савелий, обращаясь к бабам, которые с визгом побросались в сторону. — Кума! Матрена Алексеевна! полно тебе! — присовокупил он, встав с места и подталкивая мельничиху, которая повалилась всею тяжестью на сотского и притиснула долговязые ноги пономаря, успевшего уже прыгнуть на лавку. — Ну, чего вы! эк! ишь их! — (Тут Савелий повернулся назад к двери, где происходила какая-то каша, в которой все двигалось, кричало и тискалось.) — Куда вы? стойте, я погляжу пойду!..

Савелий сделал шаг к окну, но стук раздался снова, сопровождаемый на этот раз голосом, от которого вздрогнули в самых дальних углах избы.

— О-ох! касатик, Савелий Трофимыч, не ходи! с нами крестная сила! — проговорила хозяйка, вцепившись в мужнину рубаху.

— Кто там? — крикнул что есть мочи Савелий.

— Про-хо-жий... — отвечал дрожащий, прерывающийся голос.

— Чего надыть? — гаркнул Савелий.

— Пусти... перено... чевать... озяб...— отвечал голос, заглушаемый ревом метели.

— Ступай, ступай! коли ты добрый человек, — сердито отозвался Савелий, делая шаг к окну. — Ступай подобру-поздорову, много вас шляется; проваливай, проваливай... здесь не место, ступай!.. Эй, Александр Елисеев, Данило! кума! гости дорогие! что ж вы, аль не слышите? чего всполохнулись! это, должно быть, какой-нибудь христарадник, а вы и взаправду подумали... садитесь, милости просим... ишь нашел время таскаться да грызть окна...

— Да ты, касатик, посмотри в окно! — сказала хозяйка, робко выглядывая из толпы.

— Чего смотреть! говорят тебе толком — нищенка!

— Ох, нет, родной, нет, Савелий Трофимыч, обойди-ка вокруг двора, оно вернее, обойди, касатик! — раздалось в толпе баб.

— Ну, пошли... с вами не столкуешь!.. Эй, Александр Елисеич, сват Данило, Кондратий Захарыч, полно вам; кума, Матрена Алексеевна, просим покорно, просим не сумлеваться, чего вы взаправду переполошились, садитесь! — говорил Савелий, усаживая гостей, которые, не слыша более шума за окном, начинали мало-помалу ободряться. — Авдотья, давай перемену!..

Гости, ободренные окончательно тишиною, водворившеюся за окном, уселись по-прежнему на свои места; мельничиха освободила задыхающегося Щеголева, пономарь завертел снова левым глазом вокруг соседки, на столе появились два новые штофа, снохи переменили чашки на ковши с суслом и брагою, и веселая вечеринка, прерванная на время, продолжалась на славу радушным хозяевам.

VI

Ах, ты сей, мати, мучину, пеки пироги,
Слава!
Как к тебе будут гости нечаянные,
Слава!
Как нечаянные и незваные,
Слава!
К тебе будут гости, ко мне женихи!..
Слава!

Народная песня

— Ребята!.. эй!.. где вы? — крикнул Гришка Силаев, останавливаясь на другом конце улицы и оглядываясь во все стороны.

Он приложил указательные пальцы обеих рук к губам, испустил дребезжащий, пронзительный свист и стал прислушиваться.

— Кто тут? — робко отозвалось несколько тоненьких голосков подле соседних ворот.

Гришка повернулся к воротам и свистнул во второй раз.

— Гришка, ты? — повторили те же голоса, и вслед за тем из-за саней выглянула сначала одна голова, потом другая, и наконец показался парень и несколько девушек.

— Я, я... ступайте сюда, не бойтесь... кто это? — воскликнул Гришка, достигая их одним прыжком и принимаясь ощупывать круглое лицо парня. — Э-э! Петрушка Глазун! смотри ты, куда затесался, — с девками!..

— Я нарочно побежал с ними... они, вишь, задумали по домам разойтись...

— Ну, ладно, ладно, пойдемте!..

— Ох, касатушки, страшно, ох, девушки, страшно! Гришка, куда ты нас тащишь! а ну как опять встренется... — проговорили девушки, прижимаясь друг к дружке и боязливо выглядывая из-за полушубков.

— Ну вот, полно вам ломаться, пойдемте; лих его, пущай встренется; вы и взаправду думаете — леший какой али ведьма...

— Вестимо, чего бояться, — произнес в стороне мягкий голос, по которому все присутствующие узнали тотчас же Алексея-каженника, — должно быть, нам так почудилось, а не то, верно, какой-нибудь побирушка, — прибавил он, присоединяясь к толпе.

— Ай да Алеха! молодца, право слово — молодца! Девки! скажите: с чего он так расходился? отколе прыть взялась?.. Ну, идемте, что ли?..

И Гришка, сопровождаемый девками, Петрушкой и Алексеем, который еле-еле передвигал ноги, запрятанные в рукава вывороченного полушубка, стал пробираться подле изб.

— Эй, ребята, девки! выходите, полно вам! — кричал он, останавливаясь поминутно и оглядываясь на стороны.

— Кто там!..

— Выходи, — чего спрашиваешь, — ступай, так увидишь!

— Да как же звать?..

— Зовут зовуткой, а величают уткой!

Раздался хохот, и толпа увеличивалась новым озорником. Таким образом, разбежавшиеся парни и девки примыкали один за другим к ряженым, и толпа не успела дойти до конца деревни, как уже почти все оказались налицо.

— Чего оглядываетесь на стороны! небось леший-то давно лыжи навострил — так испугали его наши девки — куда прытки голосить! — сказал Гришка, останавливая толпу. — Ну, все ли здесь?.. Бука, ступай сюда; ты, коза, пойдешь следом за букой; каженник, становись здесь, я тебя поведу; а за ним баба-яга; баба-яга... ну поворачивайся, да смотри не плошай... — прибавил он, повертывая за плечи долговязого парня в поняве, с платком на голове и сидящего верхом на помеле.

— А куда нам идти-то? — спросил кто-то.

— Сказано, к Савелию.

— Нет, ребята,— слушай, Гришка! пойдемте лучше в другую избу — туда не проберешься; я было сунулся — куда те: в сенях народ стоит...

— И то, пойдемте-ка лучше, коли уж идти, пойдемте к старосте, как прежде хотели, — вымолвил Алексей.

— Слышь, ребята, слышь, что говорит каженник; ай да Алеха! — закричал Гришка. — Что-то, братцы, я заприметил, больно он расходился нынче; никогда такого не бывало!.. должно быть, неспроста... Слышь, как его раззадоривает идти к старосте; уж не Парашка ли тому виною... пойдем да пойдем!.. А ну, быть, как сказал каженник, — качай!.. — И Гришка, подпершись в бока, выступил вперед и запел, приплясывая:

> Чижик-пыжик у ворот,
> Воробышек махонький...
> Эх, братцы, мало нас,
> Голубчики, немножко!..

170

— Тише, Гришка, что ты орешь! — услышит старостиха, не пустит нас...

— Небось! метель гудит — не услышит! Смотри только, ребятушки, не обознаться бы нам...

— Ну вот! тише, говорят! разве не видишь — вот и изба...

— Ребята, стой! — шепнул Гришка, снова останавливая толпу. — У старосты огонь, поглядите, кто у них в избе; не вернулся ли хозяин!..

— Нет, вижу! — отвечал так же тихо Петрушка, взобравшийся на завалинку. — Никого нет; сидят старуха да дочь...

— Ладно, подбирайся к воротам; тихонько, смотри... так, ладно... Братцы, никак калитка-то заперта... стой! Кто из вас цепкий — полезай через ворота да сними запор.

— Давай я полезу, — сказал Алексей, двигаясь к воротам.

— Нет, ты и коза не трогайтесь с места; Петрушка, ступай сюда! — шепнул Гришка, подставляя спину.

Петрушке чехарда была в привычку; он прыгнул на плечи товарища, уцепился руками за перекладину ворот и минуту спустя бухнулся в сугроб, по ту сторону ворот. Шест, припиравший калитку, был снят, и толпа затаив дыхание начала пробираться по двору старосты к крылечку.

— Тсссс... — произнес Гришка, останавливаясь на крылечке и подымая руку кверху, — дверь заперта изнутри!.. ничего, молчи, я дело справлю: смотри только, как свистну, все за мной в одну плетеницу, да не робей, дружно!

Сказав это, он ударил кулаком в дверь. Минуту спустя в сенях послышались шаги.

— Кто там? — спросила хозяйка.

— Отворяй! — отвечал Григорий, подделываясь под голос старосты.

— Ты, Левоныч?

— Отворяй, говорят... аль не признала? — продолжал Гришка, стараясь прикинуться пьяным.

Старуха проворчала что-то сквозь зубы и загремела запором; вслед за тем она выглянула на крылечко, но в ту же секунду над самым ее ухом раздался пронзительный свист, и не успела она крикнуть, как уже толпа ринулась в сени, сшибла ее с ног и ударилась с визгом и хохотом в избу.

— Ай, батюшки, режут! ай, касатики, режут! — завопила старуха, бросаясь как угорелая в угол сеничек и забиваясь между корытами и досками...

Страх ее не был, однако ж, продолжителен; заслышав песни, пляски и хохот, раздавшиеся в избе, она высвободилась из засады и кинулась к растворенной настежь двери. Увидя толпу ряженых и дочь, стоявшую посреди их с веселым, смеющимся лицом, старостиха окинула глазами сени — но, не найдя, вероятно, ни кочерги, ни полена, метнулась в избу и прямо повалилась на медведя, который переминался с ноги на ногу, стоя перед Парашею.

— Ах ты, разбойник! ах ты, окаянный! — взвизгнула она, принимаясь тормошить медведя, который не двигался с места, не сводил глаз с девушки и, казалось, не замечал, что происходило вокруг.

— У... у... у! — захрипел бука, вынырнул неожиданно из-за медведя и, став между ним и старостихою, простер к ней руки, обернутые соломой.

— Бя... бя... бя! — затрещала коза, дергая ее сзади.

— Бу... у... у... — ревел бык, пыряя ее рогами.

— Кудах! кудах, ирр... ирр... — зашипел, откуда ни возьмись, журавль, то есть долговязый, плечистый парень, у которого рука была притянута к голове, и все это окутано было рогожей, — ирр... — присовокупил журавль, тыкая ее в бок веретеном, изображавшим клюв.

— Пострелы! черти! собаки! — вопила старостиха, отбиваясь руками и ногами.

— Полно, тетенька, не серчай, — запищала скороговоркою баба-яга, заметая след помелом и смело наступая на старуху, которая задыхалась от злобы, — слушай: загадаю тебе загадку: двое идут, двое несут, сам-треть поет... Не любо?.. изволь другую; под лесом-лесом пестрые колеса висят, девиц украшают, молодцов дразнят... Не угадала?.. Серьги, тетенька, серьги.

— Поди прочь, леший! — крикнула старостиха, замахиваясь обеими руками на бабу-ягу, но, оглушенная визгом и хохотом, в ту же минуту обратилась к толпе девушек. — А вы, бесстыжие! погоди, постой! о! Грушка Дорофеева, я тебя признала, — ах ты, срамница! — прибавила она, бросаясь на толстенькую девушку, прятавшуюся за подруг; но Груша нырнула в толпу, толпа раздвинулась, и старостиха прямехонько наткнулась на Гришку, козу и медведя, которые вертелись вокруг ее дочери.

— Ну-кось, Михайло Иваныч, — заговорил Гришка, размахивая палкою так ловко, что старостиха никак не могла приступиться, — потешь, покажи господам честным и хозяйке дорогой, как малые ребята горох воровали... А ну, поворачивайся! — крикнул он, дернув за веревку, привязанную к поясу медведя, который все-таки не двигался с места

173

и не отрывал глаз от Параши. — А ну, ну, полно, аль приворожила тебя красная девушка... ну, коза, валяй, начинай!.. Михайло Иваныч, что ж ты взаправду уставился, не кобенься, кланяйся хозяюшке молодой, да в самые ножки! — присовокупил Гришка, опуская палку на плечо медведя, который на этот раз повалился охотно в ноги Параше. — Так: ну, коза, живо!..

Тут Гришка, продолжая размахивать палкой, пустился вприсядку вместе с козою, припевая скороговоркою:

> Антон козу ведет,
> Антонова коза нейдет;
> А он ее подгоняет,
> А она хвостик поднимает...
> Он ее вожжами,
> Она его рогами...

Старостиха кричала, бранилась, но уже никто ее не слушал; все вокруг нее заплясало, завертелось, и трудно определить, чем бы кончилась потеха, если бы в самом разгаре суматохи не раздалось внезапно из сеней:

— Староста идет!..

Казалось, гром, упавший в эту минуту на избу, не произвел бы такого действия на присутствующих. Раздался оглушительный визг; баба-яга бросила помело, Гришка — палку, журавль — веретено, и все, перепрыгивая друг через дружку, как бараны, побросались в дверь, преследуемые старостихою, у которой, откуда ни возьмись, явилась в руках кочерга.

— А! разбойники! что — взяли! что — взяли!.. — кричала она, нападая с яростью на беглецов и не замечая впопыхах медведя, который, запутав-

174

шись в своих овчинах, стоял посреди избы и оглядывал со страхом углы и лавки.

— Что — взяли! — продолжала старостиха, врываясь в сени, — Левоныч! Левоныч! Держи их, не пущай, смотри держи разбойников!..

Медведь быстро оглянулся на дверь и сбросил овчину, покрывавшую голову.

— Параша, это я! не бойся... — произнес он, обращаясь к девушке, которая боязливо пятилась к печке, — спрячь меня! видит Бог, для одной тебя пришел к вам. Слышь, отец идет! — прибавил он, высвобождая одну ногу из рукава овчины.

Страх Параши прошел, по-видимому, тотчас же, как только медведь показал настоящую свою голову. Раздумывать долго нельзя было; голос старосты и жены его приближался и слышался уже на крылечке. Надо было на что-нибудь решиться... Девушка взглянула еще раз на парня и указала ему под лавку. Едва Алексей успел спрятать свои ноги, как староста и жена его вошли в избу. Глаза Данилы блуждали неопределенно во все стороны, и вообще на опухшем лице его изображалась сильная тревога.

— Ну, чего ты уставился? что глаза-то выпучил?.. Тьфу! прости Господи! — произнесла старуха, бросая с сердцем кочергу, — кричу ему: держи их, не пущай!..

— Ох... дай дух перевести... мне почудилось... — перебил староста, протирая глаза.

— То-то, спьяна-то черти, знать, тебе показались!.. Толком говорят — ребята были, чтоб их собаки поели! Пришли, давай, разбойники, все вверх дном вертеть; содом такой подняли, проклятые...

— Погоди... стой! я с ними справлюсь; ты скажи только, кто да кто был, — произнес не совсем твердо староста, у которого хмель отшибал несколько язык и память.

— Известно, кому больше, как не Гришке Силаеву; проклятый такой, чтоб ему...

— Ладно, ладно... а ведь мне почудилось... У Савелия, слышь ты, такую диковину рассказывали... иду я так-то домой, втемяшилось мне это в голову... а тут они, проклятые, понагрянули... не думал, не гадал... Да постой, я им задам завтра таску, особливо Гришке... я давно запримечал.

Староста не докончил речи; голова его откинулась назад, рот искривился, глаза выкатились как горошки и остановились на одной точке. Увидя что-то мохнатое, выползавшее из-под лавки, старуха с визгом вцепилась в мужа. Одна Параша не тронулась с места; она опустила только зардевшееся лицо свое и принялась перебирать край передника.

Алексей вышел из своей прятки и встал на ноги. Данило повалился на лавку; старуха закрыла лицо руками и последовала его примеру.

— Данило Левоныч, тетушка Анна, не пужайтесь! это я... — произнес Алексей, делая шаг вперед.

Заслыша знакомый голос, муж и жена подняли голову.

— Как!.. ах ты, окаянный! — воскликнула старостиха, мгновенно приходя в себя. — Левоныч, хватай его!..

— Каженник!.. — проговорил староста, протирая глаза и тяжело подымаясь с места.

— Хватай его, держи! — голосила старуха, принимаясь толкать мужа.

— Полноте вам сомневаться... — сказал не совсем твердым голосом Алексей, — я не вор какой, не убегу от вас, сам дамся в руки...

— Чего тебе надыть? — заревел Данило, грозно подходя к парню.

— А! так вот как! — крикнула старостиха, кидаясь на дочь, — так вот ты какими делами... погоди, я с тобой справлюсь!

— Тетушка Анна, не тронь ее... — сказал Алексей, становясь между дочерью и матерью, — видит Бог, она не причастна... я во всем причиной и винюсь перед вами.

— А вот погоди, ты у меня скажешь, зачем затесался под лавку, — вымолвил староста, хватая парня.

— Погоди, дядя Данило, постой, не замай, — я винюсь и без того... — пришел с ребятами к тебе; думали позабавиться, песни поиграть... кричат: ты идешь... все вон кинулись, я один не поспел, — вот и вся вина моя... а она, дочь твоя, Данило Левоныч, видит Бог, ни в чем не причастна!..

— Да ты, дурень ты этакой, что его слушаешь! тащи его в сени... дай ему таску, чтоб помнил вперед... тащи его... ах ты охаверник, каженник проклятый!.. постой, я тебе дам знать... — голосила старостиха, подталкивая Алексея в спину, тогда как муж тащил его в сени, — так, так, так, хорошенько ему, разбойнику!..

Увещевание и разговоры были напрасны; староста и жена его стащили бедного Алексея на двор, и вскоре послышался шум свалки.

— Ну, теперь я с тобой поговорю, — начала старостиха, торопливо вбегая в избу, — ах ты, срамница ты этакая!.. Да где она?.. Парашка! — крикнула она, оглядываясь во все стороны.

Увидя дочь, которая стояла на лавочке и, просунувшись по пояс в окно, глядела на улицу, старуха пришла в неописанную ярость.

— Что ты тут делаешь? — взвизгнула она, втаскивая ее в избу и замахиваясь обеими руками.

— Без тебя, матушка, постучали в окно... я отворила... какой-то человек...

— Какой человек?..

— Должно быть, нищенка...

— Какой там еще леший?.. — произнес староста, входя в это время в избу.

— Нищенка, батюшка, — отвечала Параша, — просится переночевать...

— А! это, должно быть, тот самый, что стучался к Савелью да всех нас переполошил, — проговорил Данило, нетерпеливо подходя к окну, в котором мелькнула бледная тень человека. — Погоди же; я тебя выучу таскаться по ночам... Чего тебе надо? — крикнул он, просовывая голову на улицу. — Отваливай, отваливай отселева, коли не хочешь, чтобы я проводил! Вишь, нашел постоялый двор, в какую пору таскаться выдумал... Погоди, я еще узнаю завтра, что ты за человек такой!.. Ступай, ступай!.. Вишь, взаправду, повадились таскаться, — промолвил староста, захлопывая окно, — прогнали с одного двора чуть не взашей, нет — в другой лезет... И добро бы время какое, а то метель, вьюга, стужа... Тут и собака, кажись, лежит — не шелохнется, а он слоняется да окна грызет... О-ох! — заключил Данило, зевая и разваливаясь на печке.

Мы ходили, мы искали
Коляду, коляду
По всем дворам, по проулочкам;
Нашли коляду
У Василисина двора.
Здравствуй, хозяин со хозяюшкой,
На долги века, на многи лета!

Народная песня

«Вот не было тоски и печали! — подумал Алексей, выходя из старостиных ворот на улицу, — все как есть, все теперь пропало! — продолжал он, равнодушно шагая по сугробам и не обращая внимания на студеный ветер, который гнал ему в лицо целое море снегу! — И зачем было идти к ним в избу?.. Как словно не знал я, не видал — не вернуть этим пропавшего дела. Коли прежде зароком не велели ей молвить слова — бегала она от меня, как от волка; теперь, стало, и подавно ждать нечего... Эх, загубил я вконец свою голову!..»

Раздумывая таким образом, он не заметил, как очутился перед воротами своей избенки. Из слухового окна все еще мелькал огонек, и Алексей, не ожидавший застать старуху-мать на ногах, поспешил в избу. Но старушка предупредила его; она давно сидела настороже, прислушиваясь к малейшему шуму и шороху. Чуткий слух не обманул ее. Заслышав знакомые шаги, она суетливо поправила платок на голове, взяла лучину и, прежде чем сын успел пройти двор, стояла уж в сеничках.

— Ох, родной мой, куда это ты запропастился? — произнесла она, выбегая на крылечко и заслоняя дрожащею ладонью лучинку. — Уж я ждала-ждала; время, думаю, недоброе, не прилучилось ли чего, помилуй Бог...

— Нет, матушка, ничего,— весело отвечал Алексей, взбираясь по ступенькам.

— То-то, родной... а я сижу так-то да думаю...

И старушка, улучив минуту, когда парень прошел мимо, взяла лучину в левую руку, взглянула на сына и, отвернувшись несколько в сторону, сотворила крестное знамение. После этого она догнала его, и оба вошли в избу.

Избенка была крошечная: стены ее, перекосившиеся во многих местах и прокопченные дымом, были так черны, что даже с помощью лучины едва-едва можно было различить что-нибудь в углах. Но, несмотря на то, везде, куда только проникал глаз, виднелись следы заботливости и строгого порядка; все показывало, что старушка была добрая, радетельная хозяйка. Ничто не валялось зря, где ни попало, все было прибрано к месту, земляной пол был чисто-начисто выметен; и хотя во всем виднелась страшная бедность, но все-таки лачужка Василисы глядела как-то уютнее, приветливее, теплее многих соседних изб. Наружность самой хозяйки соответствовала как нельзя лучше ее жилищу: это была крошечная, тщедушная старушонка, с вдавленною грудью, прикрытою толстой, заплатанной, но чистой рубахой. Голова ее, повязанная ветхим платком с длинными концами назади, склонялась постоянно набок,— ни дать ни взять, как кровля ее избенки. Лицо Василисы было желто и покрыто, как паутина, морщинами, но столько еще веселости отражалось в ее светлых глазах, столько добродушия проглядывало в потускневших чертах ее лица, что нельзя было не полюбить ее сразу.

Заложив в светец лучинку, она тотчас же подошла к сыну.

— Алеша, погляди-кась на меня... ты словно, касатик, невесел?..

— Нет, матушка, право, ничего, — отвечал парень, отходя к печке и принимаясь развешивать на шестке вымокшую овчину.

— Полно, родной, я вижу... не тот ты был, как вышел из дому; уж не прилучилось ли чего? — вымолвила старушка, преследуя сына и устремляя на него пытливый взгляд.

— Взаправду ничего, — сказал Алексей, стараясь засмеяться, — ходил с ребятами по соседям, везде пир такой, веселье... с чего, кажись, быть невеселу!..

— То-то, то-то, касатик, с чего тебе кручиниться... а я так-то сижу, да думаю: куда, мол, думаю, запропастился...

— Я, признаться, матушка, не чаял, что ты станешь меня дожидаться...

— Ах ты, голова, голова!.. а то как же?.. Так-таки лечь мне да махнуть рукой?.. Вспомни-ка, какой нынче вечер!.. Разве ты запамятовал, что было у нас прошлого года?.. Ну-ткась, ну, раскинь-ка умом, — весело прибавила она, качая головою и не отрывая глаз от парня.

— Не помню, матушка, — отвечал Алексей, разглаживая волосы.

— Не помнишь?.. Ах ты, голова, голова, а я-то жду да жду его...

— Что же такое, матушка?.. Видит Бог, не запомню...

— Ну, молчи только, молчи, коли так, — сказала она, лукаво подмигивая одним глазом. — Ставь скорее светец к столу да засвети новую лучину.

Старушка поправила платок на голове, повернулась к сыну спиною и торопливо подошла к печке.

— А! знаю, знаю!.. — воскликнул Алексей, следивший с любопытством за всеми движениями матери. — Знаю, ты, как в прошлом году, хочешь кашу вынимать! — промолвил он, делая шаг к старушке, которая неожиданно показалась из-за печки с полновесным горшком в руках.

— Молчи, только молчи, — вымолвила она, отклоняя сына локтями и заботливо ставя горшок на стол. — Ну, теперь садись, да смотри, что-то пошлет нам Господь... Ах, родной!.. погляди-ка, погляди, как полный!.. постой... нет, и не треснул нигде, как есть нигде! — радостно говорила она, ощупывая горшок, между тем как сын рассеянно и как-то принужденно глядел на все происходящее. — А нукась, ну, посмотрим, что-то скажется...

Тут Василиса бережно сняла пенку.

— Вот не чаяла, не гадала! Ахти, касатик, родной ты мой! — воскликнула она, всплеснув руками и взглянув на сына, который обнаружил тотчас же веселость. — Погляди-ка, красная какая! да рассыпчатая какая!.. Ахти, родные вы мои, да и полная-полная — словно и не кипела... А ну, дай-то Господи, кабы сбылось!..

— Что ж, по-твоему, матушка, чему же быть? — спросил сын.

— А быть, родной ты мой, делу хорошему... Ах, кабы Господь подсобил нам! — отвечала старушка, творя крест. — Слышь, коли так-то, — прибавила она, указывая на горшок, — люди добрые, деды наши сказывали, быть благополучию всему дому, будущий урожай и... и... и талантливую дочку!..

Алексей недоверчиво улыбнулся. В самую эту минуту кто-то постучался в окно.

— Слышал, Алеша?.. — спросила старушка, оглядываясь в ту сторону.

— Никак, стукнули в окно, — отвечал парень, приподымаясь с лавки.

— Погоди, Алеша... Ох, с нами святая сила!.. — сказала старушка, удерживая сына.

— Ничего, матушка, должно быть, из соседей кто; может статься, нужда какая; постой-ка, погляжу... Кто там? — крикнул он, прикладывая лицо свое к окну и стараясь разглядеть сквозь снеговое узорочье стекла.

С минуту продолжалось молчание, прерываемое визгом метели, которая люто завывала вокруг избушки.

— Кто там? — повторил Алексей.

— Прохожий... — отвечал трепещущий, вздрагивающий голос, — пустите... во имя Христово... — прибавил голос, делавший явные усилия, чтобы внятно произносить слова.

— Слышь? — сказал Алексей, поворачиваясь к матери. — Верно, с пути сбился за метелью; пущай его обогреется.

— Ох, касатик, — вымолвила старушка, нерешительно взглядывая на окно.

— А что ж, ведь не убудет у нас... к тому же не помирать ему взаправду на улице.

— Вестимо, родной, не убудет... Ну, Господь с тобою, как знаешь, так и делай... покличь его.

— Дядя! а дядя, ступай на двор! — крикнул Алексей, стукнув в окно. — Погоди, матушка, я выйду на двор, провожу его, а то и не найдет, пожалуй...

Алексей набросил на плечи овчину и вышел на крылечко.

— Дядя! где ты? сюда ступай! — крикнул он, поворачиваясь к воротам.

Метель ревела по-прежнему, снежные хлопья, валившие со всех сторон, усиливали темноту и без того уже мрачной ночи; на дворе нельзя было различить собственной руки.

— Сюда, дедушка!.. ступай на голос! — продолжал кричать парень.

Глухой стон отозвался где-то в стороне, и минуту спустя неровные шаги зазвучали на шатких ступенях крылечка.

— Сюда, дедушка, сюда... — сказал Алексей, входя в сени и отворяя дверь избы, чтобы виднее было куда идти, — войди, отогрейся...

Прохожий вошел в избу. Алексей взглянул на него при свете лучины и невольно отступил к матери, которая попятилась к образам и перекрестилась. Перед ними стоял, едва держась на ногах, седой старик, лет семидесяти, бледный и растрепанный, похожий скорее на пришельца с того света, чем на живого человека. Страшная худоба изнеможенного лица его и бледные, совсем почти белые зрачки, глядевшие мутно и безжизненно, довершали это сходство. Он дрожал всеми своими членами; зубы его щелкали; холщовая сума, висевшая за его спиною, и мерзлые лохмотья рубища, прикрывавшие тощую его грудь, плечи и ноги, тряслись, в свою очередь следуя движениям закутанного в них тела. Он медленно поднял окоченевшие свои руки, провел ими по голове, сделав шаг вперед, хотел что-то сказать, но речь его вышла нескладна. Он глубоко вздохнул, ощупал неверными руками стену и опустился в изнеможении на лавочку.

— Что ты, дедушка, аль прозяб добре? посиди, отогрейся; изба у нас теплая, — сказал Алексей, в котором страх сменился жалостливым участием.

Он подошел к старику.

— Вестимо, касатик; да ты бы к печке-то сел... — проговорила Василиса, следуя за сыном.

Белые зрачки старика устремились как-то неопределенно на хозяев лачужки; он снова хотел что-то сказать, и снова дрожащие губы не повиновались ему; он опустил голову и принялся ощупывать края лавки и рубище.

— Погоди, дедушка, я подсоблю, руки-то у тебя окоченели, ничего с ними не сделаешь... — произнес Алексей, видя, что старик хотел освободиться от сумы, которая перетягивала ему грудь и плечи, — положи ее на лавочку... ладно: тебе бы лучше разуться, право ну, скорей бы отогрел ноги.

— Вестимо, касатик, разуться, ишь застыл как, — перебила Василиса, качая головою, — разунься да подь к столу, я чай, с пути-то поснедать хочешь...

И, не дожидаясь ответа, она придвинула к столу лучину и начала хлопотать подле горшков.

— Ну, дядя, вставай, повечеряй поди, — сказал Алексей.

— Ась?..

— Повечеряй поди! — крикнул парень, наклоняясь к его уху. — С дороги-то, я чай, проголодался.

— Нет... ох... спасибо, касатик... спасибо, — простонал старик, останавливаясь на каждом слове.

Он замотал как-то бессильно головою, ухватился руками за края лавки, закрыл глаза и вздрогнул всем телом.

— Что ж ты, родной, аль недужится?.. — спросила Василиса, подходя к прохожему и стараясь вглядеться ему в лицо. — Знамо, в такую-то пору, без одежи... тебе, родной, попариться бы надыть, да время-то, вишь, позднее...

Старик приложил изрытую ладонь к тощей груди своей и закашлялся; кашлю этому, казалось, конца не было.

— Спасибо... — проговорил он, переводя одышку и подымая глаза на хозяйку, — спасибо вам... что пустили...

— И-и-и... касатик, Господь с тобою! сиди, обогрейся... да ты бы, право, поснедал чего: кашки, а не то и киселек есть у нас...

— Нет... спасибо... ох!.. вот кабы парень-то твой... пособил... сил моих нет...

Он хотел еще что-то прибавить, но слова замерли в его горле; он ощупал вокруг себя место, придвинул суму и медленно стал опускаться на лавку.

— Не нудь себя, дедушка, не нудь, — вымолвил Алексей, подсобляя старику растянуться на лавке и подкладывая ему под голову сумку. — Ну, дедушка, ладно, что ли?

— Ладно, ладно, спасибо... родной... ох! — проговорил старик, сжимая губы, чтобы удержать стоны и щелканье зубов.

— Ладно, так и Христос с тобой; спи, авось ночью переможешься, об утро легче станет... Я чай, и нам пора, матушка, — промолвил парень, обратясь к матери; но, увидя, что она молилась перед образами, он взобрался на печку и начал раздеваться.

Немного погодя старушка затушила лучину и присоединилась к сыну.

В избушке стало тихо... Рев ветра, то глухой, как похоронное причитанье, то свирепый и пронзительный, как дикая разгульная песня, загудел снова на дворах и в навесах. Иной раз весь этот грохот метели падал, как бы сломанный внезапно на пути своем вражескою силой, — воцарялось мертвое молчание... И вдруг, откуда ни возьмись, летели новые вихри, росли, подымались хребтами, вторгались со всех сторон в проулки, потрясали ворота, навесы и дико рвались вокруг лачужек, как бы желая срыть их с основания.

Но сколько ни надрывалась буря, сколько ни рассылала она вихрей — все было напрасно; грозный рев не доходил, по крайней мере, до слуха Василисы; утомленная дневными хлопотами и заботами, старушка не успела перекрестить изголовье, как уже голова ее склонилась и сладкий сон оковал ее усталые члены. Что ж касается до Алексея, ему также нипочем был голос вьюги: думая о происшествии в доме старосты, которое разрушало вконец его надежду, он лежал не смыкая глаз и ничего не слышал... Глухой стон, раздавшийся на лавке под образами, вывел его, однако ж, из забывчивости: он вспомнил присутствие прохожего и насторожил слух.

Стон повторился еще протяжнее.

— Дедушка, что ты? — спросил парень, приподымаясь на локте.

— Подь сюда...

Голос, с каким были произнесены эти слова, отозвался почему-то в самом сердце молодого парня; он проворно соскочил с печки, нащупал впотьмах серенку, зажег лучину и подошел к лавке.

Старик лежал по-прежнему врастяжку; члены его, однако ж, перестали трястись и только белые зрачки его блуждали с беспокойством вокруг.

— Что с тобой, дедушка? прихватило, что ли? — вымолвил Алексей, нагибаясь к бледному, заостренному лицу старика.

— Где старуха-то... я ее не вижу... она тебе мать? — произнес больной.

— Мать; а что?.. — спросил Алексей, которого невольно начинал пронимать страх.

— Позови ее сюда... — отвечал старик едва внятно.

Алексей заложил в светец лучину, разбудил мать, и минуту спустя оба очутились подле лавки.

— Тетушка, — сказал старик, обращая тусклый взор на Василису, — пришел, видно, мой час помирать... ты и парень твой... не отогнали меня... пустили как родного... Бог вас не оставит...

— И-и-и, касатик, что ты, опомнись... старее да хворее тебя живут... полно, Бог милостив!..

— Нет, тетка, чую — смерть пришла... спасибо вам... ох... не дали помереть на улице... будьте же до конца родными мне... никого у меня нет... все мое... добро...

Он отвел глаза от старухи и остановился.

— И-и-и, касатик, на что нам добро твое, мы не из корысти какой пустили тебя; мы, касатик, и своим довольны, благодарим Царя Небесного!..

Больной снова устремил потухающий взор на старуху, хотел что-то сказать, но снова остановился. Прошло несколько минут тягостного ожидания для Василисы и ее сына, которые стояли, прикованные страхом, и не сводили глаз со старика. Едва слышный стон вырвался наконец из груди его; он приподнял длинные, сухие руки, вперил полуоткрытые глаза на старуху и произнес отрывисто:

— Пошли... сына в село Аблезино... там за рощей... подле громового колодца... дупло... зарыта ку... кубышка, — двадцать лет копил!.. никому только... не сказывай... — продолжал он ослабевающим голосом. — Вы меня... призрели... возьмите... за добро ваше... Господи! прости прегрешения... ох!..

— Касатик, дедушка! что ты, очнись! Христос с тобой, кормилец! слышь, не сбегать ли парню за попом?.. — крикнули в одно время Василиса и сын ее.

Старик скрестил руки на груди, потянулся и закрыл глаза.

Василиса и сын ее бросились к лучине.

Когда они вернулись к лавке и взглянули при трепетном свете угасающей лучины в лицо прохожему — он был уже мертв.

VIII

Катилося зерно по бархату,
Слава!
Еще ли то зерно бурмицкое,
Слава!
Прикатилось зерно по яхонту,
Слава!
Крупен жемчуг с яхонтом,
Слава!
Хорош молодяк с молодкою!
Слава!

Народная песня

Зима прошла давным-давно; о вьюгах и метелях и помину не было в нашей деревушке. Мужички только что поубрались с хлебцем и откосились. Улица, заметенная когда-то сугробами снега, представляла теперь самое оживленное и веселое зрелище. Повсюду толпился народ; в околотке деревень было немало, и, по принятому обыкновению взаимного угощения на храмовых праздниках, все окрестные обыватели сошлись и съехались к соседям.

Время выдалось к тому самое пригодное: день был прекрасный; на небе ни облачка, в воздухе стояла такая затишь, что осиновый лист не шелыхался. Все располагало к веселью. И нельзя, впрочем, было жаловаться — веселились изрядно! Песни, крики, шум, несвязный говор раздавались со всех сторон, лучше чем на ином базаре. Красные рубашки, шапки с золотом, повитые цветами, желтые и алые платки, понявы сияли таким ослепительным блеском, что даже и у трезвых рябило в глазах. Шум, носившийся над деревней, переходил постепенно из одного конца в другой: то подымался он вокруг рогожного навеса купца с красным товаром, расположившегося подле часовни у колодца, то вдруг неожиданно сосредоточивался на середине улицы, где водили хороводы... Звонкая, оглушительная, дребезжащая песня охватывала на минуту всю деревню, и снова все это заглушалось ревом, визгом и хохотом, раздавшимся внезапно из толпы фабричных, глазевших, как боролись два дюжие батрака с ближайших мельниц.

Время подходило уже к вечеру, когда знакомый наш Савелий Трофимыч вышел на крылечко своей избы, сопровождаемый пономарем и сотским.

— Ну, Кондратий Захарыч, не взыщи за угощение, чем богаты, тем и рады, год выдался плохой, наказал нас Господь... не взыщи — укланялись, видит Бог, укланялись, — сказал Савелий, принимаясь обнимать пономаря.

— Много довольны... много... дай Бог век с тобой хлеб-соль водить!.. — отвечал гость, утирая обшлагом рукава следы поцелуев радушного хозяина.

— Не взыщи и ты — ничего не жалели для дорогого гостя, — продолжал Савелий, обращаясь к сотскому, который следовал сзади и, зажмурив глаза, придерживался к стенке.

Но Щеголев, вместо ответа, покачнулся в сторону, приложил ладонь к правой щеке, осклабил беззубые свои десны и запел хриплым голосом:

Ох, плыла-а утка!
Плы-ла ут-ка...
Вдоль по морю...

— Полно, Щеголев... полно же, — заметил с укором пономарь, удерживая сотского, который, очутившись на дворе, чуть было не клюнулся на порожнюю телегу.

— Не замай его, Кондратий Захарыч, ноне все у нас в росхмель... слышь, как потешаются?.. Ты куда, Кондратий Захарыч? — спросил Савелий, останавливаясь под воротами.

— На новоселье...

— Ой ли, к кому?..

— К Алексею; как шел к тебе, встретился я с ним — звал под вечер.

— Пойдем вместе; он и меня звал... а разве ты не был у него?

— Нет, не привелось.

— Стало, и избы его не видал... Ну уж, вот так изба, Кондратий Захарыч!.. такой, кажись, во всем околотке нету.

— Слыхал, слыхал; да где ж видеть? я с самой зимы — помнишь, у тебя угощались? — с той поры не наведывался к вам в деревню.

— Двести рублев за избу-то дал...

— Сказывали мне, — отвечал пономарь, придерживая Щеголева, который совершенно неожиданно приткнулся к нему спиною, — правда ли, Савелий Трофимыч, говорят, нищенка-то отговорил ему тысячу рублей?

— Нет, тысячу не тысячу, а верных четыреста...

— Скажи на милость, какое дело! Сказывали, случилось то в ту самую пору, как мы у тебя пировали, в Васильев вечер, помнишь, кто-то еще стукнул в окно?

— Ну, вот поди ж ты! Эка дурость напала тогда на нас!.. Ведь стучал да просился тот же нищенка; а нам спьяну-то показалось и невесть что... Стучал это он по всем дворам, ходил, ходил да и набрел на Василисину избу, те его и пустили... Пришла ночь; полеглись, вот и стал он отходить. «Так и так, говорит: вы, говорит, меня не отогнали — вам и добро мое...» Поведал им, где и как найти... аблезинский барин все как есть велел передать Алексею, и нашу деревню повестил, — все им досталось.

— Подлинно диковинное дело и всяческого любопытствия достойно, — перебил пономарь, пожимая плечами и подымая брови. — Скажи на милость, Савелий Трофимыч, как же это староста-то наш подался?.. сказывали, был он в ссоре с их домом, — знать этого, говорит, не хочу!..

— Да мало ли что говорит он... корячился, пока у Алексея гроша не было, а как понюхал, как доведался, так и перечить не стал; каженник, да каженник — только бывало и слышно... а тут обрадовались, пошли вертеть хвостом... оглянуться не успели, как они свадьбу сыграли...

— Где свадьба?.. какая свадьба?.. пойдем!.. — прохрипел неожиданно Щеголев, насовываясь на Савелия, — дядя Савелий... а дядя Сав... ты мне тезка... Много довольны, вот как перед Богом... много довольны... — продолжал он, протягивая руки, чтоб обнять тезку, но потерял равновесие и рухнулся на пономаря.

— Эк его охоч до винца! — произнес, смеясь, Кондратий Захарыч, прислоняя сотского к воротам.

— Куды те, — заметил Савелий, — другой выпьет — как платком утрет, а это словно огнем выжигает; ну, да Господь с ним! Мы, Кондратий Захарыч, на улице-то затеряем его в народе; я его не звал, сам назвался ко мне — с ним только провозишься... Щеголев, пойдем с нами! — крикнул Савелий, взяв сотского под руку.

Пономарь подхватил его под другую руку, все трое выбрались за ворота и вскоре замешались в толпе.

— А! Данило Левоныч, ты ли это? — воскликнул пономарь, отступая перед высоким мужиком с желтою бородою, желтым лицом и желтыми волосами.

— Здорово, Кондратий Захарыч, — отвечал староста, слегка приподымая шапку, — чему ты дивуешься? не признал?

— Да кто тебя признает? вишь как переменился, что с тобой, хвораешь, что ли?

— Что станешь делать! — отвечал староста, махнув рукою, — такая-то беда стряслась на меня, — бьет лихоманка окаянная, да и полно, — вот, почитай, четыре месяца али пять, — с самых Святок... весь дом с ног сбила, всех даже ребят перебрала... а старуху мою так перевернула, что о сю пору ног не переведет!

— Поди ж ты! с чего бы быть такому?

— Тебе бы, Данило Левоныч — я говорил тогда — надыть поворожить на Васильев вечер, — не упустить этого дела... вот хозяйка моя позвала Домну, велела ей смыть лихоманку — так ничего... помиловала.

— Была она и у нас, Домна-то — чтоб ее черти ели! да ничего не пособило; знать, уж так Господь Бог наслал за грехи наши, — отвечал староста, зевнув и перекрестив рот.

— Ну, прощай, Данило Левоныч!

— Вы куда?..

— К твоему зятю — звал на новоселье.

— Ступайте, — отвечал староста, поворачиваясь к ним спиною.

Немного погодя Савелий и пономарь пробились сквозь толпу, вышли на другой конец улицы и завернули в узенький переулок, залитый светом заходящего солнца. Посреди переулка, между широким сараем и плетнем, из-за которого сквозь густые ветви рябины выглядывала верхушка скирды, подымалась высокая сосновая изба с крытым крылечком и белою трубою. Окна, ворота, убитые гвоздями с жестяными головками, окраины крыши, вплоть до деревянного конька на макушке, были обшиты, словно полотенце, вычурными, резными поднизями, горевшими на солнце, как вылитые из золота. Две-три тучные темно-зеленые ветки рябины, усеянные красными гроздями дозревшего плода, высунулись несколько вперед и набрасывали косвенно густую зубчатую тень на левый угол избы, заслоняя одно окно, но это служило только к выгоде другого окна, хвастливо выказывавшего свой ставень с ярко намалеванными цветами и все четыре стекла, в которых играли и дробились последние вспышки потухающего дня.

На ступенях крылечка сидела Василиса в синей поддевке из домотканой крашенины, в новом платке, повязанном врозь-концы; подле нее стоял Алексей в темном кафтане, небрежно висевшем на плечах, и в красной александрийской рубахе. Но непокорные глаза пономаря окончательно разбежались, когда он взглянул на Парашу, которая стояла, подпершись круглыми локтями на перила и опустив немного голову. И в самом деле, способствовала ли тому белая коленкоровая рубашка, обшитая на плечах красными городочками и ловко обхватывающая полную грудь, или алый платок, повитый вокруг смуглого ее личика, но только ко трудно было узнать в ней прежнюю девушку. Кондратий Захарыч не успел навести оба глаза на Савелия и сообщить ему свои замечания — как уже с крылечка заметили приближающихся гостей и спешили к ним навстречу.

— Кондратий Захарыч, Савелий Трофимыч, куда это вы запропастились?.. уж мы ждали вас, поджидали!.. — сказал Алексей, раскланиваясь перед каждым гостем.

— А вот... Савелий Трофимыч задержал; я бы к вам давно понаведался... — отвечал пономарь, приподымая шляпу и делая тщетные усилия, чтобы оторвать левый глаз с запонки на груди Параши.

— Ну, кум, свалил на меня вину... — произнес, самодовольно смеясь, Савелий, — так и быть, беру грех на свою душу!.. авось не посерчают.

— Что ж вы стоите, гости дорогие?.. — сказала Василиса, низко кланяясь, — войдите, милости просим, касатики...

— И то, и то... — вымолвил Савелий, разглаживая бороду, — ведь мы к вам на новоселье пришли...

— Милости просим, милости просим, рады вам!.. — заключили Алексей и Параша, сторонясь, чтобы дать им дорогу.

Кондратий Захарыч сделал неимоверное усилие — оторвал оба глаза от запонки, устремил их на крылечко и, сопровождаемый Савелием и хозяевами, вошел в избу.

Г. П. Данилевский

МЕРТВЕЦ-УБИЙЦА

Это случилось в прошлом, XVIII веке, в царствование Екатерины II. В большом великорусском селе скончался скоропостижно зажиточный, одинокий крестьянин, слывший за знахаря и упыря. «Беда,— стали толковать крестьяне,— при жизни поедом всех ел; не даст покоя и после смерти». Его положили в гроб, вынесли на ночь в церковь и выкопали для него яму на кладбище. Похороны ожидались «постные»: не только соседи жутко посматривали на опустевшую избу покойника, даже более храбрый церковный причт почесывался, собираясь его отпевать. А тут еще подошла непогода, затрещал мороз, загудела метель по задворкам и в соседнем дремучем лесу. Первый из причта не выдержал, очевидно струсил, дьякон. Пришел к священнику, стал проситься накануне похорон в дальнее село, навестить умирающую тещу. «Как же ты едешь? — уперся поп.— Кто же будет помогать при отпевании? нешто не знаешь, какая мошна? родичи, чай, вот как отблагодарят».— «Не могу, отче, ради Господа, отпусти».

Отпустил поп дьякона, остался с одним дьячком. Дьячок прозвонил до зари к заутренней, отпер церковь, вошел туда с попом и зажег свечи. Началась служба в пустой, холодной, старой церкви.

Стужа ли замкнула все двери села, покойник ли пугал старух и стариков, только никто из прихожан не явился к заутренней.

Дьячок читает молитвы, напевает, пряча нос в шубейку, а сам, вторя священнику, возглашавшему из алтаря, все посматривает на мертвеца, лежавшего в гробу, под пеленой, среди церкви.

Заря еще не занималась. На дворе была непроглядная тьма. В окна похлестывал уносимый метелью снег, на колокольне что-то с ветром выло, и скрипели петли ставней и наружных дверей. Желтенькие, крохотные свечи чуть теплились у темных, древних образов.

И вдруг дьячку показалось, что убогий, потертый церковный покров шевельнулся на мертвеце. Причетник потер глаза, подумал: «С нами крестная сила!» — и опять стал читать по книге. А глаза так и тянет снова посмотреть на средину темной, холодной церкви.

Не вытерпел дьячок, глянул и видит: у мертвеца шевелится борода, будто он дышит, уставился на Царские двери.

— Батюшка! — сказал дьячок с клироса, остановясь читать. — У нас не ладно.

— Что там?

— Мертвец ожил, страшно мне.

— Полно, неразумный, молись о Господе! — ответил поп, продолжая службу.

Дьячок отвернулся, углубился в книгу. Долго ли он там читал, неизвестно. На дворе как будто стало светать.

«Ну, слава тебе, Боже, скоро крикнет петух», — подумал дьячок в ту минуту, когда священник готовился стать в Царских вратах, читая отпуск с заутренней.

Дьячок глянул опять на середину церкви, вскрикнул в ужасе не своим голосом и лишился чувств...

Он ясно перед тем увидал, как потом рассказывал всему селу, что мертвец поднялся на одре, опростал руки из-под могильного покрова, посидел чуточку в гробу и стал вставать — бледный, посинелый, с страшною, трясущеюся бородой. Священник испуганно и безмолвно глядел на него из алтаря. Мертвец, с распростертыми руками, раскрыв рот, шел прямо к попу...

Когда на дворе совсем рассвело и народ, спохватясь долго отсутствующего причта, вошел в церковь — перед всеми предстала страшная картина.

Дьячок без памяти, с отнявшимся языком, лежал ниц у клироса. В Царских вратах лежал навзничь бездыханный, с перегрызенным горлом, священник, а в гробу — неподвижный, бледный мертвец, с окровавленными губами и бородой.

Вопли и плач поднялись в селе. Убивалась попадья, чуть не умерла от горя и дьячиха. Но последнюю отлили водой; у дьячка вернулась речь, а с нею и память. Он все рассказал, как было.

— Упырь, людоед! — решили крестьяне миром. — Это он загрыз батюшку. Не хоронить его на кладбище, а в лесу, и припечатать его не отпускной молитвой, а осиновым колом.

Отвезли знахаря-мертвеца в самую чащу леса, вырыли там другую яму, положили туда упыря и пробили его насквозь в грудь осиновым колом: теперь не будет портить сатана неповинных людей.

Священника похоронили с честью, попадью щедро одарили, а церковь начальство, за такой святотатственный казус, до новых распоряжений впредь, запечатало.

Остались прихожане без попа и без церкви. Ездили они, просили. Консистория все собиралась произвести следствие. Благочинный брал посильные приношения, обещал уладить дело, но церковь не отпечатывали. Крестьяне собирались писать прошение, но не знали, куда подать.

Дело случайно дошло до сведения Екатерины. Слушая доклад генерал-прокурора, кн. Вяземского, о разных происшествиях, она обратила внимание на случай с упырем.

— Что же ты думаешь об этом? — спросила императрица докладчика.

— Казус необычный, — ответил генерал-прокурор, — он коренится в суевериях грубой черни.

— Хороши суеверия... перегрызенное горло! ведь священника-то тоже схоронили. Отложи, князь, это дело вон на тот ломберный стол и позови ко мне Степана Иваныча Шешковского... хоть сегодня же вечером, перед оперой...

Явился к императрице знаменитый сыщик, глава и двигатель тайной экспедиции, Шешковский.

— Что благоугодно премудрой монархине? — спросил тайный советник и владимирский кавалер Степан Иванович, согнувшись у двери, с треуголом под мышкой и шпагой на боку.

— А вот, сударь, бумажка, прочти и скажи свое мнение.

Шешковский отошел с бумагой к окну, прочел ее и, подойдя к Екатерине, замер в ожидании ее решения.

— Ну, что? — спросила она. — Любопытная история — поп, загрызенный мертвецом?

— Зело любопытная, — ответил сыщик, — и где же, в храме!

— То-то в храме. И консистория, запечатав церковь, предлагает дело предать воле Божьей, а прихожанам, освятив храм, поставить нового попа...

— Попущение Господне, за грехи, милосердая монархиня... Как иначе и быть! — произнес, набожно подняв глаза, Шешковский.

— Ну, а я — грешный человек — думаю, что здесь иное! — сказала императрица и, взяв перо, написала резолюцию на докладе: «Ехать в то село особо назначенному мною следователю и, тайно дознав истину, доложить лично мне».

Екатерина дала Шешковскому прочесть свое решение.

— Кого, ваше величество, изволите командировать? — спросил Степан Иваныч.

— Кому же, государь мой, и ехать, как не тебе? — ответила императрица. — Держи все в секрете, как здесь, так и в губернии, — и все мне доподлинно своею особой разузнай.

Шешковский поклонился еще ниже.

— Великая монархиня! мое ли то дело? с бесами, прости, да с колдунами, я еще не ведался и не знаю с ними обихода... ведь они...

— Вот в том-то и дело, батюшка Степан Иваныч, что нынче век Дидерота и Руссо, а не царевны Софии и Никиты Пустосвята... Мне чудится, я предчувствую, убеждена, что здесь все всклепано на неповинных, хоть, по-твоему, может, и существующих бесов и упырей.

Шешковский, с именным повелением Екатерины в кармане, переодевшись беспоместным дворянином, полетел с небольшою поклажей по назначению.

В губернии он оставил чемодан с запасною форменною одеждой на постоялом в уездном городке; сам переоделся вновь в скуфейку и рясу странника и пошел по пути к указанному селу. Верст за двадцать до него, — то было уж второе лето после события с священником и упырем — его догнал обоз с хлебом.

— Куда едете?

— В Овиново; а тебя Господь куда несет?

— В Соловки.

— Далекий путь, спаси тебя Боже, — чай притомился?

— Уж так-то, православные, ноженьки отбил.

— Ну садись, подвезем.

Подвезли извозчики до Овинова, а за ним было Свиблово, то самое село, где случилась история в церкви. Везут странника мужики и толкуют о свибловских: всех знают, всех хвалят, мужики добрые, не раз хлебом у них торговали.

— Что же, храм Божиий есть у них?

— Нетути, закрыли из-за Господней немилости, благочинный скоро обещает открыть, да дорожится.

— Кто же будет попом?

— Два дьякона ищут, ихний и овиновский.

— Кого же хочет мир?

— Овиновского, подобрее будет; ихний — злюка и с женой живет не в ладах. Вон и его хата, на выгоне, под лесом, — выселился за реку — держит огород.

Странник встал у околицы, поблагодарил извозчиков, выждал вечера и зашел к дьякону. Хозяина не было дома, дьяконица пустила его в избу. Ночью странник расхворался. Лежит на палатях, охает, не может дальше идти. Возвратился дьякон, обругал жену: «Пускаешь всякую сволочь, еще помрет, придется на свой счет хоронить». Услышал эти речи странник, подозвал дьякона, отдал ему бедную свою кису, просит молиться за него, а неодужает — схоронить по христианскому обряду. Принял дьякон убогую суму богомольца, говорит: «Ну, лежи, авось еще встанешь». День лежал больной, два, слова не выговорит, только охает потихоньку. Забыл о нем дьякон, возвратился раз ночью с огорода и сцепился с женой — ну ругаться и корить друг друга.

— Да ты что? — говорит дьяконица. — Ты убийца, злодей.

— Какой я убийца, сякая ты, такая! Я слуга Божий, второй на клиросе чин... а поможет благочинный, буду и первым!

— Убийца, ты перегрыз горло попу... сам признавался...

Далее странник ничего не мог расслышать. Хозяева вцепились друг в друга и подняли такую свалку, что хоть вон неси святых. К утру все угомонилось, затихло. Странник днем объявил, что ему лучше, поблагодарил за хлеб-соль и пошел далее...

Возвратясь в город, он явился к воеводе, прося о себе доложить. Ему ответили, что его высокородие изволит кушать пунш и принять не может. Странник потребовал непромедлительного приема.

Его ввели к воеводе, восседавшему у самовара за пуншем.

— Кто ты, сякой-такой, и как смел беспокоить меня?

Странник вынул и показал именной указ императрицы.

В тот же день в Свиблово поскакала драгунская команда. К воеводе привезли дьякона, дьяконицу и дьячка.

Дьякон не узнал сперва в ассистенте воеводы гостившего у него странника. Шешковский облекся в форменный кафтан и во все регалии. Дьякон на допросе заперся во всем; долго его не выдавала и дьяконица. Но когда Шешковский назвал им себя и объявил дьяконице, что, хотя пытка более не практикуется, он, на свой страх и по личному убеждению, имеет нечто употребить, и велел принести это «нечто», то есть изрядную плеть, веревку и хомут, и напомнил ей слышанное странником, — баба все раскрыла: как дьякон, по злобе на попа, вместо поездки к теще, переждал в лесу, проник в церковь, лег в гроб, а мертвеца спрятал в складках пелены под одром, напугал дьячка и задушил, загрыз священника, а мертвецу выпачкал кровью рот и бороду и скрылся.

— Что скажешь на сию улику твоей жены? — спросил Шешковский.

Дьякон молчал.

— А ну, ваше высокородие, — подмигнул Степан Иванович воеводе.

Двери растворились: в соседней комнате к потолку был приправлен хомут и стоял «нарочито внушительного вида» добрый драгун с тройчатой плетью.

Дьякон упал в ноги Шешковскому и во всем покаялся.

Его осудили, наказали через палача в Свиблове и сослали в Сибирь. Церковь отпечатали, овиновского дьякона, женив предварительно на дочери загрызенного священника, посвятили в настоятели свибловского прихода. Местного благочинного расстригли и сослали на покаяние в Соловки.

— Ну что, не я ли тебе говорила? — произнесла Екатерина, встретив Шешковского. — А ты, да и ты — предать воле Божьей, казус от суеверия грубой толпы. Мертвец-убийца! ну, может ли двигаться, а кольми паче еще злодействовать покойник, мертвец?

— Так, великая монархиня, так, мудрая и милостивая к нам мать! — ответил, низко кланяясь, Шешковский. — Ты всех прозорливее, всех умней.

Он еще что-то говорил. Екатерина стала перебирать очередные бумаги, его не слушая. Грустная и презрительная улыбка играла на ее отуманившемся лице...

Ф. М. Достоевский

МАЛЬЧИК У ХРИСТА НА ЕЛКЕ

Но я романист, и, кажется, одну «историю» сам сочинил. Почему я пишу: «кажется», ведь я сам знаю наверно, что сочинил, но мне всё мерещится, что это где-то и когда-то случилось, именно это случилось как раз накануне Рождества, в *каком-то* огромном городе и в ужасный мороз.

Мерещится мне, был в подвале мальчик, но еще очень маленький, лет шести или даже менее. Этот мальчик проснулся утром в сыром и холодном подвале. Одет он был в какой-то халатик и дрожал. Дыхание его вылетало белым паром, и он, сидя в углу на сундуке, от скуки нарочно пускал этот пар изо рта и забавлялся, смотря, как он вылетает. Но ему очень хотелось кушать. Он несколько раз с утра подходил к нарам, где на тонкой, как блин, подстилке и на каком-то узле под головой вместо подушки лежала больная мать его. Как она здесь очутилась? Должно быть, приехала с своим мальчиком из чужого города и вдруг захворала. Хозяйку углов захватили еще два дня тому в полицию; жильцы разбрелись, дело праздничное, а оставшийся один халатник уже целые сутки лежал мертво пьяный, не дождавшись и праздника. В другом углу комнаты стонала от ревматизма какая-то восьмидесятилетняя старушонка, жившая когда-то и где-то в няньках, а теперь помиравшая одиноко, охая, брюзжа и ворча на мальчика, так что он уже стал бояться подходить к ее углу близко. Напиться-то он где-то достал в сенях, но корочки нигде не нашел и раз в десятый уже подходил разбудить свою маму. Жутко стало ему наконец в темноте: давно уже начался вечер, а огня не зажигали. Ощупав лицо мамы, он подивился, что она совсем не двигается и стала такая же холодная, как стена. «Очень уж здесь холодно», — подумал он, постоял немного, бессознательно забыв свою руку на плече покойницы, потом дохнул на свои пальчики, чтоб отогреть их, и вдруг, нашарив на нарах свой картузишко, потихоньку, ощупью, пошел до подвала. Он еще бы и раньше пошел, да все боялся вверху, на лестнице, большой собаки, которая выла весь день у соседских дверей. Но собаки уже не было, и он вдруг вышел на улицу.

Господи, какой город! Никогда еще он не видал ничего такого. Там, откудова он приехал, по ночам такой черный мрак, один фонарь на всю улицу. Деревянные низенькие домишки запираются ставнями; на улице, чуть смеркнется, — никого, все затворяются по домам, и только завывают целые стаи собак, сотни и тысячи их, воют и лают всю ночь. Но там было зато так тепло и ему давали кушать, а здесь — Господи, кабы покушать! И какой здесь стук и гром, какой свет и люди, лошади и кареты, и мороз, мороз! Мерзлый пар валит от загнанных лошадей, из жарко дышащих морд их; сквозь рыхлый снег звенят об камни подковы, и все так толкаются, и, Господи, так хочется поесть, хоть бы кусочек какой-нибудь, и так больно стало вдруг пальчикам. Мимо прошел блюститель порядка и отвернулся, чтоб не заметить мальчика.

Вот и опять улица, — ох какая широкая! Вот здесь так раздавят наверно; как они все кричат, бегут и едут, а свету-то, свету-то! А это что? Ух, какое большое стекло, а за стеклом комната, а в комнате дерево до потолка; это елка, а на елке сколько огней, сколько золотых бумажек и яблоков, а кругом тут же куколки, маленькие лошадки; а по комнате бегают дети, нарядные, чистенькие, смеются и играют, и едят, и пьют что-то. Вот эта девочка начала с мальчиком танцевать, какая хорошенькая девочка! Вот и музыка, сквозь стекло слышно. Глядит мальчик, дивится, уж и смеется, а у него болят уже пальчики и на ножках, а на руках стали совсем красные, уж не сгибаются, и больно пошевелить. И вдруг вспомнил мальчик про то, что у него так болят пальчики, заплакал и побежал дальше, и вот опять видит он сквозь другое стекло комнату, опять там деревья, но на столах пироги, всякие — миндальные, красные, желтые, и сидят там четыре богатые барыни, а кто придет, они тому дают пироги, а отворяется дверь поминутно, входит к ним с улицы много господ. Подкрался мальчик, отворил вдруг дверь и вошел. Ух, как на него закричали и замахали! Одна барыня подошла поскорее и сунула ему в руку копеечку, а сама отворила ему дверь на улицу. Как он испугался! А копеечка тут же выкатилась и зазвенела по ступенькам: не мог он согнуть свои красные пальчики и придержать ее. Выбежал мальчик и пошел поскорей-поскорей, а куда, сам не знает. Хочется ему опять заплакать, да уж боится, и бежит, бежит и на ручки дует. И тоска берет его, потому что стало ему вдруг так одиноко и жутко, и вдруг, Господи! Да что ж это опять такое? Стоят люди толпой и дивятся: на окне за стеклом три куклы, маленькие, разодетые в красные и зеленые платьица и совсем-совсем как живые! Какой-то старичок сидит и будто бы играет на большой скрипке, два других стоят тут же и играют на маленьких скрипочках, и в такт качают головками, и друг на друга смотрят, и губы у них шевелятся, говорят, совсем говорят, — только вот из-за стекла не слышно. И подумал сперва мальчик, что они живые, а как догадался совсем, что это куколки, — вдруг рассмеялся. Никогда он не видал таких куколок и не знал, что такие есть! И плакать-то ему хочется, но так смешно-смешно на куколок. Вдруг ему почудилось, что сзади его кто-то схватил за халатик: большой злой мальчик стоял подле и вдруг треснул его по голове, сорвал картуз, а сам снизу поддал ему ножкой. Покатился мальчик наземь, тут закричали, обомлел он, вскочил и бежать-бежать, и вдруг забежал сам не знает куда, в подворотню, на чужой двор, — и присел за дровами: «Тут не сыщут, да и темно».

Присел он и скорчился, а сам отдышаться не может от страху, и вдруг, совсем вдруг, стало так ему хорошо: ручки и ножки вдруг перестали болеть и стало так тепло, так тепло, как на печке; вот он весь вздрогнул: ах, да ведь он было заснул! Как хорошо тут заснуть: «Посижу здесь и пойду опять посмотреть на куколок, — подумал мальчик и усмехнулся, вспомнив про них, — совсем как живые!..» И вдруг ему послышалось, что над ним запела его мама песенку. «Мама, я сплю, ах, как тут спать хорошо!»

— Пойдем ко мне на елку, мальчик, — прошептал над ним вдруг тихий голос.

Он подумал было, что это все его мама, но нет, не она; кто же это его позвал, он не видит, но кто-то нагнулся над ним и обнял его в темноте, а он протянул ему руку и... и вдруг, — о, какой свет! О, какая елка! Да и не елка это, он и не видал еще таких деревьев! Где это он теперь: все блестит, все сияет и кругом всё куколки, — но нет, это всё мальчики и девочки, только такие светлые, все они кружатся около него, летают, все они целуют его, берут его, несут с собою, да и сам он летит, и видит он: смотрит его мама и смеется на него радостно.

— Мама! Мама! Ах, как хорошо тут, мама! — кричит ей мальчик и опять целуется с детьми, и хочется ему рассказать им поскорее про тех куколок за стеклом. — Кто вы, мальчики? Кто вы, девочки? — спрашивает он, смеясь и любя их.

— Это Христова елка, — отвечают они ему. — У Христа всегда в этот день елка для маленьких деточек, у которых там нет своей елки...

И узнал он, что мальчики эти и девочки все были всё такие же, как он, дети, но одни замерзли еще в своих корзинах, в которых их подкинули на лестнице к дверям петербургских чиновников; другие задохлись у чухонок, от воспитательного дома на прокормлении; третьи умерли у иссохшей груди своих матерей (во время самарского голода); четвертые задохлись в вагонах третьего класса от смраду; и все-то они теперь здесь, все они теперь как ангелы, все у Христа, и он сам посреди их, и простирает к ним руки, и благословляет их и их грешных матерей... А матери этих детей все стоят тут же, в сторонке, и плачут; каждая узнает своего мальчика или девочку, а они подлетают к ним и целуют их, утирают им слезы своими ручками и упрашивают их не плакать, потому что им здесь так хорошо...

А внизу, наутро, дворники нашли маленький трупик забежавшего и замерзшего за дровами мальчика; разыскали и его маму... Та умерла еще прежде его; оба свиделись у Господа Бога в небе.

И зачем же я сочинил такую историю, так не идущую в обыкновенный разумный дневник, да еще писателя? А еще обещал рассказы преимущественно о событиях действительных! Но вот в том-то и дело, мне все кажется и мерещится, что все это могло случиться действительно, — то есть то, что происходило в подвале и за дровами, а там об елке у Христа — уж и не знаю, как вам сказать, могло ли оно случиться или нет? На то я и романист, чтоб выдумывать.

Н. С. Лесков

ПРИВИДЕНИЕ В ИНЖЕНЕРНОМ ЗАМКЕ

(Из кадетских воспоминаний)

Глава первая

У домов, как у людей, есть своя репутация. Есть дома, где, по общему мнению, *нечисто*, то есть где замечают те или другие проявления какой-то нечистой или, по крайней мере, непонятной силы. Спириты старались много сделать для разъяснения этого рода явлений, но так как теории их не пользуются большим доверием, то дело с страшными домами остается в прежнем положении.

В Петербурге во мнении многих подобною худою славою долго пользовалось характерное здание бывшего Павловского дворца, известное нынче под названием Инженерного замка. Таинственные явления, приписываемые духам и привидениям, замечали здесь почти с самого основания замка. Еще при жизни императора Павла тут, говорят, слышали голос Петра Великого, и, наконец, даже сам император Павел видел тень своего прадеда. Последнее, без всяких опровержений, записано в заграничных сборниках, где нашли себе место описания внезапной кончины Павла Петровича, и в новейшей русской книге г. Кобеко. Прадед будто бы покидал могилу, чтобы предупредить своего правнука, что дни его малы и конец их близок. Предсказание сбылось.

Впрочем, тень Петрова была видима в стенах замка не одним императором Павлом, но и людьми к нему приближенными. Словом, дом был страшен потому, что там жили или по крайней мере являлись тени и привидения и говорили что-то такое страшное, и вдобавок еще сбывающееся. Неожиданная внезапность кончины императора Павла, по случаю которой в обществе тотчас вспомнили и заговорили о предвещательных тенях, встречавших покойного императора в замке, еще более увеличила мрачную и таинственную репутацию этого угрюмого дома. С тех пор дом утратил свое прежнее значение жилого дворца, а по народному выражению — «пошел под кадетов».

Нынче в этом упраздненном дворце помещаются юнкера инженерного ведомства, но начали его «обживать» прежние инженерные кадеты. Это был народ еще более молодой и совсем еще не освободившийся от детского суеверия, и притом резвый и шаловливый, любопытный и отважный. Всем им, разумеется, более или менее были известны страхи, которые рассказывали про их страшный замок. Дети очень интересовались подробностями страшных рассказов и напитывались этими страхами, а те, которые успели с ними достаточно освоиться, очень любили пугать других. Это было в большом ходу между инженерными кадетами, и начальство никак не могло вывести этого дурного обычая, пока не произошел случай, который сразу отбил у всех охоту к пуганьям и шалостям.

Об этом случае и будет наступающий рассказ.

Глава вторая

Особенно было в моде пугать новичков или так называемые «малышей», которые, попадая в замок, вдруг узнавали такую массу страхов о замке, что становились суеверными и робкими до крайности. Более всего их пугало, что в одном конце коридоров замка есть комната, служившая спальней покойному императору Павлу, в которой он лег почивать здоровым, а утром его оттуда вынесли мертвым. «Старики» уверяли, что дух императора живет в этой комнате и каждую ночь выходит оттуда и осматривает свой любимый замок, — а «малыши» этому верили. Комната эта была всегда крепко заперта, и притом не одним, а несколькими замками, но для духа, как известно, никакие замки и затворы не имеют значения. Да и, кроме того, говорили, будто в эту комнату можно было как-то проникать. Кажется, это так и было на самом деле. По крайней мере, жило и до сих пор живет предание, будто это удавалось нескольким «старым кадетам» и продолжалось до тех пор, пока один из них не задумал отчаянную шалость, за которую ему пришлось жестоко поплатиться. Он открыл какой-то неизвестный лаз в страшную спальню покойного императора, успел пронести туда простыню и там ее спрятал, а по вечерам забирался сюда, покрывался с ног до головы этой простынею и становился в темном окне, которое выходило на Садовую улицу и было хорошо видно всякому, кто, проходя или проезжая, поглядит в эту сторону.

Исполняя таким образом роль привидения, кадет действительно успел навести страх на многих суеверных людей, живших в замке, и на прохожих, которым случалось видеть его белую фигуру, всеми принимавшуюся за тень покойного императора.

Шалость эта продолжалась несколько месяцев и распространила упорный слух, что Павел Петрович по ночам ходит вокруг своей спальни и смотрит из окна на Петербург. Многим до несомненности живо и ясно представлялось, что стоявшая в окне белая тень им не раз кивала головой и кланялась; кадет действительно проделывал такие штуки. Все это вызывало в замке обширные разговоры с предвозвещательными истолкованиями и закончилось тем, что наделавший описанную тревогу кадет был пойман на месте преступления и, получив «примерное наказание на теле», исчез навсегда из заведения. Ходил слух, будто злополучный кадет имел несчастие испугать своим появлением в окне одно случайно проезжавшее мимо замка высокое лицо, за что и был наказан не по-детски. Проще сказать, кадеты говорили, будто несчастный шалун «умер под розгами», и так как в тогдашнее время подобные вещи не представлялись невероятными, то и этому слуху поверили, а с этих пор сам этот кадет стал новым привидением. Товарищи начали его видеть «всего иссеченного» и с гробовым венчиком на лбу, а на венчике будто можно было читать надпись: «Вкушая, вкусих мало меду и се аз умираю».

Если вспомнить библейский рассказ, в котором эти слова находят себе место, то оно выходит очень трогательно.

Вскоре за погибелью кадета спальная комната, из которой исходили главнейшие страхи Инженерного замка, была открыта и получила такое приспособление, которое изменило ее жуткий характер, но предания о привидении долго еще жили, несмотря на последовавшее разоблачение тайны. Кадеты продолжали верить, что в их замке живет, а иногда ночами является призрак. Это было общее убеждение, которое равномерно держалось у кадетов младших и старших, с тою, впрочем, разницею, что младшие просто слепо верили в привидение, а старшие иногда сами устраивали его появление. Одно другому, однако, не мешало, и сами подделыватели привидения его тоже побаивались. Так, иные «ложные сказатели чудес» сами их воспроизводят и сами им поклоняются и даже верят в их действительность.

Кадеты младшего возраста не знали «всей истории», разговор о которой, после происшествия с получившим жестокое наказание на теле, строго преследовался, но они верили, что старшим кадетам, между которыми находились еще товарищи высеченного или засеченного, была известна вся тайна призрака. Это давало старшим большой престиж, и те им пользовались до 1859 или 1860 года, когда четверо из них сами подверглись очень страшному перепугу, о котором я расскажу со слов одного из участников неуместной шутки у гроба.

Глава третья

В том 1859 или 1860 году умер в Инженерном замке начальник этого заведения, генерал Ламновский. Он едва ли был любимым начальником у кадет и, как говорят, будто бы не пользовался лучшею репутациею у начальства. Причин к этому у них насчитывали много: находили, что генерал держал себя с детьми будто бы очень сурово и

216

безучастливо; мало вникал в их нужды; не заботился об их содержании, — а главное, был докучлив, придирчив и мелочно суров. В корпусе же говорили, что сам по себе генерал был бы еще более зол, но что неодолимую его лютость укрощала тихая, как ангел, генеральша, которой ни один из кадет никогда не видал, потому что она была постоянно больна, но считали ее добрым гением, охраняющим всех от конечной лютости генерала.

Кроме такой славы по сердцу, генерал Ламновский имел очень неприятные манеры. В числе последних были и смешные, к которым дети придирались, и когда хотели «представить» нелюбимого начальника, то обыкновенно выдвигали одну из его смешных привычек на вид до карикатурного преувеличения.

Самою смешною привычкою Ламновского было то, что, произнося какую-нибудь речь или делая внушение, он всегда гладил всеми пятью пальцами правой руки свой нос. Это, по кадетским определениям, выходило так, как будто он «доил слова из носа». Покойник не отличался красноречием, и у него, что называется, часто недоставало слов на выражение начальственных внушений детям, а потому при всякой такой запинке «доение» носа усиливалось, а кадеты тотчас же теряли серьезность и начинали пересмеиваться. Замечая это нарушение субординации, генерал начинал еще более сердиться и наказывал их. Таким образом, отношения между генералом и воспитанниками становились все хуже и хуже, а во всем этом, по мнению кадет, всего более был виноват «нос».

Не любя Ламновского, кадеты не упускали случая делать ему досаждения и мстить, портя так или иначе его репутацию в глазах своих новых товарищей. С этою целью они распускали в корпусе молву, что Ламновский знается с нечистою силою и заставляет демонов таскать для него мрамор, который Ламновский поставлял для какого-то здания, кажется для Исаакиевского собора. Но так как демонам эта работа надоела, то рассказывали, будто они нетерпеливо ждут кончины генерала как события, которое возвратит им свободу. А чтобы это казалось еще достовернее, раз вечером, в день именин генерала, кадеты сделали ему большую неприятность, устроив «похороны». Устроено же это было так, что когда у Ламновского, в его квартире, пировали гости, то в коридорах кадетского помещения появилась печальная процессия: покрытые простынями кадеты, со свечами в руках, несли на одре чучело с длинноносой маской и тихо пели погребальные песни. Устроители этой церемонии были открыты и наказаны, но в следующие именины Ламновского непростительная шутка с похоронами опять повторилась. Так шло до 1859 года или 1860 года, когда генерал Ламновский в самом деле умер и когда пришлось справлять настоящие его похороны. По обычаям, которые тогда существовали, кадетам надо было посменно дежурить у гроба, и вот тут-то и произошла страшная история, испугавшая тех самых героев, которые долго пугали других.

Глава четвертая

Генерал Ламновский умер позднею осенью, в ноябре месяце, когда Петербург имеет самый человеконенавистный вид: холод, пронизывающая сырость и грязь; особенно мутное туманное освещение тяжело действует на нервы, а через них на мозг и фантазию. Все это производит болезненное душевное беспокойство и волнение. Молешотт для своих научных выводов о влиянии света на жизнь мог бы получить у нас в это время самые любопытные данные.

Дни, когда умер Ламновский, были особенно гадки. Покойника не вносили в церковь замка, потому что он был лютеранин: тело стояло в большой траурной зале генеральской квартиры, и здесь было учреждено кадетское дежурство, а в церкви служились, по православному установлению, панихиды. Одну панихиду служили днем, а другую вечером. Все чины замка, равно как кадеты и служители, должны были появляться на каждой панихиде, и это соблюдалось в точности. Следовательно, когда в православной церкви шли панихиды, — все население замка собиралось в эту церковь, а остальные обширные помещения и длиннейшие переходы совершенно пустели. В самой квартире усопшего не оставалось никого, кроме дежурной смены, состоявшей из четырех кадет, которые с ружьями и с касками на локте стояли вокруг гроба.

Тут и пошла заматываться какая-то беспокойная жуть: все начали чувствовать что-то беспокойное и стали чего-то побаиваться; а потом вдруг где-то проговорили, что опять кто-то «встает» и опять кто-то «ходит». Стало так неприятно, что все начали останавливать других, говоря: «Полно, довольно, оставьте это; ну вас к черту с такими рассказами! Вы только себе и людям нервы портите!» А потом и сами говорили то же самое, от чего унимали других, и к ночи уже становилось всем страшно. Особенно это обострилось, когда кадет пощунял «батя», то есть какой тогда был здесь священник.

Он постыдил их за радость по случаю кончины генерала и как-то коротко, но хорошо умел их тронуть и насторожить их чувства.

— «*Ходит*», — сказал он им, повторяя их же слова. — И разумеется, что ходит некто такой, кого вы не видите и видеть не можете, а в нем и есть сила, с которою не сладишь. Это *серый человек*, — он не в полночь встает, а в сумерки, когда серо делается, и каждому хочет сказать о том, что в мыслях есть нехорошего. Этот серый человек — совесть; советую вам не тревожить его дрянной радостью о чужой смерти. Всякого человека кто-нибудь любит, кто-нибудь жалеет, — смотрите, чтобы серый человек им не скинулся да не дал бы вам тяжелого урока!

Кадеты это как-то взяли глубоко к сердцу и, чуть только начало в тот день смеркаться, они так и оглядываются: нет ли серого человека и в каком он виде? Известно, что в сумерках в душах обнаруживается какая-то особенная чувствительность — возникает новый мир, затмевающий тот, который был при свете: хорошо знакомые предметы обычных форм становятся чем-то прихотливым, непонятным и, наконец, даже страшным. Этой порою всякое чувство почему-то как будто ищет для себя какого-то неопределенного, но усиленного выражения: настроение чувств и мыслей постоянно колеблется, и в этой стремительной и густой дисгармонии всего внутреннего мира человека начинает свою работу фантазия: мир обращается в сон, а сон — в мир... Это заманчиво и страшно, и чем более страшно, тем более заманчиво и завлекательно...

В таком состоянии было большинство кадет, особенно перед ночными дежурствами у гроба. В последний вечер перед днем погребения к панихиде в церковь ожидалось посещение самых важных лиц, а потому, кроме людей, живших в замке, был большой съезд из города. Даже из самой квартиры Ламновского все ушли в русскую церковь, чтобы видеть собрание высоких особ; покойник оставался окруженный одним детским караулом. В карауле на этот раз стояли четыре кадета: Г—тон, В—нов, З—ский и К—дин, все до сих пор благополучно здравствующие и занимающие теперь солидные положения по службе и в обществе.

Глава пятая

Из четырех молодцов, составлявших караул, — один, именно К—дин, был самый отчаянный шалун, который докучал покойному Ламновскому более всех и потому, в свою очередь, чаще прочих подвергался со стороны умершего усиленным взысканиям. Покойник особенно не любил К—дина за то, что этот шалун умел его прекрасно передразнивать «по части доения носа» и принимал самое деятельное участие в устройстве погребальных процессий, которые делались в генеральские именины.

Когда такая процессия была совершена в последнее тезоименитство Ламновского, К—дин сам изображал покойника и даже произносил речь из гроба, с такими ужимками и таким голосом, что пересмешил всех, не исключая офицера, посланного разогнать кощунствующую процессию.

Было известно, что это происшествие привело покойного Ламновского в крайнюю гневность, и между кадетами прошел слух, будто рассерженный генерал «поклялся наказать К—дина на всю жизнь». Кадеты этому верили и, принимая в соображение известные им черты характера своего начальника, нимало не сомневались, что он свою клятву над К—диным исполнит. К—дин в течение всего последнего года считался «висящим на волоске», а так как, по живости характера, этому кадету было очень трудно воздерживаться от резвых и рискованных шалостей, то положение его представлялось очень опасным, и в заведении того только и ожидали, что вот-вот К—дин в чем-нибудь попадется, и тогда Ламновский с ним не поцеремонится и все его дроби приведет к одному знаменателю, «даст себя помнить на всю жизнь».

Страх начальственной угрозы так сильно чувствовался К—диным, что он делал над собою отчаянные усилия и, как запойный пьяница от вина, он бежал от всяких проказ, покуда ему пришел случай проверить на себе поговорку, что «мужик год не пьет, а как черт прорвет, так он все пропьет».

Черт прорвал К—дина именно у гроба генерала, который опочил, не приведя в исполнение своей угрозы. Теперь генерал был кадету не страшен, и долго сдержанная резвость мальчика нашла случай отпрянуть, как долго скрученная пружина. Он просто обезумел.

Глава шестая

Последняя панихида, собравшая всех жителей замка в провославную церковь, была назначена в восемь часов, но так как к ней ожидались высшие лица, после которых неделикатно было входить в церковь, то все отправились туда гораздо ранее. В зале у покойника осталась одна кадетская смена: Г—тон, В—нов, З—ский и К—дин. Ни в одной из прилегавших огромных комнат не было ни души...

В половине восьмого дверь на мгновение приотворилась, и в ней на минуту показался плац-адъютант, с которым в эту же минуту случилось пустое происшествие, усилившее жуткое настроение: офицер, подходя к двери, или испугался своих собственных шагов, или ему казалось, что его кто-то обгоняет: он сначала приостановился, чтобы дать дорогу, а потом вдруг воскликнул: «Кто это! кто!» — и, торопливо просунув голову в дверь, другою половинкою этой же двери придавил самого себя и снова вскрикнул, как будто его кто-то схватил сзади.

Разумеется, вслед же за этим он оправился и, торопливо окинув беспокойным взглядом траурный зал, догадался по здешнему безлюдию, что все ушли уже в церковь; тогда он опять притворил двери и, сильно звеня саблею, бросился ускоренным шагом по коридорам, ведущим к замковому храму.

Стоявшие у гроба кадеты ясно замечали, что и большие чего-то пугались, а страх на всех действует заразительно.

Глава седьмая

Дежурные кадеты проводили слухом шаги удалявшегося офицера и замечали, как за каждым шагом их положение здесь становилось сиротливее, —

точно их привели сюда и замуровали с мертвецом за какое-то оскорбление, которого мертвый не позабыл и не простил, а, напротив, встанет и непременно отмстит за него. И отмстит страшно, по-мертвецки... К этому нужен только свой час — удобный час полночи,

...когда поет петух
И нежить мечется в потемках...

Но они же не достоят здесь до полуночи, — их сменят, да и притом им ведь страшна не «нежить», а серый человек, которого пора — в сумерках.

Теперь и были самые густые сумерки: мертвец в гробу, и вокруг самое жуткое безмолвие... На дворе с свирепым неистовством выл ветер, обдавая огромные окна целыми потоками мутного осеннего ливня, и гремел листами кровельных загибов; печные трубы гудели с перерывами — точно они вздыхали или как будто в них что-то врывалось, задерживалось и снова еще сильнее напирало. Все это не располагало ни к трезвости чувств, ни к спокойствию рассудка. Тяжесть всего этого впечатления еще более усиливалась для ребят, которые должны были стоять, храня мертвое молчание: все как-то путается; кровь, приливая к голове, ударялась им в виски, и слышалось что-то вроде однообразной мельничной стукотни. Кто переживал подобные ощущения, тот знает эту странную и совершенно особенную стукотню крови — точно мельница мелет, но мелет не зерно, а перемалывает самое себя. Это скоро приводит человека в тягостное и раздражающее состояние, похожее на то, которое непривычные люди ощущают, опускаясь в темную шахту к рудокопам, где обычный для нас дневной свет вдруг заменяется дымящейся плошкой... Выдерживать молчание становится невозможно, — хочется слышать хоть свой собственный голос, хочется куда-то сунуться — что-то сделать самое безрассудное.

Глава восьмая

Один из четырех стоявших у гроба генерала кадетов, именно К—дин, переживая все эти ощущения, забыл дисциплину и, стоя под ружьем, прошептал:

— Духи лезут к нам за папкиным носом.

Ламновского в шутку называли иногда «папкою», но шутка на этот раз не смешила товарищей, а, напротив, увеличила жуть, и двое из дежурных, заметив это, отвечали К—дину:

— Молчи... и без того страшно, — и все тревожно воззрились в укутанное кисеею лицо покойника.

— Я оттого и говорю, что вам страшно, — отвечал К—дин, — а мне, напротив, не страшно, потому что мне он теперь уже ничего не сделает. Да, надо быть выше предрассудков и пустяков не бояться, а всякий мертвец — это уже настоящий пустяк, и я это вам сейчас докажу.

— Пожалуйста, ничего не доказывай.

— Нет, докажу. Я вам докажу, что папка теперь ничего не может мне сделать даже в том случае, если я его сейчас, сию минуту, возьму за нос.

И с этим, неожиданно для всех остальных, К—дин в ту же минуту, перехватив ружье на локоть, быстро взбежал по ступеням катафалка и, взяв мертвеца за нос, громко и весело вскрикнул:

— Ага, папка, ты умер, а я жив и трясу тебя за нос, и ты мне ничего не сделаешь!

Товарищи оторопели от этой шалости и не успели проронить слова, как вдруг всем им враз ясно и внятно послышался глубокий болезненный вздох — вздох, очень похожий на то, как бы кто сел на надутую воздухом резиновую подушку с неплотно завернутым клапаном... И этот вздох — всем показалось, — по-видимому, шел прямо из гроба...

К—дин быстро отхватил руку и, споткнувшись, с громом полетел с своим ружьем со всех ступеней катафалка, трое же остальных, не отдавая себе отчета, что они делают, в страхе взяли свои ружья наперевес, чтобы защищаться от поднимавшегося мертвеца.

Но этого было мало: покойник не только вздохнул, а действительно гнался за оскорбившим его шалуном или придерживал его за руку: за К—диным ползла целая волна гробовой кисеи, от которой он не мог отбиться, — и, страшно вскрикнув, он упал на пол... Эта ползущая волна кисеи в самом деле представлялась явлением совершенно необъяснимым и, разумеется, страшным, тем более что закрытый ею мертвец теперь совсем открывался с его сложенными руками на впалой груди.

Шалун лежал, уронив свое ружье, и, закрыв от ужаса лицо руками, издавал ужасные стоны. Очевидно, он был в памяти и ждал, что покойник сейчас за него примется по-свойски.

Между тем вздох повторился, и, вдобавок к нему, послышался тихий шелест. Это был такой звук, который мог произойти как бы от движения одного суконного рукава по другому. Очевидно, покойник раздвигал руки, — и вдруг тихий шум; затем поток иной температуры пробежал струею по свечам, и в то же самое мгновение в шевелившихся портьерах, которыми были закрыты двери внутренних покоев, показалось *привидение*. Серый человек! Да, испуганным глазам детей предстало вполне ясно сформированное привидение в виде человека... Явилась ли это сама душа покойника в новой оболочке, полученной ею в другом мире, из которого она вернулась на мгновение, чтобы наказать оскорбительную дерзость, или, быть может, это был еще более страшный гость — сам *дух замка*, вышедший сквозь пол соседней комнаты из подземелья!..

Глава девятая

Привидение не было мечтою воображения — оно не исчезало и напоминало своим видом описание, сделанное поэтом Гейне для виденной им «таинственной женщины»: как то, так и это представляло «труп, в котором заключена душа». Перед испуганными детьми была в крайней степени изможденная фигура, вся в белом, но в тени она казалась серою. У нее было страшно худое, до синевы бледное и совсем угасшее лицо; на голове всклокоченные в беспорядке густые и длинные волосы. От сильной проседи они тоже казались серыми и, разбегавшись в беспорядке, закрывали грудь и плечи привидения!.. Глаза виделись яркие, воспаленные и блестевшие болезненным огнем... Сверканье их из темных, глубоко впалых орбит было подобно сверканью горящих углей. У видения были тонкие худые руки, похожие на руки скелета, и обеими этими руками оно держалось за полы тяжелой дверной драпировки.

Судорожно сжимая материю в слабых пальцах, эти руки и производили тот сухой суконный шелест, который слышали кадеты.

Уста привидения были совершенно черны и открыты, и из них-то после коротких промежутков со свистом и хрипением вырывался тот напряженный полустон-полувздох, который впервые послышался, когда К—дин взял покойника за нос.

Глава десятая

Увидав это грозное привидение, три оставшиеся на ногах стража окаменели и замерли в своих оборонительных позициях крепче К—дина, который лежал пластом с прицепленным к нему гробовым покровом.

Привидение не обращало никакого внимания на всю эту группу: его глаза были устремлены на один гроб, в котором теперь лежал совсем раскрытый покойник. Оно тихо покачивалось и, по-видимому, хотело двигаться. Наконец это ему удалось. Держась руками за стену, привидение медленно тронулось и прерывистыми шагами стало переступать ближе ко гробу. Движение это было ужасно. Судорожно вздрагивая при каждом шаге и с мучением ловя раскрытыми устами воздух, оно исторгало из своей пустой груди те ужасные вздохи, которые кадеты приняли за вздохи из гроба. И вот еще шаг, и еще шаг, и наконец оно близко, оно подошло к гробу, но прежде, чем подняться на ступени катафалка, оно остановилось, взяло К—дина за ту руку, у которой, отвечая лихорадочной дрожи его тела, трепетал край волновавшейся гробовой кисеи, и своими тонкими, сухими пальцами отцепило эту кисею от обшлажной пуговицы шалуна; потом посмотрело на него с неизъяснимой грустью, тихо ему погрозило и... перекрестило его...

Затем оно, едва держась на трясущихся ногах, поднялось по ступеням катафалка, ухватилось за край гроба и, обвив своими скелетными руками плечи покойника, зарыдало...

Казалось, в гробу целовались две смерти; но скоро и это кончилось. С другого конца замка донесся слух жизни: панихида кончилась и из церкви в квартиру мертвеца спешили передовые, которым надо было быть здесь, на случай посещения высоких особ.

Глава одиннадцатая

До слуха кадет долетели приближавшиеся по коридорам гулкие шаги и вырвавшиеся вслед за ними из отворенной церковной двери последние отзвуки заупокойной песни.

Оживительная перемена впечатлений заставила кадет ободриться, а долг привычной дисциплины поставил их в надлежащей позиции на надлежащее место.

Тот адъютант, который был последним лицом, заглянувшим сюда перед панихидою, и теперь торопливо вбежал первый в траурную залу и воскликнул:

— Боже мой, как она сюда пришла!

Труп в белом, с распущенными седыми волосами, лежал, обнимая покойника, и, кажется, сам не дышал уже. Дело пришло к разъяснению.

Напугавшее кадет привидение была вдова покойного генерала, которая сама была при смерти и, однако, имела несчастие пережить своего мужа. По крайней слабости, она уже давно не могла оставлять постель, но, когда все ушли к парадной панихиде в церковь, она сползла с своего смертного ложа и, опираясь руками об стены, явилась к гробу покойника. Сухой шелест, который кадеты приняли за шелест рукавов покойника, были ее прикосновения к стенам. Теперь она была в глубоком обмороке, в котором кадеты по распоряжению адъютанта и вынесли ее в кресле за драпировку.

Это был последний страх в Инженерном замке, который, по словам рассказчика, оставил в них навсегда глубокое впечатление.

— С этого случая, — говорил он, — всем нам стало возмутительно слышать, если кто-нибудь радовался чьей бы то ни было смерти. Мы всегда помнили нашу непростительную шалость и благословляющую руку последнего привидения Инженерного замка, которое одно имело власть простить нас по святому праву любви. С этих же пор прекратились в корпусе и страхи от привидений. То, которое мы видели, было последнее.

В. Г. Короленко
СОН МАКАРА
(Святочный рассказ)

I

Этот сон видел бедный Макар, который загнал своих телят в далекие, угрюмые страны, — тот самый Макар, на которого, как известно, валятся все шишки.

Его родина — глухая слободка Чалган — затерялась в далекой якутской тайге. Отцы и деды Макара отвоевали у тайги кусок промерзшей землицы, и, хотя угрюмая чаща все еще стояла кругом враждебною стеной, они не унывали. По расчищенному месту побежали изгороди, стали скирды и стога, разрастались маленькие дымные юртенки: наконец, точно победное знамя, на холмике из середины поселка выстрелила к небу колокольня. Стал Чалган большою слободой.

Но пока отцы и деды Макара воевали с тайгой, жгли ее огнем, рубили железом, сами они незаметно дичали. Женясь на якутках, они перенимали якутский язык и якутские нравы. Характеристические черты великого русского племени стирались и исчезали.

Как бы то ни было, все же мой Макар твердо помнил, что он коренной чалганский крестьянин. Он здесь родился, здесь жил, здесь же предполагал умереть. Он очень гордился своим званием и иногда ругал других «погаными якутами», хотя, правду сказать, сам он не отличался от якутов ни привычками, ни образом жизни. По-русски он говорил мало и довольно плохо, одевался в звериные шкуры, носил на ногах торбаса, питался в обычное время одною лепешкой с настоем кирпичного чая, а в праздники и в других экстренных случаях съедал топленого масла именно столько, сколько стояло перед ним на столе. Он ездил очень искусно верхом на быках, а в случае болезни призывал шамана, который, беснуясь, со скрежетом кидался на него, стараясь испугать и выгнать из Макара засевшую хворь.

Работал он страшно, жил бедно, терпел голод и холод. Были ли у него какие-нибудь мысли, кроме непрестанных забот о лепешке и чае?

Да, были.

Когда он бывал пьян, он плакал. «Какая наша жизнь, — говорил он, — Господи Боже!» Кроме того, он говорил иногда, что желал бы все бросить и уйти на «гору». Там он не будет ни пахать, ни сеять, не будет рубить и возить дрова, не будет даже молоть зерно на ручном жернове. Он будет только спасаться. Какая это гора, где она, он точно не знал; знал только, что гора эта есть, во-первых, а во-вторых, что она где-то далеко, — так далеко, что оттуда его нельзя будет добыть самому тойону[1]-исправнику... Податей платить, понятно, он также не будет...

Трезвый, он оставлял эти мысли, быть может сознавая невозможность найти такую чудную гору; но пьяный становился отважнее. Он допускал,

---

[1] *Тойон* — господин, хозяин, начальник.

что может не найти настоящую гору и попасть на другую. «Тогда пропадать буду», — говорил он, но все-таки собирался; если же не приводил этого намерения в исполнение, то, вероятно, потому, что поселенцы-татары продавали ему всегда скверную водку, настоянную, для крепости, на махорке, от которой он вскоре впадал в бессилие и становился болен.

II

Дело было в канун Рождества, и Макару было известно, что завтра большой праздник. По этому случаю его томило желание выпить, но выпить было не на что: хлеб был в исходе; Макар уже задолжал у местных купцов и у татар. Между тем завтра большой праздник, работать нельзя, — что же он будет делать, если не напьется? Эта мысль делала его несчастным. Какая его жизнь! Даже в большой зимний праздник он не выпьет одну бутылку водки!

Ему пришла в голову счастливая мысль. Он встал и надел свою рваную сону (шубу). Его жена, крепкая, жилистая, замечательно сильная и столь же замечательно безобразная женщина, знавшая насквозь все его нехитрые помышления, угадала и на этот раз его намерение.

— Куда, дьявол? Опять один водку кушать хочешь?

— Молчи! Куплю одну бутылку. Завтра вместе выпьем. — Он хлопнул ее по плечу так сильно, что она покачнулась, и лукаво подмигнул. Таково женское сердце: она знала, что Макар непременно ее надует, но поддалась обаянию супружеской ласки.

Он вышел, поймал в аласе старого лысанку, привел его за гриву к саням и стал запрягать. Вскоре лысанка вынес своего хозяина за ворота. Тут он остановился и, повернув голову, вопросительно поглядел на погруженного в задумчивость Макара. Тогда Макар дернул левою вожжою и направил коня на край слободы.

На самом краю слободы стояла небольшая юртенка. Из нее, как и из других юрт, поднимался высоко-высоко дым камелька, застилая белою, волнующеюся массою холодные звезды и яркий месяц. Огонь весело переливался, отсвечивая сквозь матовые льдины. На дворе было тихо.

Здесь жили чужие, дальние люди. Как попали они сюда, какая непогода кинула их в далекие дебри, Макар не знал и не интересовался, но он любил вести с ними дела, так как они его не прижимали и не очень стояли за плату.

Войдя в юрту, Макар тотчас же подошел к камельку и протянул к огню свои иззябшие руки.

— Ча! — сказал он, выражая тем ощущение холода.

Чужие люди были дома. На столе горела свеча, хотя они ничего не работали. Один лежал на постели и, пуская кольца дыма, задумчиво следил за его завитками, видимо связывая с ними длинные нити собственных дум. Другой сидел против камелька и тоже вдумчиво следил, как перебегали огни по нагоревшему дереву.

— Здорóво! — сказал Макар, чтобы прервать тяготившее его молчание.

Конечно, он не знал, какое горе лежало на сердце чужих людей, какие воспоминания теснились в их головах в этот вечер, какие образы чудились им в фантастических переливах огня и дыма. К тому же у него была своя забота.

Молодой человек, сидевший у камелька, поднял голову и посмотрел на Макара смутным взглядом, как будто не узнавая его. Потом он тряхнул головой и быстро поднялся со стула.

— А, здоро́во, здоро́во, Макар! Вот и отлично! Напьешься с нами чаю?

Макару предложение понравилось.

— Чаю? — переспросил он.— Это хорошо!.. Вот, брат, хорошо... Отлично!

Он стал живо разоблачаться. Сняв шубу и шапку, он почувствовал себя развязнее, а увидав, что в самоваре запылали уже горячие угли, обратился к молодому человеку с излиянием:

— Я вас люблю, верно!.. Так люблю, так люблю... Ночи не сплю...

Чужой человек повернулся, и на лице его появилась горькая улыбка.

— А, любишь? — сказал он.— Что же тебе надо? Макар замялся.

— Есть дело, — ответил он. — Да ты почем узнал?.. Ладно. Ужо, чай выпью, скажу.

Так как чай был предложен Макару самими хозяевами, то он счел уместным пойти далее.

— Нет ли жареного? Я люблю, — сказал он.

— Нет.

— Ну ничего, — сказал Макар успокоительным тоном, — съем в другой раз... Верно? — переспросил он.— В другой раз?

— Ладно.

Теперь Макар считал за чужими людьми в долгу кусок жареного мяса, а у него подобные долги никогда не пропадали.

Через час он опять сел в свои дровни. Он добыл целый рубль, продав вперед пять возов дров на сходных сравнительно условиях. Правда, он клялся и божился, что не пропьет этих денег сегодня, а сам намеревался это сделать немедленно. Но что за дело? Предстоящее удовольствие заглушало укоры совести. Он не думал даже о том, что пьяному ему предстоит жестокая трепка от обманутой верной супруги.

— Куда же ты, Макар? — крикнул, смеясь, чужой человек, видя, что лошадь Макара, вместо того чтобы ехать прямо, свернула влево, по направлению к татарам.

— Тпру-у!.. Тпру-у!.. Видишь, конь проклятый какой... куда едет! — оправдывался Макар, все-таки крепко натягивая левую вожжу и незаметно подхлестывая лысанку правой.

Умный конек, помахивая укоризненно хвостом, тихо поковылял в требуемом направлении, и вскоре скрип Макаровых полозьев затих у татарских ворот.

III

У татарских ворот стояли на привязи несколько коней с высокими якутскими седлами.

В тесной избе было душно. Резкий дым махорки стоял целой тучей, медленно вытягиваемый камельком. За столами и на скамейках сидели приезжие якуты; на столах стояли чашки с водкой; кое-где помещались кучки играющих в карты. Лица были потны и красны. Глаза игроков дико следили за картами. Деньги вынимались и тотчас же прятались по карманам. В углу, на соломе, пьяный якут покачивался сидя и тянул бесконечную песню. Он выводил горлом дикие скрипучие звуки, повторяя на разные лады, что завтра большой праздник, а сегодня он пьян.

Макар отдал деньги, и ему дали бутылку. Он сунул ее за пазуху и незаметно для других отошел в темный угол. Там он наливал чашку за чашкой и тянул их одна за другой. Водка была горькая, разведенная по случаю праздника водой более чем на три четверти. Зато махорки, видимо, не жалели. У Макара каждый раз захватывало на минуту дыхание, а в глазах ходили какие-то багровые круги.

Вскоре он опьянел. Он тоже опустился на солому и, обхватив руками колени, положил на них отяжелевшую голову. Из его горла сами собой полились те же нелепые скрипучие звуки. Он пел, что завтра праздник и что он выпил пять возов дров.

Между тем в избе становилось все теснее и теснее. Входили новые посетители — якуты, приехавшие молиться и пить татарскую водку. Хозяин увидел, что скоро не хватит всем места. Он встал из-за стола и окинул взглядом собрание. Взгляд этот проник в темный угол и увидел там якута и Макара.

Он подошел к якуту и, взяв его за шиворот, вышвырнул вон из избы. Потом подошел к Макару. Ему, как местному жителю, татарин оказал больше почета: широко отворив двери, он поддал бедняге сзади ногою такого леща, что Макар вылетел из избы и ткнулся носом прямо в сугроб снега.

Трудно сказать, был ли он оскорблен подобным обращением. Он чувствовал, что в рукавах у него снег, снег на лице. Кое-как выбравшись из сугроба, он поплелся к своему лысанке.

Луна поднялась уже высоко. Большая Медведица стала опускать хвост книзу. Мороз крепчал. По временам на севере, из-за темного полукруглого облака, вставали, слабо играя, огненные столбы начинавшегося северного сияния.

Лысанка, видимо понимавший положение хозяина, осторожно и разумно поплелся к дому. Макар сидел на дровнях, покачиваясь, и продолжал свою песню. Он пел, что выпил пять возов дров и что старуха будет его колотить. Звуки, вырывавшиеся из его горла, скрипели и стонали в вечернем воздухе так уныло и жалобно, что у чужого человека, который в это время взобрался на юрту, чтобы закрыть трубу камелька, стало от Макаровой песни еще тяжелее на сердце. Между тем лысанка вынес дровни на холмик, откуда видны были окрестности. Снега ярко блестели, облитые лунным сиянием. Временами свет луны как будто таял, снега темнели, и тотчас же на них переливался отблеск северного сияния. Тогда казалось, что снежные холмы и тайга на них то приближались, то опять удалялись. Макару ясно виднелась под самою тайгой снежная плешь Ямалахского холмика, за которым в тайге у него поставлены были ловушки для всякого лесного зверя и птицы.

Это изменило ход его мыслей. Он запел, что в ловушку его попала лисица. Он продаст завтра шкуру, и старуха не станет его колотить.

Ь морозном воздухе раздался первый удар колокола, когда Макар вошел в избу. Он первым словом сообщил старухе, что у них в плашку по-

238

пала лисица. Он совсем забыл, что старуха не пила вместе с ним водки, и был сильно удивлен, когда, невзирая на радостное известие, она немедленно нанесла ему ногою жесткий удар пониже спины. Затем, пока он повалился на постель, она еще успела толкнуть его кулаком в шею.

Над Чалганом между тем несся разливаясь далеко-далеко, торжественный праздничный звон.

IV

Он лежал на постели. Голова у него горела. Внутри жгло, точно огнем. По жилам разливалась крепкая смесь водки и табачного настоя. По лицу текли холодные струйки талого снега; такие же струйки стекали и по спине.

Старуха думала, что он спит. Но он не спал. Из головы у него не шла лисица. Он успел вполне убедиться, что она попала в ловушку; он даже знал, в которую именно. Он ее видел — видел, как она, прищемленная тяжелой плахой, роет снег когтями и старается вырваться. Лучи луны, продираясь сквозь чащу, играли на золотой шерсти. Глаза зверя сверкали ему навстречу.

Он не выдержал и, встав с постели, направился к своему верному лысанке, чтобы ехать в тайгу.

Что это? Неужели сильные руки старухи схватили за воротник его соны и он опять брошен на постель?

Нет, вот он уже за слободою. Полозья ровно поскрипывают по крепкому снегу. Чалган остался сзади. Сзади несется торжественный гул церковного колокола, а над темною чертой горизонта на светлом небе мелькают черными силуэтами вереницы якутских всадников, в высоких, остроконечных шапках. Якуты спешат в церковь.

Между тем луна опустилась, а вверху, в самом зените, стало белесоватое облачко и засияло переливчатым фосфорическим блеском. Потом оно как будто разорвалось, растянулось, прыснуло, и от него быстро потянулись в разные стороны полосы разноцветных огней, между тем как полукруглое темное облачко на севере еще более потемнело. Оно стало черно, чернее тайги, к которой приближался Макар.

Дорога вилась между мелкою, частою порослью. Направо и налево подымались холмы. Чем далее, тем выше становились деревья. Тайга густела. Она стояла безмолвная и полная тайны. Голые деревья лиственниц были опушены серебряным инеем. Мягкий свет сполоха, продираясь сквозь их вершины, ходил по ней, кое-где открывая то снежную поляну, то лежащие трупы разбитых лесных гигантов, запушенных снегом... Мгновение — и все опять тонуло во мраке, полном молчания и тайны.

Макар остановился. В этом месте, почти на самую дорогу, выдвигалось начало целой системы ловушек. При фосфорическом свете ему была ясно видна невысокая городьба из валежника; он видел даже первую плаху — три тяжелые длинные бревна, упертые на отвесном колу и поддерживаемые довольно хитрою системой рычагов с волосяными веревочками.

Правда, это были чужие ловушки; но ведь лисица могла попасть и в чужие. Макар торопливо сошел с дровней, оставил умного лысанку на дороге и чутко прислушался.

В тайге ни звука. Только из далекой, невидной теперь слободы несся по-прежнему торжественный звон.

Можно было не опасаться. Владелец ловушек, Алешка-чалганец, сосед и кровный враг Макара, наверное, был теперь в церкви. Не было видно ни одного следа на ровной поверхности недавно выпавшего снега.

Он пустился в чащу,— ничего. Под ногами хрустит снег. Плахи стоят рядами, точно ряды пушек с открытыми жерлами, в безмолвном ожидании.

Он прошел взад и вперед, — напрасно. Он направился опять на дорогу.

Но, чу!.. Легкий шорох... В тайге мелькнула красноватая шерсть, на этот раз в освещенном месте, так близко!.. Макар ясно видел острые уши лисицы; ее пушистый хвост вилял из стороны в сторону, как будто заманивая Макара в чащу. Она исчезла между стволами, в направлении Макаровых ловушек, и вскоре по лесу пронесся глухой, но сильный удар. Он прозвучал сначала отрывисто, глухо, потом как будто отдался под навесом тайги и тихо замер в далеком овраге.

Сердце Макара забилось. Это упала плаха.

Он бросился, пробираясь сквозь чащу. Холодные ветви били его по глазам, сыпали в лицо снегом. Он спотыкался; у него захватывало дыхание.

Вот он выбежал на просеку, которую некогда сам прорубил. Деревья, белые от инея, стояли по обеим сторонам, а внизу, суживаясь, маячила дорожка, и в конце ее насторожилось жерло большой плахи... Недалеко...

Но вот на дорожке, около плахи, мелькнула фигура — мелькнула и скрылась. Макар узнал чалганца Алешку: ему ясно была видна его небольшая коренастая фигура, согнутая вперед, с походкой медведя. Макару казалось, что темное лицо Алешки стало еще темнее, а большие зубы оскалились еще более, чем обыкновенно.

Макар чувствовал искреннее негодование. «Вот подлец!.. Он ходит по моим ловушкам». Правда, Макар и сам сейчас только прошел по плахам Алешки, но тут была разница... Разница состояла в том, что, когда он сам ходил по чужим ловушкам, он чувствовал страх быть застигнутым; когда же по его плахам ходили другие, он чувствовал негодование и желание самому настигнуть нарушителя его прав.

Он бросился наперерез к упавшей плахе. Там была лисица. Алешка своею развалистою, медвежьей походкой направлялся туда же. Надо было поспевать ранее.

Вот и лежачая плаха. Под нею краснеет шерсть прихлопнутого зверя. Лисица рылась в снегу когтями именно так, как она ему виделась прежде, и так же смотрела ему навстречу своими острыми, горящими глазами.

— Тытыма (не тронь)!.. Это мое! — крикнул Макар Алешке.

— Тытыма! — отдался, точно эхо, голос Алешки. — Мое!

Они оба побежали в одно время и торопливо, наперебой, стали подымать плаху, освобождая из-под нее зверя. Когда плаха была приподнята, лисица поднялась также. Она сделала прыжок, потом остановилась, посмотрела на обоих чалганцев каким-то насмешливым взглядом, потом, загнув морду, лизнула прищемленное бревном место и весело побежала вперед, приветливо виляя хвостом.

Алешка бросился было за нею, но Макар схватил его сзади за полу соны.

— Тытыма! — крикнул он. — Это мое! — И сам побежал вслед за лисицей.

— Тытыма! — опять эхом отдался голос Алешки, и Макар почувствовал, что тот схватил его, в свою очередь, за сону и в одну секунду опять выбежал вперед.

Макар обозлился. Он забыл про лисицу и устремился за Алешкой.

Они бежали все быстрее. Ветка лиственницы сдернула шапку с головы Алешки, но тому некогда было подымать ее; Макар уже настигал его с яростным криком. Но Алешка всегда был хитрее бедного Макара. Он вдруг остановился, повернулся и нагнул голову. Макар ударился в нее животом и кувыркнулся в снег. Пока он падал, проклятый Алешка схватил с головы Макара шапку и скрылся в тайге.

Макар медленно поднялся. Он чувствовал себя окончательно побитым и несчастным. Нравственное состояние было отвратительно. Лисица была в руках, а теперь... Ему казалось, что в потемневшей чаще она насмешливо вильнула еще раз хвостом и окончательно скрылась.

Потемнело. Белесоватое облачко чуть-чуть виднелось в зените. Оно как будто тихо таяло, и от него как-то устало и томно лились еще замиравшие лучи сияния.

По разгоряченному телу Макара бежали целые потоки острых струек талого снега. Снег попал ему в рукава, за воротник соны, стекал по спине, лился за торбаса. Проклятый Алешка унес с собой его шапку. Рукавицы он потерял где-то на бегу. Дело было плохо. Макар знал, что лютый мороз не шутит с людьми, которые уходят в тайгу без рукавиц и без шапки.

Он шел уже долго. По его расчетам он давно должен бы уже выйти из Ямалаха и увидеть колокольню, но он все кружил по тайге. Чаща, точно заколдованная, держала его в своих объятиях. Издали доносился все тот же торжественный звон. Макару казалось, что он идет на него, но звон все удалялся, и, по мере того как его переливы доносились все тише и тише, в сердце Макара вступало тупое отчаяние.

Он устал. Он был подавлен. Ноги подкашивались. Его избитое тело ныло тупою болью. Дыхание в груди захватывало. Руки и ноги коченели. Обнаженную голову стягивало точно раскаленными обручами.

«Пропадать буду, однако!» — все чаще и чаще мелькало у него в голове. Но он все шел.

Тайга молчала. Она только смыкалась за ним с каким-то враждебным упорством и нигде не давала ни просвета, ни надежды.

«Пропадать буду, однако!» — все думал Макар.

Он совсем ослаб. Теперь молодые деревья прямо, без всяких стеснений, били его по лицу, издеваясь над его беспомощным положением. В одном месте на прогалину выбежал белый ушкан (заяц), сел на задние лапки, повел длинными ушами с черными отметинками на концах и стал умываться, делая Макару самые дерзкие рожи. Он давал ему понять, что он отлично знает его, Макара, — знает, что он и есть тот самый Макар, который настроил в тайге хитрые машины для его, зайца, погибели. Но теперь он над ним издевался.

Макару стало горько. Между тем тайга все оживлялась, но оживлялась враждебно. Теперь даже дальние деревья протягивали длинные ветви на его дорожку и хватали его за волосы, били по глазам, по лицу. Тетерева выходили из тайных логовищ и уставлялись в него любопытными круглыми глазами, а косачи бегали между ними, с распущенными хвостами и сердито оттопыренными крыльями, и громко рассказывали самкам про него, Макара, и про его козни. Наконец в дальних чащах замелькали тысячи лисьих морд. Они тянули воздух и насмешливо смотрели на Макара, поводя острыми ушами. А зайцы становились перед ними на задние лапки и хохотали, докладывая, что Макар заблудился и не выйдет из тайги.

Это было уже слишком.

«Пропадать буду!» — подумал Макар и решил сделать это немедленно.

Он лег в снег.

Мороз крепчал. Последние переливы сияния слабо мерцали и тянулись по небу, заглядывая к Макару сквозь вершины тайги. Последние отголоски колокола доносились с далекого Чалгана.

Сияние полыхнуло и погасло. Звон стих.

И Макар умер.

V

Как это случилось, он не заметил. Он знал, что из него должно что-то выйти, и ждал, что вот-вот оно выйдет... Но ничего не выходило.

Между тем он сознавал, что уже умер, и потому лежал смирно, без движения. Лежал он долго — так долго, что ему надоело.

Было совершенно темно, когда Макар почувствовал, что его кто-то толкнул ногою. Он повернул голову и открыл сомкнутые глаза.

Теперь лиственницы стояли над ним смиренные, тихие, точно стыдясь прежних проказ. Мохнатые ели вытягивали свои широкие, покрытые снегом лапы и тихо-тихо качались. В воздухе так же тихо садились лучистые снежинки.

Яркие добрые звезды заглядывали с синего неба сквозь частые ветви и как будто говорили: «Вот, видите, бедный человек умер».

Над самым телом Макара, толкая его ногою, стоял старый попик Иван. Его длинная ряса была покрыта снегом; снег виднелся на меховом бергесе (шапке), на плечах, в длинной бороде попа Ивана. Всего удивительнее было то обстоятельство, что это был тот самый попик Иван, который умер назад тому четыре года.

Это был добрый попик. Он никогда не притеснял Макара насчет руги, никогда не требовал даже денег за требы. Макар сам назначал ему плату за крестины и за молебны и теперь со стыдом вспомнил, что иногда платил маловато, а порой не платил вовсе. Поп Иван и не обижался; ему требовалось одно: всякий раз надо было поставить бутылку водки. Если у Макара не было денег, поп Иван сам посылал за бутылкой, и они пили вместе. Попик напивался непременно до положения риз, но при этом дрался очень редко и несильно. Макар доставлял его, беспомощного и беззащитного, домой на попечение матушки-попадьи.

Да, это был добрый попик, но умер он нехорошею смертью. Однажды, когда все вышли из дому и пьяный попик остался один лежать на постели, ему вздумалось покурить. Он встал и, шатаясь, подошел к огромному, жарко натопленному камельку, чтобы закурить у огня трубку. Он был слишком уж пьян, покачнулся и упал в огонь. Когда пришли домочадцы, от попа остались лишь ноги.

Все жалели доброго попа Ивана; но так как от него остались одни только ноги, то вылечить его не мог уже ни один доктор в мире. Ноги похоронили, а на место попа Ивана назначили другого. Теперь этот попик, в целом виде, стоял над Макаром и поталкивал его ногою.

— Вставай, Макарушко, — говорил он. — Пойдем-ка.

— Куда я пойду? — спросил Макар с неудовольствием.

Он полагал, что, раз он «пропал», его обязанность — лежать спокойно и ему нет надобности идти опять по тайге, бродя без дороги. Иначе зачем было ему пропадать?

— Пойдем к большому Тойону.

— Зачем я пойду к нему? — спросил Макар.

— Он будет тебя судить, — сказал попик скорбным и несколько умиленным голосом.

Макар вспомнил, что действительно после смерти надо идти куда-то на суд. Он это слышал когда-то в церкви. Значит, попик был прав. Приходилось подняться.

И Макар поднялся, ворча про себя, что даже после смерти не дают человеку покоя.

Попик шел впереди, Макар за ним. Шли они все прямо. Лиственницы смиренно сторонились, давая дорогу. Шли на восток.

Макар с удивлением заметил, что после попа Ивана не остается следов на снегу. Взглянув себе под ноги, он также не увидел следов: снег был чист и гладок, как скатерть.

Он подумал, что теперь ему очень удобно ходить по чужим ловушкам, так как никто об этом не может узнать; но попик, угадавший, очевидно, его сокровенную мысль, повернулся к нему и сказал:

— Кабысь (брось, оставь)! Ты не знаешь, что тебе достанется за каждую подобную мысль.

— Ну-ну! — ответил недовольно Макар. — Уж нельзя и подумать! Что ты нынче такой стал строгий? Молчи ужо!..

Попик покачал головой и пошел дальше.

— Далеко ли идти? — спросил Макар.

— Далеко, — ответил попик сокрушенно.

— А чего будем есть? — спросил опять Макар с беспокойством.

— Ты забыл, — ответил попик, повернувшись к нему, — что ты умер и что теперь тебе не надо ни есть, ни пить.

Макару это не очень понравилось. Конечно, это хорошо в том случае, когда нечего есть, но тогда уж надо бы лежать так, как он лежал тотчас после своей смерти. А идти, да еще идти далеко, и не есть ничего — это казалось ему ни с чем не сообразным. Он опять заворчал.

— Не ропщи! — сказал попик.

— Ладно! — ответил Макар обиженным тоном, но сам продолжал жаловаться про себя и ворчать на дурные порядки: «Человека заставляют ходить, а есть ему не надо! Где это слыхано?»

Он был недоволен все время, следуя за попом. А шли они, по-видимому, долго. Правда, Макар не видел еще рассвета, но, судя по пространству, ему казалось, что они шли уже целую неделю: так много они оставили за собой падей и сопок[1], рек и озер, так много прошли они лесов и равнин. Когда Макар оглядывался, ему казалось, что темная тайга сама убегает от них назад, а высокие снежные горы точно таяли в сумраке ночи и быстро скрывались за горизонтом.

Они как будто поднимались все выше. Звезды становились все больше и ярче. Потом из-за гребня возвышенности, на которую они поднялись, показался краешек давно закатившейся луны. Она как будто торопилась уйти, но Макар с попиком ее нагоняли. Наконец она вновь стала подыматься над горизонтом. Они пошли по ровному, сильно приподнятому месту.

Теперь стало светло — гораздо светлее, чем при начале ночи. Это происходило, конечно, оттого, что они были гораздо ближе к звездам. Звезды, величиною каждая с яблоко, так и сверкали, а луна, точно дно большой золотой бочки, сияла как солнце, освещая равнину от края и до края.

На равнине совершенно явственно виднелась каждая снежинка. По ней пролегало множество дорог, и все они сходились к одному месту на востоке. По дорогам шли и ехали люди в разных одеждах и разного вида.

---

[1] *Падь* — ущелье, овраг между горами. *Сопка* — остроконечная гора.

Вдруг Макар, внимательно всматривавшийся в одного всадника, свернул с дороги и побежал за ним.

— Постой, постой! — кричал попик, но Макар даже не слышал.

Он узнал знакомого татарина, который шесть лет назад увел у него пегого коня, а пять лет назад скончался. Теперь татарин ехал на том же пегом коне. Конь так и взвивался. Из-под копыт его летели целые тучи снежной пыли, сверкавшей разноцветными переливами звездных лучей. Макар удивился при виде этой бешеной скачки, как мог он, пеший, так легко догнать конного татарина. Впрочем, завидев Макара в нескольких шагах, татарин с большою готовностью остановился. Макар запальчиво напал на него.

— Пойдем к старосте, — кричал он, — это мой конь! Правое ухо у него разрезано... Смотри, какой ловкий!.. Едет на чужом коне, а хозяин идет пешком, точно нищий.

— Постой! — сказал на это татарин. — Не надо к старосте. Твой конь, говоришь?.. Ну и бери его! Проклятая животина! Пятый год еду на ней, и все как будто ни с места... Пешие люди то и дело обгоняют меня; хорошему татарину даже стыдно.

И он занес ногу, чтобы сойти с седла, но в это время запыхавшийся попик подбежал к ним и схватил Макара за руку.

— Несчастный! — вскричал он. — Что ты делаешь? Разве не видишь, что татарин хочет тебя обмануть?

— Конечно, обманывает! — вскричал Макар, размахивая руками. — Конь был хороший, настоящая хозяйская лошадь... Мне давали за нее сорок рублей еще по третьей траве... Не-ет, брат! Если ты испортил коня, я его зарежу на мясо, а ты заплатишь мне чистыми деньгами. Думаешь, что — татарин, так и нет на тебя управы?

Макар горячился и кричал нарочно, чтобы собрать вокруг себя побольше народу, так как он привык бояться татар. Но попик остановил его:

— Тише, тише, Макар! Ты все забываешь, что ты уже умер... Зачем тебе конь? Да притом, разве ты не видишь, что пешком ты подвигаешься гораздо быстрее татарина? Хочешь, чтоб тебе пришлось ехать целых тысячу лет?

Макар смекнул, почему татарин так охотно уступал ему лошадь.

«Хитрый народ!» — подумал он и обратился к татарину:

— Ладно ужо! Поезжай на коне, а я, брат, сделаю на тебя прошение.

Татарин сердито нахлобучил шапку и хлестнул коня. Конь взвился, клубы снега посыпались из-под копыт, но пока Макар с попом не тронулись, татарин не уехал от них и пяди.

Он сердито плюнул и обратился к Макару:

— Послушай, догор (приятель), нет ли у тебя листочка махорки? Страшно хочется курить, а свой табак я выкурил уже четыре года назад.

— Собака тебе приятель, а не я! — сердито ответил Макар. — Видишь ты: украл коня и просит табаку! Пропадай ты совсем, мне и то не будет жалко.

И с этими словами Макар тронулся далее.

— А ведь напрасно ты не дал ему листок махорки, — сказал ему поп Иван. — За это на суде Тойон простил бы тебе не менее сотни грехов.

251

— Так что ж ты не сказал мне этого ранее? — огрызнулся Макар.

— Да уж теперь поздно учить тебя. Ты должен был узнать об этом от своих попов при жизни.

Макар осердился. От попов он не видал никакого толку: получают ругу, а не научили даже, когда надо дать татарину листок табаку, чтобы получить отпущение грехов. Шутка ли: сто грехов... и всего за один листочек!.. Это ведь чего-нибудь стоит!

— Постой, — сказал он. — Будет с нас одного листочка, а остальные четыре я отдам сейчас татарину. Это будет четыре сотни грехов.

— Оглянись, — сказал попик.

Макар оглянулся. Сзади расстилалась только белая пустынная равнина. Татарин мелькнул на одну секунду далекою точкой. Макару казалось, что он увидел, как белая пыль летит из-под копыт его пегашки, но через секунду и эта точка исчезла.

— Ну-ну, — сказал Макар. — Будет татарину и без табаку ладно. Видишь ты: испортил коня, проклятый!

— Нет, — сказал попик, — он не испортил твоего коня, но конь этот краденый. Разве ты не слышал от стариков, что на краденом коне далеко не уедешь?

Макар действительно слышал это от стариков, но так как во время своей жизни видел нередко, что татары уезжали на краденых конях до самого города, то, понятно, он старикам не давал веры. Теперь же он пришел к убеждению, что и старики говорят иногда правду.

И он стал обгонять на равнине множество всадников. Все они мчались так же быстро, как и первый. Кони летели как птицы, всадники были в поту, а между тем Макар то и дело обгонял их и оставлял за собою.

Большею частью это были татары, но попадались и коренные чалганцы; некоторые из последних сидели на краденых быках и подгоняли их талинками.

Макар смотрел на татар враждебно и каждый раз ворчал, что этого им еще мало. Когда же он встречался с чалганцами, то останавливался и благодушно беседовал с ними: все-таки это были приятели, хоть и воры. Порой он даже выражал свое участие тем, что, подняв на дороге талинку, усердно подгонял сзади быков и коней; но лишь только сам он делал несколько шагов, как уже всадники оставались сзади чуть заметными точками.

Равнина казалась бесконечною. Они то и дело обгоняли всадников и пеших людей, а между тем вокруг все казалось пусто. Между каждыми двумя путниками лежали как будто целые сотни или даже тысячи верст.

Между другими фигурами Макару попался незнакомый старик; он был, очевидно, чалганец; это было видно по лицу, по одежде, даже по походке, но Макар не мог припомнить, чтоб он когда-либо прежде его видел. На старике была рваная сона, большой ухастый бергес, тоже рваный, кожаные старые штаны и рваные телячьи торбаса. Но, что хуже всего, — несмотря на свою старость, — он тащил на плечах еще более древнюю старуху, ноги которой волочились по земле. Старик трудно дышал, заплетался и тяжело налегал на палку. Макару стало его жалко. Он остановился. Старик остановился тоже.

— Капсе (говори)! — сказал Макар приветливо.

— Нет, — ответил старик.

— Что слышал?

— Ничего не слыхал.

— Что видел?

— Ничего не видал.

Макар помолчал немного и тогда уже счел возможным расспросить старика, кто он и откуда плетется.

Старик назвался. Давно уже — сам он не знает, сколько лет назад, — он оставил Чалган и ушел на «гору» спасаться. Там он ничего не делал, ел только морошку и корни, не пахал, не сеял, не молол на жернове хлеба и не платил податей. Когда он умер, то пришел к Тойону на суд. Тойон спросил, кто он и что делал. Он рассказал, что ушел на «гору» и спасался. «Хорошо, — сказал Тойон, — а где же твоя старуха? Поди приведи сюда твою старуху». И он пошел за старухой, а старуха перед смертью побиралась, и ее некому было кормить, и у нее не было ни дома, ни коровы, ни хлеба. Она ослабела и не может волочить ног. И он теперь должен тащить к Тойону старуху на себе.

Старик заплакал, а старуха ударила его ногою, точно быка, и сказала слабым, но сердитым голосом:

— Неси!

Макару стало еще более жаль старика, и он порадовался от души, что ему не удалось уйти на «гору». Его старуха была громадная, рослая старуха, и ему нести ее было бы еще труднее. А если бы, вдобавок, она стала пинать его ногою, как быка, то, наверное, скоро заездила бы до второй смерти.

Из сожаления он взял было старуху за ноги, чтобы помочь догору, но едва сделал два-три шага, как должен был быстро выпустить старухины ноги, чтобы они не остались у него в руках. В одну минуту старик со своей ношей исчезли из виду.

В дальнейшем пути не встречалось более лиц, которых Макар удостоил бы своим особенным вниманием. Тут были воры, нагруженные, как вьючная скотина, краденым добром и подвигавшиеся шаг за шагом; толстые якутские тойоны тряслись, сидя на высоких седлах, точно башни, задевая за облака высокими шапками. Тут же рядом вприпрыжку бежали бедные комночиты (работники), поджарые и легкие, как зайцы. Шел мрачный убийца, весь в крови, с дико блуждающим взором. Напрасно кидался он в чистый снег, чтобы смыть кровавые пятна. Снег мгновенно обагрялся кругом, как кипень, а пятна на убийце выступали яснее, и в его взоре виднелись дикое отчаяние и ужас. И он все шел, избегая чужих испуганных взглядов.

А маленькие детские души то и дело мелькали в воздухе, точно птички. Они летели большими стаями, и Макара это не удивляло. Дурная, грубая пища, грязь, огонь камельков и холодные сквозняки юрт выживали их из одного Чалгана чуть не сотнями. Поравнявшись с убийцей, они испуганной стаей кидались далеко в сторону, и долго еще после того слышался в воздухе быстрый, тревожный звон их маленьких крыльев.

Макар не мог не заметить, что он подвигается сравнительно с другими довольно быстро, и поспешил приписать это своей добродетели.

— Слушай, агабыт (отец), — сказал он, — как ты думаешь? Я хоть и любил при жизни выпить, а человек был хороший. Бог меня любит...

Он пытливо взглянул на попа Ивана. У него была задняя мысль: выведать кое-что от старого попика. Но тот сказал кратко:

— Не гордись! Уже близко. Скоро узнаешь сам.

Макар и не заметил раньше, что на равнине как будто стало светать. Прежде всего из-за горизонта выбежали несколько светлых лучей. Они быстро пробежали по небу и потушили яркие звезды. И звезды погасли, а луна закатилась. И снежная равнина потемнела.

Тогда над нею поднялись туманы и стали кругом равнины, как почетная стража.

И в одном месте, на востоке, туманы стали светлее, точно воины, одетые в золото.

И потом туманы заколыхались, золотые воины наклонились долу.

И из-за них вышло солнце и стало на их золотистых хребтах и оглянуло равнину.

И равнина вся засияла невиданным ослепительным светом.

И туманы торжественно поднялись огромным хороводом, разорвались на западе и, колеблясь, понеслись кверху.

И Макару казалось, что он слышит чудную песню. Это была как будто та самая, давно знакомая песня, которою земля каждый раз приветствует солнце. Но Макар никогда еще не обращал на нее должного внимания и только в первый раз понял, какая это чудная песня.

Он стоял и слушал и не хотел идти далее, а хотел вечно стоять здесь и слушать...

Но поп Иван тронул его за рукав.

— Войдем, — сказал он. — Мы пришли.

Тогда Макар увидел, что они стоят у большой двери, которую раньше скрывали туманы.

Ему очень не хотелось идти, но — делать нечего — он повиновался.

VI

Они вошли в хорошую, просторную избу, и, только войдя сюда, Макар заметил, что на дворе был сильный мороз. Посредине избы стоял камелек чудной резной работы, из чистого серебра, и в нем пылали золотые поленья, давая ровное тепло, сразу проникавшее все тело. Огонь этого чудного камелька не резал глаз, не жег, а только грел, и Макару опять захотелось вечно стоять здесь и греться. Поп Иван также подошел к камельку и протянул к нему иззябшие руки.

В избе было четверо дверей, из которых только одна вела наружу, а в другие то и дело входили и выходили какие-то молодые люди в длинных белых рубахах. Макар подумал, что это, должно быть, работники здешнего Тойона. Ему казалось, что он где-то их уже видел, но не мог вспомнить, где именно. Немало удивляло его то обстоятельство, что у каждого работника на спине болтались большие белые крылья, и он подумал, что, вероятно, у Тойона есть еще другие работники, так как эти, наверное, не могли бы с своими крыльями пробираться сквозь чащу тайги для рубки дров или жердей.

Один из работников подошел к камельку и, повернувшись к нему спиною, заговорил с попом Иваном:

— Говори!

— Нечего, — отвечал попик.

— Что ты слышал на свете?

— Ничего не слыхал.

— Что видел?

— Ничего не видал.

Оба помолчали, и тогда поп сказал:

— Привел вот одного.

— Это чалганец? — спросил работник.

— Да, чалганец.

— Ну, значит, надо приготовить большие весы.

И он ушел в одну из дверей, чтобы распорядиться, а Макар спросил у попа, зачем нужны весы и почему именно большие?

— Видишь, — ответил поп несколько смущенно, — весы нужны, чтобы взвесить добро и зло, какое ты сделал при жизни. У всех остальных людей зло и добро приблизительно уравновешивают чашки; у одних чалганцев грехов так много, что для них Тойон велел сделать особые весы с громадной чашкой для грехов.

От этих слов у Макара как будто скребнуло по сердцу. Он стал робеть.

Работники внесли и поставили большие весы. Одна чашка была золотая и маленькая, другая — деревянная, громадных размеров. Под последней вдруг открылось глубокое черное отверстие.

Макар подошел и тщательно осмотрел весы, чтобы не было фальши. Но фальши не было. Чашки стояли ровно, не колеблясь.

Впрочем, он не вполне понимал их устройство и предпочел бы иметь дело с безменом, на котором в течение долгой жизни он отлично выучился и продавать, и покупать с некоторой выгодой для себя.

— Тойон идет, — сказал вдруг поп Иван и стал быстро обдергивать ряску.

Средняя дверь отворилась, и вошел старый-престарый Тойон, с большою серебристою бородой, спускавшеюся ниже пояса. Он был одет в богатые, неизвестные Макару меха и ткани, а на ногах у него были теплые сапоги, обшитые плисом, какие Макар видел на старом иконописце.

И при первом же взгляде на старого Тойона Макар узнал, что это тот самый старик, которого он видел нарисованным в церкви. Только тут с ним не было сына; Макар подумал, что, вероятно, последний ушел по хозяйству. Зато голубь влетел в комнату и, покружившись у старика над головою, сел к нему на колени. И старый Тойон гладил голубя рукою, сидя на особо приготовленном для него стуле.

Лицо старого Тойона было доброе, и, когда у Макара становилось слишком уж тяжело на сердце, он смотрел на это лицо, и ему становилось легче.

А на сердце у него становилось тяжело потому, что он вспомнил вдруг всю свою жизнь до последних подробностей, вспомнил каждый свой шаг, и каждый удар топора, и каждое срубленное дерево, и каждый обман, и каждую рюмку выпитой водки.

И ему стало стыдно и страшно. Но, взглянув в лицо старого Тойона, он ободрился.

А ободрившись, подумал, что, быть может, кое-что удастся и скрыть.

Старый Тойон посмотрел на него и спросил, кто он, и откуда, и как зовут, и сколько ему лет от роду.

Когда Макар ответил, старый Тойон спросил:

— Что сделал ты в своей жизни?

— Сам знаешь,— ответил Макар.— У тебя должно быть записано.

Макар испытывал старого Тойона, желая узнать, действительно ли у него записано все.

— Говори сам, не молчи! — сказал старый Тойон.

И Макар опять ободрился.

Он стал перечислять свои работы, и хотя он помнил каждый удар топора, и каждую срубленную жердь, и каждую борозду, проведенную сохою, но он прибавлял целые тысячи жердей, и сотни возов дров, и сотни бревен, и сотни пудов посева.

Когда он все перечислил, старый Тойон обратился к попу Ивану:

— Принеси-ка сюда книгу.

Тогда Макар увидел, что поп Иван служит у Тойона суруксутом (писарем), и очень осердился, что тот по-приятельски не сказал ему об этом раньше.

Поп Иван принес большую книгу, развернул ее и стал читать.

— Загляни-ка,— сказал старый Тойон,— сколько жердей?

Поп Иван посмотрел и сказал с прискорбием:

— Он прибавил целых тринадцать тысяч.

— Врет он! — крикнул Макар запальчиво.— Он, верно, ошибся, потому что он пьяница и умер нехорошею смертью!

— Замолчи ты! — сказал старый Тойон. — Брал ли он с тебя лишнее за крестины или за свадьбы? Вымогал ли он ругу?

— Что говорить напрасно! — ответил Макар.

— Вот видишь, — сказал Тойон, — я знаю и сам, что он любил выпить...

И старый Тойон осердился.

— Читай теперь его грехи по книге, потому что он обманщик, и я ему не верю, — сказал он попу Ивану.

А между тем работники кинули на золотую чашку Макаровы жерди, и его дрова, и его пахоту, и всю его работу. И всего оказалось так много, что золотая чашка весов опустилась, а деревянная поднялась высоко-высоко, и ее нельзя было достать руками, и молодые Божьи работники взлетели на своих крыльях, и целая сотня тянула ее веревками вниз.

Тяжела была работа чалганца!

А поп Иван стал вычитывать обманы, и оказалось, что обманов было — двадцать одна тысяча девятьсот тридцать три обмана; и поп стал высчитывать, сколько Макар выпил бутылок водки, и оказалось — четыреста бутылок; и поп читал далее, а Макар видел, что деревянная чашка весов перетягивает золотую и что она опускается уже в яму, и пока поп читал, она все опускалась.

Тогда Макар подумал про себя, что дело его плохо, и, подойдя к весам, попытался незаметно поддержать чашку ногою. Но один из работников увидел это, и у них вышел шум.

— Что там такое? — спросил старый Тойон.

— Да вот он хотел поддержать весы ногою, — ответил работник.

Тогда Тойон гневно обратился к Макару и сказал:

— Вижу, что ты обманщик, ленивец и пьяница... И за тобой осталась недоимка, и поп за тобою считает ругу, и исправник грешит из-за тебя, ругая тебя каждый раз скверными словами!..

И, обратясь к попу Ивану, старый Тойон спросил:

— Кто в Чалгане кладет на лошадей более всех клади и кто гоняет их всех больше?

Поп Иван ответил:

— Церковный трапезник. Он гоняет почту и возит исправника.

Тогда старый Тойон сказал:

— Отдать этого ленивца трапезнику в мерины, и пусть он возит на нем исправника, пока не заездит... А там мы посмотрим.

И только что старый Тойон сказал это слово, как дверь отворилась и в избу вошел сын старого Тойона и сел от него по правую руку.

И сын сказал:

— Я слышал твой приговор... Я долго жил на свете и знаю тамошние дела: тяжело будет бедному человеку возить исправника! Но... да будет!.. Только, может быть, он еще что-нибудь скажет. Говори, барахсан (бедняга)!

Тогда случилось что-то странное. Макар, тот самый Макар, который никогда в жизни не произносил более десяти слов кряду, вдруг ощутил в себе дар слова. Он заговорил и сам изумился. Стало как бы два Макара: один говорил, другой слушал и удивлялся. Он не верил своим ушам. Речь у него лилась плавно и страстно, слова гнались одно за другим вперегонку и потом становились длинными, стройными рядами. Он не робел. Если ему и случалось запнуться, то тотчас же он оправлялся и кричал вдвое громче. А главное — чувствовал сам, что говорил убедительно.

Старый Тойон, немного осердившийся сначала за его дерзость, стал потом слушать с большим вниманием, как бы убедившись, что Макар не такой уж дурак, каким казался сначала. Поп Иван в первую минуту даже испугался и стал дергать Макара за полу соны, но Макар отмахнулся и продолжал по-прежнему. Потом и попик перестал пугаться и даже расцвел улыбкой, видя, что его прихожанин режет правду и что эта правда приходится по сердцу старому Тойону. Даже молодые люди в длинных рубахах и с белыми крыльями, жившие у старого Тойона в работниках, приходили из своей половины к дверям и с удивлением слушали речь Макара, поталкивая друг друга локтями.

Он начал с того, что не желает идти к трапезнику в мерины. И не потому не желает, что боится тяжелой работы, а потому, что это решение неправильно. А так как это решение неправильно, то он ему не подчинится и не поведет даже ухом, не двинет ногою. Пусть с ним делают что хотят! Пусть даже отдадут чертям в вечные комночиты — он не будет возить исправника, потому что это неправильно. И пусть не думают, что ему страшно положение мерина: трапезник гоняет мерина, но кормит его овсом, а его гоняли всю жизнь, но овсом никогда не кормили.

— Кто тебя гонял? — спросил старый Тойон с сердцем.

Да, его гоняли всю жизнь! Гоняли старосты и старшины, заседатели и исправники, требуя подати; гоняли попы, требуя ругу; гоняли нужда и голод; гоняли морозы и жары, дожди и засухи; гоняла промерзшая земля и злая тайга!.. Скотина идет вперед и смотрит в землю, не зная, куда ее гонят... И он также... Разве он знал, что́ поп читает в церкви и за что идет ему руга? Разве он знал, зачем и куда увели его старшего сына, которого взяли в солдаты, и где он умер, и где теперь лежат его бедные кости?

Говорят, он пил много водки? Конечно, это правда: его сердце просило водки...

— Сколько, говоришь ты, бутылок?

— Четыреста, — ответил поп Иван, заглянув в книгу.

Хорошо! Но разве это была водка? Три четверти было воды и только одна четверть настоящей водки, да еще настой табаку. Стало быть, триста бутылок надо скинуть со счета.

— Правду ли он говорит все это? — спросил старый Тойон у попа Ивана, и видно было, что он еще сердится.

— Чистую правду, — торопливо ответил поп, а Макар продолжал.

Он прибавил тринадцать тысяч жердей? Пусть так! Пусть он нарубил только шестнадцать тысяч. А разве этого мало? И притом, две тысячи он рубил, когда у него была больна первая его жена... И у него было тяжело на сердце, и он хотел сидеть у своей старухи, а нужда его гнала в тайгу... И в тайге он плакал, и слезы мерзли у него на ресницах, и от горя холод проникал до самого сердца... А он рубил!

А после баба умерла. Ее надо было хоронить, а у него не было денег. И он нанялся рубить дрова, чтобы заплатить за женин дом на том свете... А купец увидел, что ему нужда, и дал только по десяти копеек... И старуха лежала одна в нетопленой мерзлой избе, а он опять рубил и плакал. Он полагал, что эти возы надо считать впятеро и даже более.

У старого Тойона показались на глазах слезы, и Макар увидел, что чашки весов колыхнулись и деревянная приподнялась, а золотая опустилась.

А Макар продолжал: у них все записано в книге... Пусть же они поищут: когда он испытал от кого-нибудь ласку, привет или радость? Где его дети? Когда они умирали, ему было горько и тяжко, а когда вырастали, то уходили от него, чтобы в одиночку биться с тяжелою нуждой. И он состарился один со своей второю старухой и видел, как его оставляют силы и подходит злая, бесприютная дряхлость. Они стояли одинокие, как стоят в степи две сиротливые елки, которых бьют отовсюду жестокие метели.

— Правда ли? — спросил опять старый Тойон. И поп поспешил ответить:

— Чистая правда!

И тогда весы опять дрогнули... Но старый Тойон задумался.

— Что же это, — сказал он, — ведь есть же у меня на земле настоящие праведники... Глаза их ясны, и лица светлы, и одежды без пятен... Сердца их мягки, как добрая почва; принимают доброе семя и возвращают крин сельный и благовонные всходы, запах которых угоден передо мною. А ты посмотри на себя...

И все взгляды устремились на Макара, и он устыдился. Он почувствовал, что глаза его мутны и лицо темно, волосы и борода всклокочены, одежда изорвана. И хотя задолго до смерти он все собирался купить сапоги, чтобы явиться на суд, как подобает настоящему крестьянину, но все пропивал деньги, и теперь стоял перед Тойоном, как последний якут, в дрянных торбасишках... И он пожелал провалиться сквозь землю.

— Лицо твое темное, — продолжал старый Тойон, — глаза мутные и одежда разорвана. А сердце твое поросло бурьяном, и тернием, и горькою полынью. Вот почему я люблю моих праведных и отвращаю лицо от подобных тебе нечестивцев.

Сердце Макара сжалось. Он чувствовал стыд собственного существования. Он было понурил голову, но вдруг поднял ее и заговорил опять.

О каких это праведниках говорит Тойон? Если о тех, что жили на земле в одно время с Макаром в богатых хоромах, то Макар их знает... Глаза их ясны, потому что не проливали слез столько, сколько их пролил Макар, и лица их светлы, потому что обмыты духа́ми, а чистые одежды сотканы чужими руками.

Макар опять понурил голову, но тотчас же опять поднял ее.

А между тем разве он не видит, что и он родился, как другие, — с ясными, открытыми очами, в которых отражались земля и небо, и с чистым сердцем, готовым раскрыться на все прекрасное в мире? И если теперь он желает скрыть под землею свою мрачную и позорную фигуру, то в этом вина не его... А чья же? Этого он не знает... Но он знает одно: что в сердце его истощилось терпение.

Конечно, если бы Макар мог видеть, какое действие производила его речь на старого Тойона, если б он видел, что каждое его гневное слово падало на золотую чашку как свинцовая гиря, он усмирил бы свое сердце. Но он всего этого не видел, потому что в его сердце вливалось слепое отчаяние.

Вот он оглядел всю свою горькую жизнь. Как мог он до сих пор выносить это ужасное бремя? Он нес его потому, что впереди все еще маячила — звездочкой в тумане — надежда. Он жив, — стало быть, может, должен еще испытать лучшую долю... Теперь он стоял у конца, и надежда угасла...

Тогда в его душе стало темно, и в ней забушевала ярость, как буря в пустой степи глухой ночью. Он забыл, где он, пред чьим лицом предстоит, — забыл все, кроме своего гнева...

Но старый Тойон сказал ему:

— Погоди, барахсан! Ты не на земле... Здесь и для тебя найдется правда...

И Макар дрогнул. На сердце его пало сознание, что его жалеют, и оно смягчилось; а так как перед его глазами все стояла его бедная жизнь, от первого дня до последнего, то и ему стало самого себя невыносимо жалко. И он заплакал...

И старый Тойон тоже плакал... И плакал старый попик Иван, и молодые Божьи работники лили слезы, утирая их широкими белыми рукавами.

А весы все колыхались, и деревянная чашка подымалась все выше и выше!..

А. П. Чехов

САПОЖНИК И НЕЧИСТАЯ СИЛА

Был канун Рождества. Марья давно уже храпела на печи, в лампочке выгорел весь керосин, а Федор Нилов все сидел и работал. Он давно бы бросил работу и вышел на улицу, но заказчик из Колокольного переулка, заказавший ему головки две недели назад, был вчера, бранился и приказал кончить сапоги непременно теперь, до утрени.

— Жизнь каторжная! — ворчал Федор, работая. — Одни люди спят давно, другие гуляют, а ты вот, как Каин какой, сиди и шей черт знает на кого...

Чтоб не уснуть как-нибудь нечаянно, он то и дело доставал из-под стола бутылку и пил из горлышка и после каждого глотка крутил головой и говорил громко:

— С какой такой стати, скажите на милость, заказчики гуляют, а я обязан шить на них? Оттого, что у них деньги есть, а я нищий?

Он ненавидел всех заказчиков, особенно того, который жил в Колокольном переулке. Это был господин мрачного вида, длинноволосый, желтолицый, в больших синих очках и с сиплым голосом. Фамилия у него была немецкая, такая, что не выговоришь. Какого он был звания и чем занимался, понять было невозможно. Когда две недели назад Федор пришел к нему снимать мерку, он, заказчик, сидел на полу и толок что-то в ступке. Не успел Федор поздороваться, как содержимое ступки вдруг вспыхнуло и загорелось ярким, красным пламенем, завоняло серой и жжеными перьями и комната наполнилась густым розовым дымом, так что Федор раз пять чихнул; и возвращаясь после этого домой, он думал: «Кто Бога боится, тот не станет заниматься такими делами».

Когда в бутылке ничего не осталось, Федор положил сапоги на стол и задумался. Он подпер тяжелую голову кулаком и стал думать о своей бедности, о тяжелой беспросветной жизни, потом о богачах, об их больших домах, каретах, о сотенных бумажках... Как было бы хорошо, если бы у этих, черт их подери, богачей потрескались дома, подохли лошади, полиняли их шубы и собольи шапки! Как бы хорошо, если бы богачи мало-помалу превратились в нищих, которым есть нечего, а бедный сапожник стал бы богачом и сам бы куражился над бедняком-сапожником накануне Рождества.

Мечтая так, Федор вдруг вспомнил о своей работе и открыл глаза.

«Вот так история! — подумал он, оглядывая сапоги. — Головки у меня давно уж готовы, а я все сижу. Надо нести к заказчику!»

Он завернул работу в красный платок, оделся и вышел на улицу. Шел мелкий, жесткий снег, коловший лицо, как иголками. Было холодно, склизко, темно, газовые фонари горели тускло, и почему-то на улице пахло керосином, так что Федор стал перхать и кашлять. По мостовой взад и вперед ездили богачи, и у каждого богача в руках был окорок и четверть водки. Из карет и саней глядели на Федора богатые барышни, показывали ему языки и кричали со смехом:

— Нищий! Нищий!

Сзади Федора шли студенты, офицеры, купцы и генералы и дразнили его:

— Пьяница! Пьяница! Сапожник-безбожник, душа голенища! Нищий!

Все это было обидно, но Федор молчал и только отплевывался. Когда же встретился ему сапожных дел мастер Кузьма Лебедкин из Варшавы и сказал: «Я женился на богатой, у меня работают подмастерья, а ты нищий, тебе есть нечего», — Федор не выдержал и погнался за ним. Гнался он до тех пор, пока не очутился в Колокольном переулке. Его заказчик жил в четвертом доме от угла, в квартире в самом верхнем этаже. К нему нужно было идти длинным темным двором и потом взбираться вверх по очень высокой скользкой лестнице, которая шаталась под ногами. Когда Федор вошел к нему, он, как и тогда, две недели назад, сидел на полу и толок что-то в ступке.

— Ваше высокоблагородие, сапожки принес! — сказал угрюмо Федор.

Заказчик поднялся и молча стал примерять сапоги. Желая помочь ему, Федор опустился на одно колено и стащил с него старый сапог, но тотчас же вскочил и в ужасе попятился к двери. У заказчика была не нога, а лошадиное копыто.

«Эге! — подумал Федор. — Вот она какая история!»

Первым делом следовало бы перекреститься, потом бросить все и бежать вниз; но тотчас же он сообразил, что нечистая сила встретилась ему в первый и, вероятно, в последний раз в жизни и не воспользоваться ее услугами было бы глупо. Он пересилил себя и решил попытать счастья. Заложив назад руки, чтоб не креститься, он почтительно кашлянул и начал:

— Говорят, что нет поганей и хуже на свете, как нечистая сила, а я так понимаю, ваше высокоблагородие, что нечистая сила самая образованная. У черта, извините, копыта и хвост сзади, да зато у него в голове больше ума, чем у иного студента.

— Люблю за такие слова, — сказал польщенный заказчик. — Спасибо, сапожник! Что же ты хочешь?

И сапожник, не теряя времени, стал жаловаться на свою судьбу. Он начал с того, что с самого детства он завидовал богатым. Ему всегда было обидно, что не все люди одинаково живут в больших домах и ездят на хороших лошадях. Почему, спрашивается, он беден? Чем он хуже Кузьмы Лебедкина из Варшавы, у которого собственный дом и жена ходит в шляпке? У него такой же нос, такие же руки, ноги, голова, спина, как у богачей, так почему же он обязан работать, когда другие гуляют? Почему он женат на Марье, а не на даме, от которой пахнет духами? В домах богатых заказчиков ему часто приходится видеть красивых барышень, но они не обращают на него никакого внимания и только иногда смеются и шепчут друг другу: «Какой у этого сапожника красный нос!» Правда, Марья хорошая, добрая, работящая баба, но ведь она необразованная, рука у нее тяжелая и бьется больно, а когда приходится говорить при ней о политике или о чем-нибудь умном, то она вмешивается и несет ужасную чепуху.

— Что же ты хочешь? — перебил его заказчик.

— А я прошу, ваше высокоблагородие, Черт Иваныч, коли ваша милость, сделайте меня богатым человеком!

— Изволь. Только ведь за это ты должен отдать мне свою душу! Пока петухи еще не запели, иди и подпиши вот на этой бумажке, что отдаешь мне свою душу.

— Ваше высокоблагородие! — сказал Федор вежливо. — Когда вы мне головки заказывали, я не брал с вас денег вперед. Надо сначала заказ исполнить, а потом уж деньги требовать.

— Ну ладно! — согласился заказчик.

В ступке вдруг вспыхнуло яркое пламя, повалил густой розовый дым, и завоняло жжеными перьями и серой. Когда дым рассеялся, Федор протер глаза и увидел, что он уже не Федор и не сапожник, а какой-то другой человек, в жилетке и с цепочкой, в новых брюках, и что сидит он в кресле за большим столом. Два лакея подавали ему кушанья, низко кланялись и говорили:

— Кушайте на здоровье, ваше высокоблагородие!

Какое богатство! Подали лакеи большой кусок жареной баранины и миску с огурцами, потом принесли на сковороде жареного гуся, немного погодя — вареной свинины с хреном. И как все это благородно, политично! Федор ел и перед каждым блюдом выпивал по большому стакану отличной водки, точно генерал какой-нибудь или граф. После свинины подали ему каши с гусиным салом, потом яичницу со свиным салом и жареную печенку, и он все ел и восхищался. Но что еще? Еще подали пирог с луком и пареную репу с квасом. «И как это господа не полопаются от такой еды!» — думал он.

В заключение подали большой горшок с медом. После обеда явился черт в синих очках и спросил, низко кланяясь:

— Довольны ли вы обедом, Федор Пантелеич?

Но Федор не мог выговорить ни одного слова, так его распирало после обеда. Сытость была неприятная, тяжелая, и, чтобы развлечь себя, он стал осматривать сапог на своей левой ноге.

— За такие сапоги я меньше не брал, как семь с полтиной. Какой это сапожник шил? — спросил он.

— Кузьма Лебедкин, — ответил лакей.

— Позвать его, дурака!

Скоро явился Кузьма Лебедкин из Варшавы. Он остановился в почтительной позе у двери и спросил:

— Что прикажете, ваше высокоблагородие?

— Молчать! — крикнул Федор и топнул ногой. — Не смей рассуждать и помни свое сапожницкое звание, какой ты человек есть! Болван! Ты не умеешь сапогов шить! Я тебе всю харю побью! Ты зачем пришел?

— За деньгами-с.

— Какие тебе деньги? Вон! В субботу приходи! Человек, дай ему в шею!

Но тотчас же он вспомнил, как над ним самим мудрили заказчики, и у него стало тяжело на душе, и, чтобы развлечь себя, он вынул из кармана толстый бумажник и стал считать свои деньги. Денег было много, но Федору хотелось еще больше. Бес в синих очках принес ему другой бумажник, потолще, но ему захотелось еще больше, и чем дольше он считал, тем недовольнее становился.

Вечером нечистый привел к нему высокую, грудастую барыню в красном платье и сказал, что это его новая жена. До самой ночи он все целовался с ней и ел пряники. А ночью лежал он на мягкой пуховой перине, ворочался с боку на бок и никак не мог уснуть. Ему было жутко.

— Денег много, — говорил он жене, — того гляди, воры заберутся. Ты бы пошла со свечкой поглядела!

Всю ночь не спал он и то и дело вставал, чтобы взглянуть, цел ли сундук. Под утро надо было идти в церковь к утрени. В церкви одинаковая честь всем, богатым и бедным. Когда Федор был беден, то молился в церкви так: «Господи, прости меня грешного!» То же самое говорил он и теперь, ставши богатым. Какая же разница? А после смерти богатого Федора закопают не в золото, не в алмазы, а в такую же черную землю, как и последнего бедняка. Гореть Федор будет в том же огне, где и сапожники. Обидно все это казалось Федору, а тут еще во всем теле тяжесть от обеда, и вместо молитвы в голову лезут разные мысли о сундуке с деньгами, о ворах, о своей проданной, загубленной душе.

Вышел он из церкви сердитый. Чтоб прогнать нехорошие мысли, он, как часто это бывало раньше, затянул во все горло песню. Но только что он начал, как к нему подбежал городовой и сказал, делая под козырек:

— Барин, нельзя господам петь на улице! Вы не сапожник!

Федор прислонился спиной к забору и стал думать: чем бы развлечься?

— Барин! — крикнул ему дворник. — Не очень-то на забор напирай, шубу запачкаешь!

Федор пошел в лавку и купил себе самую лучшую гармонию, потом шел по улице и играл. Все прохожие указывали на него пальцами и смеялись.

— А еще тоже барин! — дразнили его извозчики. — Словно сапожник какой...

— Нешто господам можно безобразить? — сказал ему городовой. — Вы бы еще в кабак пошли!

— Барин, подайте милостыньки Христа ради! — вопили нищие, обступая Федора со всех сторон. — Подайте!

Раньше, когда он был сапожником, нищие не обращали на него никакого внимания, теперь же они не давали ему проходу.

А дома встретила его новая жена, барыня, одетая в зеленую кофту и красную юбку. Он хотел приласкать ее и уже размахнулся, чтобы дать ей раза́ в спину, но она сказала сердито:

— Мужик! Невежа! Не умеешь обращаться с барынями! Коли любишь, то ручку поцелуй, а драться не дозволю.

«Ну, жизнь анафемская! — подумал Федор. — Живут люди! Ни тебе песню запеть, ни тебе на гармонии, ни тебе с бабой поиграть... Тьфу!»

Только что он сел с барыней пить чай, как явился нечистый в синих очках и сказал:

— Ну, Федор Пантелеич, я свое соблюл в точности. Теперь вы подпишите бумажку и пожалуйте за мной. Теперь вы знаете, что значит богато жить, будет с вас!

И потащил Федора в ад, прямо в пекло, и черти слетались со всех сторон и кричали:

— Дурак! Болван! Осел!

В аду страшно воняло керосином, так что можно было задохнуться.

И вдруг все исчезло. Федор открыл глаза и увидел свой стол, сапоги и жестяную лампочку. Ламповое стекло было черно, и от маленького огонька на фитиле валил вонючий дым, как из трубы. Около стоял заказчик в синих очках и кричал сердито:

— Дурак! Болван! Осел! Я тебя проучу, мошенника! Взял заказ две недели тому назад, а сапоги до сих пор не готовы! Ты думаешь, у меня есть время шляться к тебе за сапогами по пяти раз на день? Мерзавец! Скотина!

Федор встряхнул головой и принялся за сапоги. Заказчик еще долго бранился и грозил. Когда он наконец успокоился, Федор спросил угрюмо:

— А чем вы, барин, занимаетесь?

— Я приготовляю бенгальские огни и ракеты. Я пиротехник.

Зазвонили к утрени. Федор сдал сапоги, получил деньги и пошел в церковь.

По улице взад и вперед сновали кареты и сани с медвежьими полостями. По тротуару вместе с простым народом шли купцы, барыни, офицеры... Но Федор уж не завидовал и не роптал на свою судьбу. Теперь ему казалось, что богатым и бедным одинаково дурно. Одни имеют возможность ездить в карете, а другие — петь во все горло песни и играть на гармонике, а в общем всех ждет одно и то же, одна могила, и в жизни нет ничего такого, за что бы можно было отдать нечистому хотя бы малую часть своей души.

А. И. Куприн
ТАПЕР

Двенадцатилетняя Тиночка Руднева влетела, как разрывная бомба, в комнату, где ее старшие сестры одевались с помощью двух горничных к сегодняшнему вечеру. Взволнованная, запыхавшаяся, с разлетевшимися кудряшками на лбу, вся розовая от быстрого бега, она была в эту минуту похожа на хорошенького мальчишку.

— Mesdames, а где же тапер? Я спрашивала у всех в доме, и никто ничего не знает. Тот говорит — мне не приказывали, тот говорит — это не мое дело... У нас постоянно, постоянно так, — горячилась Тиночка, топая каблуком о пол. — Всегда что-нибудь перепутают, забудут и потом начинают сваливать друг на друга...

Самая старшая из сестер, Лидия Аркадьевна, стояла перед трюмо. Повернувшись боком к зеркалу и изогнув назад свою прекрасную обнаженную шею, она, слегка прищуривая близорукие глаза, закалывала в волосы чайную розу. Она не выносила никакого шума и относилась к «мелюзге» с холодным и вежливым презрением. Взглянув на отражение Тины в зеркале, она заметила с неудовольствием:

— Больше всего в доме беспорядка делаешь, конечно, ты, — сколько раз я тебя просила, чтобы ты не вбегала как сумасшедшая в комнаты.

Тина насмешливо присела и показала зеркалу язык. Потом она обернулась к другой сестре, Татьяне Аркадьевне, около которой возилась на полу модистка, подметывая на живую нитку низ голубой юбки, и затараторила:

— Ну, понятно, что от нашей Несмеяны-царевны ничего, кроме наставлений, не услышишь. Танечка, голубушка, как бы ты там все это устроила. Меня никто не слушается, только смеются, когда я говорю... Танечка, пойдем, пожалуйста, а то ведь скоро шесть часов, через час и елку будем зажигать...

Тина только в этом году была допущена к устройству елки. Не далее как на прошлое Рождество ее в это время запирали с младшей сестрой Катей и с ее сверстницами в детскую, уверяя, что в зале нет никакой елки, а что «просто только пришли полотеры». Поэтому понятно, что теперь, когда Тина получила особые привилегии, равнявшие ее некоторым образом со старшими сестрами, она волновалась больше всех, хлопотала и бегала за десятерых, попадаясь ежеминутно кому-нибудь под ноги, и только усиливала общую суету, царившую обыкновенно на праздниках в рудневском доме.

Семья Рудневых принадлежала к одной из самых безалаберных, гостеприимных и шумных московских семей, обитающих испокон века в окрестностях Пресни, Новинского и Конюшков и создавших когда-то Москве ее репутацию хлебосольного города. Дом Рудневых — большой ветхий дом доекатерининской постройки, со львами на воротах, с широким подъездным двором и с массивными белыми колоннами у парадного, — круглый год с утра до поздней ночи кишел народом. Приезжали без всякого предупреждения, «сюрпризом», какие-то соседи по наровчатскому или инсарскому имению, какие-то дальние родственники, которых до сих пор никто в глаза не видал и не слыхал об их существовании, — и гостили по месяцам. К Аркаше и Мите десятками ходили товарищи, менявшие с годами свою оболочку, — сначала гимназистами и кадетами, потом юнкерами и студентами и, наконец, безусыми офицерами или щеголеватыми, преувеличенно серьезными помощниками присяжных поверенных. Девочек постоянно навещали подруги всевозможных возрастов, начиная от Катиных сверстниц, приводивших с собою в гости своих кукол, и кончая приятельницами Лидии, которые говорили о Марксе и об аграрной системе и вместе с Лидией стремились на высшие женские курсы. На праздниках, когда вся эта веселая, задорная молодежь собиралась в громадном рудневском доме, вместе с нею надолго водворялась атмосфера какой-то общей наивной, поэтической и шаловливой влюбленности.

Эти дни бывали днями полной анархии, приводившей в отчаяние прислугу. Все условные понятия о времени, разграниченном, «как у людей», чаем, завтраком, обедом и ужином, смешивались в шумной и беспорядочной суете. В то время когда одни кончали обедать, другие только что начинали пить утренний чай, а третьи целый день пропадали на катке в Зоологическом саду, куда забирали с собой гору бутербродов. Со стола никогда не убирали, и буфет стоял открытым с утра до вечера. Несмотря на это, случалось, что молодежь, проголодавшись совсем в неуказанное время, после коньков или поездки на балаганы, отправляла на кухню депутацию к Акинфычу с просьбой приготовить «что-нибудь вкусненькое». Старый пьяница, но глубокий знаток своего дела, Акинфыч сначала обыкновенно долго не соглашался и ворчал на депутацию. Тогда в ход пускалась тонкая лесть: говорили, что теперь уже перевелись в Москве хорошие повара, что только у стариков и сохранилось еще неприкосновенным уважение к святости кулинарного искусства и так далее. Кончалось тем, что задетый за живое Акинфыч сдавался и, пробуя на большом пальце острие ножа, говорил с напускной суровостью:

— Ладно уж, ладно... будет петь-то... Сколько вас там, галчата?

Ирина Алексеевна Руднева — хозяйка дома — почти никогда не выходила из своих комнат, кроме особенно торжественных, официальных случаев. Урожденная княжна Ознобишина, последний отпрыск знатного и богатого рода, она раз навсегда решила, что общество ее мужа и детей слишком «мескинно»[1] и «брютально»[2], и потому равнодушно «иньорировала» его, развлекаясь визитами к архиереям и поддержанием знакомства с такими же, как она сама, окаменелыми потомками родов, уходящих в седую древность. Впрочем, мужа своего Ирина Алексеевна не уставала даже и теперь тайно, но мучительно ревновать. И она, ве-

---

[1] Пошло (от *фр.* mesquin).
[2] Грубо (от *фр.* brutal).

роятно, имела для этого основания, так как Аркадий Николаевич, известный всей Москве гурман, игрок и щедрый покровитель балетного искусства, до сих пор еще, несмотря на свои пятьдесят с лишком лет, не утратил заслуженной репутации дамского угодника, поклонника и покорителя. Даже и теперь его можно было назвать красавцем, когда он, опоздав на десять минут к началу действия и обращая на себя общее внимание, входил в зрительную залу Большого театра — элегантный и самоуверенный, с гордо поставленной на осанистом туловище, породистой, слегка седеющей головой.

Аркадий Николаевич редко показывался домой, потому что обедал он постоянно в Английском клубе, и по вечерам ездил туда же играть в карты, если в театре не шел интересный балет. В качестве главы дома он занимался исключительно тем, что закладывал и перезакладывал то одно, то другое недвижимое имущество, не заглядывая в будущее с беспечностью избалованного судьбой грансеньора. Привыкнув с утра до вечера вращаться в большом обществе, он любил, чтобы и в доме у него было шумно и оживленно. Изредка ему нравилось сюрпризом устроить для своей молодежи неожиданное развлечение и самому принять в нем участие. Это случалось большей частью на другой день после крупного выигрыша в клубе.

— Молодые республиканцы! — говорил он, входя в гостиную и сияя своим свежим видом и очаровательной улыбкой. — Вы, кажется, скоро все заснете от ваших серьезных разговоров. Кто хочет ехать со мной за город? Дорога прекрасная:

солнце, снег и морозец. Страдающих зубной болью и мировой скорбью прошу оставаться дома под надзором нашей почтеннейшей Олимпиады Савичны...

Посылали за тройками к Ечкину, скакали сломя голову за Тверскую заставу, обедали в «Мавритании» или в «Стрельне» и возвращались домой поздно вечером, к большому неудовольствию Ирины Алексеевны, смотревшей брезгливо на эти «эскапады[1] дурного тона». Но молодежь нигде так безумно не веселилась, как именно в этих эскападах, под предводительством Аркадия Николаевича.

Неизменное участие принимал ежегодно Аркадий Николаевич и в елке. Этот детский праздник почему-то доставлял ему своеобразное, наивное удовольствие. Никто из домашних не умел лучше его придумать каждому подарок по вкусу, и потому в затруднительных случаях старшие дети прибегали к его изобретательности.

— Папа, ну что мы подарим Коле Радомскому? — спрашивали Аркадия Николаевича дочери. — Он большой такой, гимназист последнего класса... нельзя же ему игрушку...

— Зачем же игрушку? — возражал Аркадий Николаевич. — Самое лучшее купите для него хорошенький портсигар. Юноша будет польщен таким солидным подарком. Теперь очень хорошенькие портсигары продаются у Лукутина. Да, кстати, намекните этому Коле, чтобы он не стеснялся при мне курить. А то давеча, когда я вошел в гостиную, так он папироску в рукав спрятал...

---

[1] Проказы (от *фр.* escapade).

Аркадий Николаевич любил, чтобы у него елка выходила на славу, и всегда приглашал к ней оркестр Рябова. Но в этом году[1] с музыкой произошел целый ряд роковых недоразумений. К Рябову почему-то послали очень поздно; оркестр его, разделяемый на праздниках на три части, оказался уже разобранным. Маэстро в силу давнего знакомства с домом Рудневых обещал, однако, как-нибудь устроить это дело, надеясь, что в другом доме переменят день елки, но по неизвестной причине замедлил ответом, и когда бросились искать в другие места, то во всей Москве не оказалось ни одного оркестра. Аркадий Николаевич рассердился и велел отыскать хорошего тапера, но кому отдал это приказание, он и сам теперь не помнил. Этот «кто-то», наверно, свалил данное ему поручение на другого, другой — на третьего, переврав, по обыкновению, его смысл, а третий в общей сумятице и совсем забыл о нем...

Между тем пылкая Тина успела уже взбудоражить весь дом. Почтенная экономка, толстая, добродушная Олимпиада Савична, говорила, что и взаправду барин ей наказывал распорядиться о тапере, если не приедет музыка, и что она об этом тогда же сказала камердинеру Луке. Лука, в свою очередь, оправдывался тем, что его дело ходить около Аркадия Николаевича, а не бегать по городу за фортепьянщиками. На шум прибежала из барышниных комнат горничная Дуняша, подвижная и ловкая,

---

[1] Рассказ наш относится к 1885 году. Кстати заметим, что основная фабула его покоится на действительном факте, сообщенном автору в Москве М. А. З—вой, близко знавшей семью, названную в рассказе вымышленной фамилией Рудневых. *(Прим. автора.)*

как обезьяна, кокетка и болтунья, считавшая долгом ввязываться непременно в каждое неприятное происшествие. Хотя ее и никто не спрашивал, но она совалась к каждому с жаркими уверениями, что пускай ее Бог разразит на этом месте, если она хоть краешком уха что-нибудь слышала о тапере. Неизвестно, чем окончилась бы эта путаница, если бы на помощь не пришла Татьяна Аркадьевна, полная, веселая блондинка, которую вся прислуга обожала за ее ровный характер и удивительное умение улаживать внутренние междоусобицы.

— Одним словом, мы так не кончим до завтрашнего дня, — сказала она своим спокойным, слегка насмешливым, как у Аркадия Николаевича, голосом. — Как бы то ни было, Дуняша сейчас же отправится разыскивать тапера. Покамест ты будешь одеваться, Дуняша, я тебе выпишу из газеты адреса. Постарайся найти поближе, чтобы не задерживать елки, потому что сию минуту начнут съезжаться. Деньги на извозчика возьми у Олимпиады Савичны...

Едва она успела это произнести, как у дверей передней громко затрещал звонок. Тина уже бежала туда стремглав, навстречу целой толпе детишек, улыбающихся, румяных с мороза, запушенных снегом и внесших за собою запах зимнего воздуха, крепкий и здоровый, как запах свежих яблоков. Оказалось, что две большие семьи — Лыковых и Масловских — столкнулись случайно, одновременно подъехав к воротам. Передняя сразу наполнилась говором, смехом, топотом ног и звонкими поцелуями.

Звонки раздавались один за другим почти непрерывно. Приезжали все новые и новые гости. Барышни Рудневы едва успевали справляться с ними. Взрослых приглашали в гостиную, а маленьких завлекали в детскую и в столовую, чтобы запереть их там предательским образом. В зале еще не зажигали огня. Огромная елка стояла посредине, слабо рисуясь в полутьме своими фантастическими очертаниями и наполняя комнату смолистым ароматом. Там и здесь на ней тускло поблескивала, отражая свет уличного фонаря, позолота цепей, орехов и картонажей.

Дуняша все еще не возвращалась, и подвижная, как ртуть, Тина сгорала от нетерпеливого беспокойства. Десять раз подбегала она к Тане, отводила ее в сторону и шептала взволнованно:

— Танечка, голубушка, как же теперь нам быть?.. Ведь это же ни на что не похоже.

Таня сама начинала тревожиться. Она подошла к старшей сестре и сказала вполголоса:

— Я уж и не придумаю, что делать. Придется попросить тетю Соню поиграть немного... А потом я ее сама как-нибудь заменю.

— Благодарю покорно, — насмешливо возразила Лидия. — Тетя Соня будет потом нас целый год своим одолжением донимать. А ты так хорошо играешь, что уж лучше совсем без музыки танцевать.

В эту минуту к Татьяне Аркадьевне подошел, неслышно ступая своими замшевыми подошвами, Лука.

— Барышня, Дуняша просит вас на секунду выйти к ним.

— Ну что, привезла? — спросили в один голос все три сестры.

— Пожалуйте-с. Извольте-с посмотреть сами, — уклончиво ответил Лука. — Они в передней... Только что-то сомнительно-с... Пожалуйте.

В передней стояла Дуняша, еще не снявшая шубки, закиданной комьями грязного снега. Сзади ее копошилась в темном углу какая-то маленькая фигурка, разматывавшая желтый башлык, окутывавший ее голову.

— Только, барышня, не браните меня, — зашептала Дуняша, наклоняясь к самому уху Татьяны Аркадьевны. — Разрази меня Бог — в пяти местах была и ни одного тапера не застала. Вот нашла этого мальца, да уж и сама не знаю, годится ли. Убей меня Бог, только один и остался. Божится, что играл на вечерах и на свадьбах, а я почему могу знать...

Между тем маленькая фигурка, освободившись от своего башлыка и пальто, оказалась бледным, очень худощавым мальчиком в подержанном мундирчике реального училища. Понимая, что речь идет о нем, он в неловкой выжидательной позе держался в своем углу, не решаясь подойти ближе. Наблюдательная Таня, бросив на него украдкой несколько взглядов, сразу определила про себя, что этот мальчик застенчив, беден и самолюбив. Лицо у него было некрасивое, но выразительное и с очень тонкими чертами; несколько наивный вид ему придавали вихры темных волос, завивающихся «гнездышками» по обеим сторонам высокого лба, но большие серые глаза — слишком большие для такого худенького детского лица — смотрели умно, твердо и не по-детски серьезно. По первому впечатлению мальчику можно было дать лет одиннадцать-двенадцать.

Татьяна сделала к нему несколько шагов и, сама стесняясь не меньше его, спросила нерешительно:

— Вы говорите, что вам уже приходилось... играть на вечерах?

— Да... я играл, — ответил он голосом несколько сиплым от мороза и от робости. — Вам, может быть, оттого кажется, что я такой маленький...

— Ах нет, вовсе не это... Вам ведь лет тринадцать, должно быть?

— Четырнадцать-с.

— Это, конечно, все равно. Но я боюсь, что без привычки вам будет тяжело.

Мальчик откашлялся.

— О нет, не беспокойтесь... Я уже привык к этому. Мне случалось играть по целым вечерам, почти не переставая...

Таня вопросительно посмотрела на старшую сестру, Лидия Аркадьевна, отличавшаяся странным бессердечием по отношению ко всему загнанному, подвластному и приниженному, спросила со своей обычной презрительной миной:

— Вы умеете, молодой человек, играть кадриль?

Мальчик качнулся туловищем вперед, что должно было означать поклон.

— Умею-с.

— И вальс умеете?

— Да-с.

— Может быть, и польку тоже?

Мальчик вдруг густо покраснел, но ответил сдержанным тоном:

— Да, и польку тоже.

— А лансье? — продолжала дразнить его Лидия.

— Laissez done, Lidie, vous êtes impossible[1], — строго заметила Татьяна Аркадьевна.

---

[1] Перестаньте же, Лидия, вы невозможны *(фр.)*.

Большие глаза мальчика вдруг блеснули гневом и насмешкой. Даже напряженная неловкость его позы внезапно исчезла.

— Если вам угодно, mademoiselle, — резко повернулся он к Лидии, — то, кроме полек и кадрилей, я играю еще все сонаты Бетховена, вальсы Шопена и рапсодии Листа.

— Воображаю! — делано, точно актриса на сцене, уронила Лидия, задетая этим самоуверенным ответом.

Мальчик перевел глаза на Таню, в которой он инстинктивно угадал заступницу, и теперь эти огромные глаза приняли умоляющее выражение.

— Пожалуйста, прошу вас... позвольте мне что-нибудь сыграть...

Чуткая Таня поняла, как больно затронула Лидия самолюбие мальчика, и ей стало жалко его. А Тина даже запрыгала на месте и захлопала в ладоши от радости, что эта противная гордячка Лидия сейчас получит щелчок.

— Конечно, Танечка, конечно, пускай сыграет, — упрашивала она сестру, и вдруг со своей обычной стремительностью, схватив за руку маленького пианиста, она потащила его в залу, повторяя: — Ничего, ничего... Вы сыграете, и она останется с носом... Ничего, ничего.

Неожиданное появление Тины, влекшей на буксире застенчиво улыбавшегося реалиста, произвело общее недоумение. Взрослые один за другим переходили в залу, где Тина, усадив мальчика на выдвижной табурет, уже успела зажечь свечи на великолепном шредеровском фортепиано.

Реалист взял наугад одну из толстых, переплетенных в шагрень нотных тетрадей и раскрыл ее.

Затем, обернувшись к дверям, в которых стояла Лидия, резко выделяясь своим белым атласным платьем на черном фоне неосвещенной гостиной, он спросил:

— Угодно вам «Rapsodie Hongroise»[1] № 2 Листа?

Лидия пренебрежительно выдвинула вперед нижнюю губу и ничего не ответила. Мальчик бережно положил руки на клавиши, закрыл на мгновение глаза, и из-под его пальцев полились торжественные, величавые аккорды начала рапсодии. Странно было видеть и слышать, как этот маленький человечек, голова которого едва виднелась из-за пюпитра, извлекал из инструмента такие мощные, смелые, полные звуки. И лицо его как будто бы сразу преобразилось, просветлело и стало почти прекрасным; бледные губы слегка полуоткрылись, а глаза еще больше увеличились и сделались глубокими, влажными и сияющими.

Зала понемногу наполнялась слушателями. Даже Аркадий Николаевич, любивший музыку и знавший в ней толк, вышел из своего кабинета. Подойдя к Тане, он спросил ее на ухо:

— Где вы достали этого карапуза?

— Это тапер, папа, — ответила тихо Татьяна Аркадьевна. — Правда, отлично играет?

— Тапер? Такой маленький? Неужели? — удивлялся Руднев. — Скажите пожалуйста, какой мастер! Но ведь это безбожно заставлять его играть танцы.

Когда Таня рассказала отцу о сцене, происшедшей в передней, Аркадий Николаевич покачал головой.

---

[1] «Венгерская рапсодия» (*фр.*).

— Да, вот оно что... Ну, что ж делать, нельзя обижать мальчугана. Пускай поиграет, а потом мы что-нибудь придумаем.

Когда реалист окончил рапсодию, Аркадий Николаевич первый захлопал в ладоши. Другие также принялись аплодировать. Мальчик встал с высокого табурета, раскрасневшийся и взволнованный; он искал глазами Лидию, но ее уже не было в зале.

— Прекрасно играете, голубчик. Большое удовольствие нам доставили, — ласково улыбался Аркадий Николаевич, подходя к музыканту и протягивая ему руку. — Только я боюсь, что вы... как вас величать-то, я не знаю.

— Азагаров, Юрий Азагаров.

— Боюсь, я, милый Юрочка, не повредит ли вам играть целый вечер? Так вы, знаете ли, без всякого стеснения скажите, если устанете. У нас найдется здесь кому побренчать. Ну, а теперь сыграйте-ка нам какой-нибудь марш побравурнее.

Под громкие звуки марша из «Фауста» были поспешно зажжены свечи на елке. Затем Аркадий Николаевич собственноручно распахнул настежь двери столовой, где толпа детишек, ошеломленная внезапным ярким светом и ворвавшейся к ним музыкой, точно окаменела в наивно изумленных забавных позах. Сначала робко, один за другим, входили они в залу и с почтительным любопытством ходили кругом елки, задирая вверх свои милые мордочки. Но через несколько минут, когда подарки уже были розданы, зала наполнилась невообразимым гамом, писком и счастливым звонким детским хохотом. Дети точно опьянели от блеска елочных огней, от смолистого аромата, от громкой музыки и от великолепных подарков. Старшим никак не удавалось собрать их в хоровод вокруг елки, потому что то один, то другой вырывался из круга и бежал к своим игрушкам, оставленным кому-нибудь на временное хранение.

Тина, которая после внимания, оказанного ее отцом Азагарову, окончательно решила взять мальчика под свое покровительство, подбежала к нему с самой дружеской улыбкой.

— Пожалуйста, сыграйте нам польку.

Азагаров заиграл, и перед его глазами закружились белые, голубые и розовые платьица, короткие юбочки, из-под которых быстро мелькали белые кружевные панталончики, русые и черные головки в шапочках из папиросной бумаги. Играя, он машинально прислушивался к равномерному шарканью множества ног под такт его музыки, как вдруг необычайное волнение, пробежавшее по всей зале, заставило его повернуть голову ко входным дверям.

Не переставая играть, он увидел, как в залу вошел пожилой господин, к которому, точно по волшебству, приковались глаза всех присутствующих. Вошедший был немного выше среднего роста и довольно широк в кости, но не полн. Держался он с такой изящной, неуловимо небрежной и в то же время величавой простотой, которая свойственна только людям большого света. Сразу было видно, что этот человек привык чувствовать себя одинаково свободно и в маленькой гостиной, и перед тысячной толпой, и в залах королевских дворцов. Всего замечательнее было его лицо — одно из тех лиц, которые запечатлеваются в памяти на всю жизнь с первого взгляда: большой четырехугольный лоб был изборожден суровыми, почти гневными морщинами; глаза, глубоко сидевшие в орбитах, с повисшими над ними складками верхних век, смотрели тяжело, утомленно и недовольно, узкие бритые губы были энергично и крепко сжаты, указывая на железную волю в характере незнакомца, а нижняя челюсть, сильно выдвинувшаяся вперед и твердо обрисованная, придавала физиономии отпечаток властности и упорства. Общее впечатление довершала длинная грива густых, небрежно заброшенных назад волос, делавшая эту характерную, гордую голову похожей на львиную...

Юрий Азагаров решил в уме, что новоприбывший гость, должно быть, очень важный господин, потому что даже чопорные пожилые дамы встретили его почтительными улыбками, когда он вошел в залу, сопровождаемый сияющим Аркадием Николаевичем. Сделав несколько общих поклонов, незнакомец быстро прошел вместе с Рудневым в кабинет, но Юрий слышал, как он говорил на ходу о чем-то просившему его хозяину:

— Пожалуйста, добрейший мой Аркадий Николаевич, не просите. Вы знаете, как мне больно вас огорчать отказом...

— Ну хоть что-нибудь, Антон Григорьевич. И для меня, и для детей это будет навсегда историческим событием, — продолжал просить хозяин.

В это время Юрия попросили играть вальс, и он не услышал, что ответил тот, кого называли Антоном Григорьевичем. Он играл поочередно вальсы, польки и кадрили, но из его головы не выходило царственное лицо необыкновенного гостя. И тем более он был изумлен, почти испуган, когда почувствовал на себе чей-то взгляд, и, обернувшись вправо, он увидел, что Антон Григорьевич смотрит на него со скучающим и нетерпеливым видом и слушает, что ему говорит на ухо Руднев.

Юрий понял, что разговор идет о нем, и отвернулся от них в смущении, близком к непонятному страху. Но тотчас же, в тот же самый момент, как ему казалось потом, когда он уже взрослым проверял свои тогдашние ощущения, над его ухом раздался равнодушно-повелительный голос Антона Григорьевича:

— Сыграйте, пожалуйста, еще раз рапсодию № 2.

Он заиграл, сначала робко, неуверенно, гораздо хуже, чем он играл в первый раз, но понемногу к нему вернулись смелость и вдохновение. Присутствие *того*, властного и необыкновенного человека почему-то вдруг наполнило его душу артистическим волнением и придало его пальцам исключительную гибкость и послушность. Он сам чувствовал, что никогда еще не играл в своей жизни так хорошо, как в этот раз, и, должно быть, не скоро будет еще так хорошо играть.

Юрий не видел, как постепенно прояснялось хмурое чело Антона Григорьевича и как смягчалось мало-помалу строгое выражение его губ, но когда он кончил при общих аплодисментах и обернулся в ту сторону, то уже не увидел этого привлекательного и странного человека. Зато к нему подходил с многозначительной улыбкой, таинственно подымая вверх брови, Аркадий Николаевич Руднев.

— Вот что, голубчик Азагаров, — заговорил почти шепотом Аркадий Николаевич, — возьмите этот конвертик, спрячьте в карман и не потеряйте, — в нем деньги. А сами идите сейчас же в переднюю и одевайтесь. Вас довезет Антон Григорьевич.

— Но ведь я могу еще хоть целый вечер играть, — возразил было мальчик.

— Тсс!.. — закрыл глаза Руднев. — Да неужели вы не узнали его? Неужели вы не догадались, кто это?

Юрий недоумевал, раскрывая все больше и больше свои огромные глаза. Кто же это мог быть, этот удивительный человек?

— Голубчик, да ведь это Рубинштейн. Понимаете ли, Антон Григорьевич Рубинштейн! И я вас, дорогой мой, от души поздравляю и радуюсь, что у меня на елке вам совсем случайно выпал такой подарок. Он заинтересован вашей игрой...

Реалист в поношенном мундире давно уже известен теперь всей России как один из талантливейших композиторов, а необычайный гость с царственным лицом еще раньше успокоился навсегда от своей бурной, мятежной жизни, жизни мученика и триумфатора. Но никогда и никому Азагаров не передавал тех священных слов, которые ему говорил, едучи с ним в санях, в эту морозную рождественскую ночь его великий учитель.

А. С. Грин

НОВОГОДНИЙ ПРАЗДНИК ОТЦА И МАЛЕНЬКОЙ ДОЧЕРИ

I

В городе Коменвиль, не блещущем чистотой, ни торговой бойкостью, ни всем тем, что являет раздражающий, угловатый блеск больших или же живущих лихорадочно городов, поселился ради тишины и покоя ученый Эгмонд Дрэп.

Здесь лет пятнадцать назад начал он писать двухтомное ученое исследование.

Идея этого сочинения овладела им, когда он был еще студентом. Дрэп вел полунищенскую жизнь, отказывал себе во многом, так как не имел состояния; его случайный заработок выражался маленькими цифрами гонорара за мелкие переводы и корреспонденции; все свободное время, тщательно оберегая его, он посвящал своему труду, забывая часто о еде и сне. Постепенно дошел он до того, что не интересовался уже ничем, кроме сочинения и своей дочери Тавинии Дрэп. Она жила у родственников.

Ей было шесть лет, когда умерла мать. Раз или два в год ее привозила к нему старуха с орлиным носом, смотревшая так, как будто хотела повесить Дрэпа за его нищету и рассеянность, за все те внешние проявления пылающего внутреннего мира, которые видела в образе трубочного пепла и беспорядка, смахивающего на разрушение.

Год от году беспорядок в тесной квартире Дрэпа увеличивался, принимал затейливые очертания сна или футуристического рисунка со смешением разнородных предметов в противоестественную коллекцию, но увеличивалась также и стопа его рукописи, лежащей в среднем отделении небольшого шкапа. Давно уже терпела она соседство всякого хлама.

Скомканные носовые платки, сапожные щетки, книги, битая посуда, какие-то рамки и фотографии и много других вещей, покрытых пылью, валялось на широкой полке среди тетрадей, блокнотов или просто перевязанных бечевкой разнообразных обрывков, на которых в нетерпении разыскать приличную бумагу нервный и рассеянный Дрэп писал свои внезапные озарения.

Года три назад, как бы опомнясь, он сговорился с женой швейцара: она должна была за некоторую плату раз в день производить уборку квартиры. Но раз Дрэп нашел, что порядок или, вернее, привычное смешение предметов на его письменном столе перешло в уродливую симметрию, благодаря которой он тщетно разыскивал заметки, сделанные на манжетах, прикрытых, для неподвижности, бронзовым массивным орлом, и, уследив наконец потерю в корзине с грязным бельем, круто разошелся с наемницей, хлопнув напослед дверью, в ответ чему выслушал запальчивое сомнение в благополучном состоянии своих умственных способностей. После этого Дрэп боролся с жизнью один.

II

Смеркалось, когда, надев шляпу и пальто, Дрэп заметил наконец, что долго стоит перед шкапом, усиливаясь вспомнить, что хотел сделать. Ему это удалось, когда он взглянул на телеграмму.

«Мой дорогой папа, — значилось там, — я буду сегодня в восемь. Целую и крепко прижимаюсь к тебе. Тави». Дрэп вспомнил, что собрался на вокзал.

Два дня назад была им сунута в шкап мелкая ассигнация, последние его деньги, на которые рассчитывал он взять извозчика, а также купить чего-либо съестного. Но он забыл, куда сунул ее, некстати задумавшись перед тем о тридцать второй главе; об этой же главе думал он и теперь, пока текст телеграммы не разорвал привычные чары. Он увидел милое лицо Тави и засмеялся.

Теперь все его мысли были о ней. С судорожным нетерпением бросился он искать деньги, погрузив руки во внутренности третьей полки, куда складывал все исписанное.

Упругие слои бумаги сопротивлялись ему. Быстро осмотрясь, куда сложить все это, Дрэп выдвинул из-под стола сорную корзину и стал втискивать в нее рукописи, иногда останавливаясь, чтобы пробежать случайно мелькнувшую на обнаженной странице фразу или проверить ход мыслей, возникших годы назад в связи с этим трудом.

Когда Дрэп начинал думать о своей работе или же просто вспоминал ее, ему казалось, что не было совсем в его жизни времени, когда не было бы в его душе или на его столе этой работы. Она родилась, росла, развивалась и жила с ним, как развивается и растет человек. Для него была подобна она радуге, скрытой пока туманом напряженного творчества, или же видел он ее в образе золотой цепи, связывающей берега бездны; еще представлял он ее громом и вихрем, сеющим истину. Он и она были одно.

Он разыскал ассигнацию, застрявшую в пустой сигарной коробке, взглянул на часы и, увидев, что до восьми осталось всего пять минут, выбежал на улицу.

III

Через несколько минут после этого Тави Дрэп была впущена в квартиру отца мрачным швейцаром.

— Он уехал, барышня, — сказал он, входя вместе с девочкой, синие глаза которой отыскали тень улыбки в бородатом лице, — он уехал и, я думаю, отправился встречать вас. А вы, знаете, выросли.

— Да, время идет, — согласилась Тави с сознанием, что четырнадцать лет — возраст уже почтенный.

На этот раз она приехала одна, как большая, и скромно гордилась этим. Швейцар вышел.

Девочка вошла в кабинет.

— Это конюшня, — сказала она, подбирая в горестном изумлении своем какое-нибудь сильное сравнение тому, что увидела. — Или невыметенный амбар. Как ты одинок, папа, труженик мой! А завтра ведь Новый год!

Вся трепеща от любви и жалости, она сняла свое хорошенькое шелковое пальто, расстегнула и засучила рукава. Через мгновение захлопали и застучали бесчисленные увесистые томы, решительно сброшенные ею в угол отовсюду, где только находила она их в ненадлежащем месте. Была открыта форточка; свежий воздух прозрачной струей потек в накуренную до темноты, нетопленную, сырую комнату.

Тави разыскала скатерть, спешно перемыла посуду; наконец, затопила камин, набив его туго сорной бумагой, вытащенной из корзины, сором и остатками угля, разысканного на кухне; затем вскипятила кофе. С ней была ее дорожная провизия, и она разложила ее покрасивее на столе. Так хлопоча, улыбалась и напевала она, представляя, как удивится Дрэп, как будет ему приятно и хорошо.

Между тем, завидев в окне свет, он, подходя к дому, догадался, что его маленькая, добрая Тави уже приехала и ожидает его, что они разминулись. Он вошел неслышно. Она почувствовала, что на ее лицо, закрыв сзади глаза, легли большие, сильные и осторожные руки, и, обернувшись, порывисто обняла его, прижимая к себе и теребя, как ребенка.

— Папа, ты, детка мой, измучилась без тебя! — кричала она, пока он гладил и целовал дочь, жадно всматриваясь в это хорошенькое, нервное личико, сияющее ему всей радостью встречи.

— Боже мой, — сказал он, садясь и снова обнимая ее, — полгода я не видел тебя. Хорошо ли ты ехала?

— Прекрасно. Прежде всего, меня отпустили одну, поэтому я могла наслаждаться жизнью без воркотни старой Цецилии. Но, представь, мне все-таки пришлось принять массу услуг от посторонних людей. Почему это? Но слушай: ты ничего не видишь?

— Что же? — сказал, смеясь, Дрэп. — Ну, вижу тебя.

— А еще?

— Что такое?

— Глупый, рассеянный, ученый дикарь, да посмотри же внимательнее!

Теперь он увидел.

Стол был опрятно накрыт чистой скатертью, с расставленными на нем приборами; над кофейником вился пар; хлеб, фрукты, сыр и куски стремительно нарезанного паштета являли картину, совершенно непохожую на его обычную манеру есть расхаживая или стоя, с книгой перед глазами. Пол был выметен, и мебель расставлена поуютнее. В камине пылало его случайное топливо.

— Понимаешь, что надо было торопиться, поэтому все вышло как яичница, но завтра я возьму все в руки и все будет блестеть.

Тронутый Дрэп нежно посмотрел на нее, затем взял ее перепачканные руки и похлопал ими одна о другую.

— Ну, будем теперь выколачивать пыль из тебя. Где же ты взяла дров?

— Я нашла на кухне немного угля.

— Вероятно, какие-нибудь крошки.

— Да, но тут было столько бумаги. В той корзине.

Дрэп, не понимая еще, пристально посмотрел на нее, смутно встревоженный.

— В какой корзине, ты говоришь? Под столом?

— Ну да же! Ужас тут было хламу, но горит он неважно.

Тогда он вспомнил и понял.

IV

Он стал разом седеть, и ему показалось, что наступил внезапный мрак. Не сознавая, что делает, он протянул руку к электрической лампе и повернул выключатель. Это спасло девочку от некоего момента в выражении лица Дрэпа — выражения, которого она уже не могла бы забыть. Мрак хватил его по лицу и вырвал сердце.

Несколько мгновений казалось ему, что он неудержимо летит к стене, разбиваясь о ее камень бесконечным ударом.

— Но, папа, — сказала удивленная девочка, возвращая своей бестрепетной рукой яркое освещение, — неужели ты такой любитель потемок? И где ты так припылил волосы?

Если Дрэп в эти мгновения не помешался, то лишь благодаря счастливому свежему голосу, рассекшему его состояние нежной чертой. Он посмотрел на Тави. Прижав сложенные руки к щеке, она воззрилась на него с улыбкой и трогательной заботой. Ее светлый внутренний мир был защищен любовью.

— Хорошо ли тебе, папа? — сказала она. — Я торопилась к твоему приходу, чтобы ты отдохнул. Но отчего ты плачешь? Не плачь, мне горько!

Дрэп еще пыхтел, разбиваясь и корчась в муках неслышного стона, но сила потрясения перевела в его душу с яркостью дня все краткое удовольствие ребенка видеть его в чистоте и тепле, и он нашел силу заговорить.

— Да, — сказал он, отнимая от лица руки, — я больше не пролью слез. Это смешно, что есть движения сердца, за которые стоит, может быть, заплатить целой жизнью. Я только теперь понял это. Работая — а мне понадобится еще лет пять, — я буду вспоминать твое сердце и заботливые твои ручки. Довольно об этом.

— Ну, вот мы и дома!

М. М. Зощенко
СВЯТОЧНАЯ ИСТОРИЯ

Нынче святочных рассказов никто не пишет. Главная причина — ничего такого святочного в жизни не осталось.

Всякая рождественская чертовщина, покойники и чудеса отошли, как говорится, в область предания.

Покойники, впрочем, остались. Про одного покойника могу вам, граждане, рассказать.

Эта истинная быль случилась перед Рождеством. В сентябре месяце.

Поведал мне об этой истории один врач по внутренним и детским болезням.

Был этот врач довольно старенький и весь седой. Через этот факт он поседел или вообще поседел — неизвестно. Только действительно был он седой, и голос у него был сильный и надломленный.

То же и насчет голоса. Неизвестно, на чем голос он пропил. На факте или вообще.

Но дело не в этом.

А сидит раз этот врач в своем кабинете и думает: «Пациент-то, думает, нынче нестоющий пошел. То есть каждый норовит по страхкарточке лечиться. И нет того, чтобы к частному врачу зайти. Прямо хоть закрывай лавочку».

И вдруг звонок.

Входит гражданин средних лет и жалуется врачу на недомогание. И сердце, дескать, у него все время останавливается, и вообще чувствует он, что помрет вскоре после этого визита.

Осмотрел врач больного — ничего такого. Совершенно как бык здоровый, розовый, и усы кверху закручены. И все на месте.

Прописал врач больному нашатырно-анисовых капель, принял за визит семь гривен, покачал головой. На том они и расстались.

На другой день в это же время приходит к врачу старушонка в черном платке. Поминутно сморкается и плачет. Говорит:

— Давеча, говорит, приходил к вам мой любимый племянник Василий Леденцов. Так он, видите ли, в ночь на сегодня скончался. Нельзя ли ему после этого выдать свидетельство о смерти.

Врач говорит:

— Очень, говорит, удивительно, что он скончался. От анисовых капель редко кончаются. Тем не менее, говорит, свидетельство о смерти выдать не могу — надо мне увидеть покойника.

Старушка говорит:

— Очень великолепно, идемте за мной. Тут недалече.

Взял врач с собой инструмент, надел, заметьте, калоши и вышел со старушкой.

И вот поднимаются они в пятый этаж. Входят в квартиру. Действительно, ладаном попахивает. Покойник на столе расположен. Свечки горят вокруг. И старушка где-то жалобно хрюкает.

И так врачу стало на душе скучно и противно.

«Экий я, думает, старый хрен, каково смертельно ошибся в пациенте. Какая канитель за семь гривен».

Присаживается он к столу и быстро пишет удостоверение. Написал, подал старушке и, не попрощавшись, поскорее вышел.

Вышел. Дошел до ворот. И вдруг вспомнил: мать честная, калоши позабыл.

«Экая, думает, неперка за семь гривен. Придется опять наверх ползти».

Поднимается он вновь по лестнице. Входит в квартиру. Дверь, конечно, открыта. И вдруг видит: сидит покойник Василий Леденцов на столе и сапог зашнуровывает. Зашнуровывает он сапог и со старушкой о чем-то препирается. А старушка ходит вокруг стола и пальцем свечки гасит. Послюнит палец и гасит.

Очень удивился этому врач, хотел с испугу вскрикнуть, однако сдержался и как был без калош — кинулся прочь.

Прибежал домой, упал на кушетку и со страху зубами лязгает. После выпил нашатырно-анисовых капель, успокоился и позвонил в милицию.

А на другой день милиция выяснила всю эту историю.

Оказалось: агент по сбору объявлений, Василий Митрофанович Леденцов, присвоил три тысячи казенных денег. С этими деньгами он хотел начисто смыться и начать новую великолепную жизнь.

Одначе не пришлось.

Калоши врачу вернули к Рождеству, в самый сочельник.

И. А. Бунин

ИДА

Однажды на Святках завтракали мы вчетвером — три старых приятеля и некто Георгий Иванович — в Большом Московском.

По случаю праздника в Большом Московском было пусто и прохладно. Мы прошли старый зал, бледно освещенный серым морозным днем, и приостановились в дверях нового, выбирая, где поуютней сесть, оглядывая столы, только что покрытые белоснежными тугими скатертями. Сияющий чистотой и любезностью распорядитель сделал скромный и изысканный жест в дальний угол, к круглому столу перед полукруглым диваном. Пошли туда.

— Господа, — сказал композитор, заходя на диван и валясь на него своим коренастым туловищем, — господа, я нынче почему-то угощаю и хочу пировать на славу. — Раскиньте же нам, услужающий, самобранную скатерть как можно щедрее, — сказал он, обращая к половому свое широкое мужицкое лицо с узкими глазками. — Вы мои королевские замашки знаете.

— Как не знать, пора наизусть выучить, — сдержанно улыбаясь и ставя перед ним пепельницу, ответил старый умный половой с чистой серебряной бородкой. — Будьте покойны, Павел Николаевич, постараемся...

И через минуту появились перед нами рюмки и фужеры, бутылки с разноцветными водками, розовая семга, смугло-телесный балык, блюдо с раскрытыми на ледяных осколках раковинами, оранжевый квадрат честера, черная блестящая глыба паюсной икры, белый и потный от холода ушат с шампанским... Начали с перцовки. Композитор любил наливать сам. И он налил три рюмки, потом шутливо замедлился:

— Святейший Георгий Иванович, и вам позволите?

Георгий Иванович, имевший единственное и престранное занятие — быть другом известных писателей, художников, артистов, — человек весьма тихий и неизменно прекрасно настроенный, нежно покраснел — он всегда краснел перед тем, как сказать что-нибудь, — и ответил с некоторой бесшабашностью и развязностью:

— Даже и очень, грешнейший Павел Николаевич!

И композитор налил и ему, легонько стукнул рюмкой о наши рюмки, махнул водку в рот со словами: «Дай Боже!» — и, дуя себе в усы, принялся за закуски. Принялись и мы, и занимались этим делом довольно долго. Потом заказали уху и закурили. В старой зале нежно и грустно запела, укоризненно зарычала машина. И композитор, откинувшись к спинке дивана, затягиваясь папиросой и, по своему обыкновению, набирая в свою высоко поднятую грудь воздуху, сказал:

— Дорогие друзья, мне, невзирая на радость утробы моей, нынче грустно. А грустно мне потому, что вспомнилась мне нынче, как только я проснулся, одна небольшая история, случившаяся с одним моим приятелем, форменным, как оказалось впоследствии, ослом, ровно три года тому назад, на второй день Рождества...

— История небольшая, но, вне всякого сомнения, амурная, — сказал Георгий Иванович со своей девичьей улыбкой.

Композитор покосился на него.

— Амурная? — сказал он холодно и насмешливо. — Ах, Георгий Иванович, Георгий Иванович, как вы будете за всю вашу порочность и беспощадный ум на Страшном суде отвечать? Ну, да Бог с вами. «Je veux un tresor qui les contient tous, je veux la jeunesse!»[1] — поднимая брови, запел он под машину, игравшую «Фауста», и продолжал, обращаясь к нам:

— Друзья мои, вот эта история. В некоторое время, в некотором царстве, ходила в дом некоего господина некоторая девица, подруга его жены по курсам, настолько незатейливая, милая, что господин звал ее просто Идой, то есть только по имени. Ида да Ида, он даже отчества ее не знал хорошенько. Знал только, что она из порядочной, но малосостоятельной семьи, дочь музыканта, бывшего когда-то известным дирижером, живет при родителях, ждет, как полагается, жениха — и больше ничего...

Как вам описать эту Иду? Расположение господин чувствовал к ней большое, но внимания, повторяю, обращал на нее, собственно говоря, ноль.

---

[1] «Я хочу обладать сокровищем, которое вмещает в себе все, я хочу молодости!» *(фр.)*

Придет она — он к ней: «А-а, Ида, дорогая! Здравствуйте, здравствуйте, душевно рад вас видеть!» А она в ответ только улыбается, прячет носовой платочек в муфту, глядит ясно, по-девичьи (и немножко бессмысленно): «Маша дома?» — «Дома, дома, милости просим...» — «Можно к ней?» И спокойно идет через столовую к дверям Маши: «Маша, к тебе можно?» Голос грудной, до самых жабр волнующий, а к этому голосу прибавьте все прочее: свежесть молодости, здоровья, благоухание девушки, только что вошедшей в комнату с мороза... затем довольно высокий рост, стройность, редкую гармоничность и естественность движений... Было и лицо у нее редкое, — на первый взгляд как будто совсем обыкновенное, а приглядись — залюбуешься: тон кожи ровный, теплый — тон какого-нибудь самого первого сорта яблока, — цвет фиалковых глаз живой, полный...

Да, приглядись — залюбуешься. А этот болван, то есть герой нашего рассказа, поглядит, придет в телячий восторг, скажет: «Ах, Ида, Ида, цены вы себе не знаете!» — увидит ее ответную, милую, но как будто не совсем внимательную улыбку — и уйдет к себе, в свой кабинет, и опять займется какой-нибудь чепухой, называемой творчеством, черт бы его побрал совсем. И так вот и шло время, и так наш господин даже никогда и не задумался об этой самой Иде мало-мальски серьезно — и совершенно, можете себе представить, не заметил, как она, в одно прекрасное время, исчезла куда-то. Нет и нет Иды, а он даже не догадывается у жены спросить: а куда же, мол, наша Ида девалась? Вспомнит иной раз, почувствует, что ему чего-то недостает, вообразит сладкую муку, с которой он мог бы обнять ее стан, мысленно увидит ее беличью муфточку, цвет ее лица и фиалковых глаз, ее прелестную руку, ее английскую юбку, затоскует на минуту — и опять забудет. И прошел таким образом год, прошел другой... Как вдруг понадобилось однажды ему ехать в западный край...

Дело было на самое Рождество. Но, невзирая на то, ехать было необходимо. И вот, простясь с рабами и домочадцами, сел наш господин на борзого коня и поехал. Едет день, едет ночь и доезжает наконец до большой узловой станции, где нужно пересаживаться. Но доезжает, надо заметить, со значительным опозданием и посему, как только стал поезд замедлять возле платформы ход, выскакивает из вагона, хватает за шиворот первого попавшегося носильщика и кричит: «Не ушел еще курьерский туда-то?» А носильщик вежливо усмехается и молвит: «Только что ушел-с. Ведь вы на целых полтора часа изволили опоздать». — «Как, негодяй? Ты шутишь? Что ж я теперь делать буду? В Сибирь тебя, на каторгу, на плаху!» — «Мой грех; мой грех, — отвечает носильщик, — да повинную голову и меч не сечет, ваше сиятельство. Извольте подождать пассажирского...» И поник головой и покорно побрел наш знатный путешественник на станцию...

На станции же оказалось весьма людно и приятно, уютно, тепло. Уже с неделю несло вьюгой, и на железных дорогах все спуталось, все расписания пошли к черту, на узловых станциях было полным-полно. То же самое было, конечно, и здесь. Везде народ и вещи, и весь день открыты буфеты, весь день пахнет кушаньями, самоварами, что, как известно, очень неплохо в мороз и вьюгу.

А кроме того, был этот вокзал богатый, просторный, так что мгновенно почувствовал путешественник, что не было бы большой беды просидеть в нем даже сутки. «Приведу себя в порядок, потом изрядно закушу и выпью», — с удовольствием подумал он, входя в пассажирскую залу, и тотчас же приступил к выполнению своего намерения. Он побрился, умылся, надел чистую рубаху и, выйдя через четверть часа из уборной помолодевшим на двадцать лет, направился к буфету. Там он выпил одну, затем другую, закусил сперва пирожком, потом жидовской щукой и уже хотел было еще выпить, как вдруг услыхал за спиной своей какой-то страшно знакомый, чудеснейший в мире женский голос. Тут он, конечно, «порывисто» обернулся — и, можете себе представить, кого увидел перед собой? Иду!

От радости и удивления первую секунду он даже слова не мог произнести и только, как баран на новые ворота, смотрел на нее. А она — что значит, друзья мои, женщина! — даже бровью не моргнула. Разумеется, и она не могла не удивиться и даже изобразила на лице некоторую радость, но спокойствие, говорю, сохранила отменное. «Дорогой мой, — говорит, — какими судьбами? Вот приятная встреча!» И по глазам видно, что говорит правду, но говорит уж как-то чересчур просто и совсем, совсем не с той манерой, как говорила когда-то, главное же... чуть-чуть насмешливо, что ли. А господин наш вполне опешил еще и оттого, что и во всем прочем совершенно неузнаваема стала Ида: как-то удивительно расцвела вся, как расцветает какой-нибудь великолепнейший цветок в чистейшей воде, в каком-нибудь этаком хрустальном бокале, а соответственно с этим и одета: большой скромности большого кокетства и дьявольских денег зимняя шляпка, на плечах тысячная соболья накидка... Когда господин неловко и смиренно поцеловал ее руку в ослепительных перстнях, она слегка кивнула шляпкой назад, через плечо небрежно сказала: «Познакомьтесь кстати с моим мужем», — и тотчас же быстро выступил из-за нее и скромно, но молодцом, по-военному, представился студент.

— Ах, наглец! — воскликнул Георгий Иванович. — Обыкновенный студент?

— Да в том-то и дело, дорогой Георгий Иванович, что необыкновенный, — сказал композитор с невеселой усмешкой. — Кажется, за всю жизнь не видал наш господин такого, что называется, благородного, такого чудесного, мраморного юношеского лица. Одет щеголем: тужурка из того самого тонкого светло-серого сукна, что носят только самые большие франты, плотно облегающая ладный торс, панталоны со штрипками, темно-зеленая фуражка прусского образца и роскошная николаевская шинель с бобром. А при всем том симпатичен и скромен тоже на редкость. Ида пробормотала одну из самых знаменитых русских фамилий, а он быстро снял фуражку рукой в белой замшевой перчатке, — в фуражке, конечно, мелькнуло красное муаровое дно, — быстро обнажил другую руку, тонкую, бледно-лазурную и от перчатки немножко как бы в муке, щелкнул каблуками и почтительно уронил на грудь небольшую и тщательно причесанную голову. «Вот так штука!» — еще изумленнее подумал наш герой, еще раз тупо взглянул на Иду — и мгновенно понял по взгляду, которым она скользнула по студенту, что, конечно, она царица, а он раб, но раб, однако, не простой, а несущий свое рабство с величайшим удовольствием и даже гордостью. «Очень, очень рад познакомиться! — от всей души сказал этот раб и с бодрой и приятной улыбкой выпрямился. — И давний поклонник ваш, и много слышал о вас от Иды», — сказал он, дружелюбно глядя, и уже хотел было пуститься в дальнейшую, приличествующую случаю беседу, как неожиданно был перебит: «Помолчи, Петрик, не конфузь меня, — сказала Ида поспешно и обратилась к господину: — Дорогой мой, но я вас тысячу лет не видала! Хочется без конца говорить с вами, но совсем нет охоты говорить при нем. Ему неинтересны наши воспоминания, будет только скучно и от скуки неловко, поэтому пойдем, походим по платформе...» И, сказав так, взяла она нашего путника под руку и повела на платформу, а по платформе ушла с ним чуть не за версту, где снег был чуть не по колено, и — неожиданно изъяснилась там в любви к нему...

— То есть как в любви? — в один голос спросили мы.

Композитор, вместо ответа, опять набрал воздуху в грудь, надуваясь и поднимая плечи. Он опустил глаза и, мешковато приподнявшись, потащил из серебряного ушата, из шуршащего льда, бутылку, налил себе самый большой фужер. Скулы его зарделись, короткая шея покраснела. Сгорбившись, стараясь скрыть смущение, он выпил вино до дна, затянул было под машину: «Laisse-moi, laisse-moi conlempler ton visage!»[1] — но тотчас же

---

[1] «Дай мне, дай мне наглядеться на твое лицо!» *(фр.)*

оборвал и, решительно подняв на нас еще более сузившиеся глаза, сказал:

— Да, то есть так в любви... И объяснение это было, к несчастью, самое настоящее, совершенно серьезное. Глупо, дико, неожиданно, неправдоподобно? Да, разумеется, но — факт. Было именно так, как я вам докладываю. Пошли они по платформе, и тотчас начала она быстро и с притворным оживлением расспрашивать его о Маше, о том, как, мол, она поживает и как поживают их общие московские знакомые, что вообще новенького в Москве и так далее, затем сообщила, что замужем она уже второй год, что жили они с мужем это время частью в Петербурге, частью за границей, а частью в их именье под Витебском... Господин же только поспешно шел за ней и уже чувствовал, что дело что-то неладно, что сейчас будет что-то дурацкое, неправдоподобное, и во все глаза смотрел на белизну снежных сугробов, в невероятном количестве заваливших все и вся вокруг — все эти платформы, пути, крыши построек и красных и зеленых вагонов, сбившихся на всех путях... смотрел и с страшным замиранием сердца понимал только одно: то, что, оказывается, он уже много лет зверски любит эту самую Иду. И вот, можете себе представить, что произошло дальше: дальше произошло то, что на какой-то самой дальней, боковой платформе Ида подошла к каким-то ящикам, смахнула с одного из них снег муфтой, села и, подняв на господина свое слегка побледневшее лицо, свои фиалковые глаза, до умопомрачения неожиданно, без передышки сказала ему: «А теперь, дорогой, ответьте мне еще на один вопрос: знали ли вы и знаете ли вы теперь, что я любила вас целых пять лет и люблю до сих пор?»

Машина, до этой минуты рычавшая вдали неопределенно и глухо, вдруг загрохотала героически, торжественно и грозно. Композитор смолк и поднял на нас как бы испуганные и удивленные глаза. Потом негромко произнес:

— Да, вот что сказала она ему... А теперь позвольте спросить: как изобразить всю эту сцену дурацкими человеческими словами? Что я могу сказать вам, кроме пошлостей, про это поднятое лицо, освещенное бледностью того особого снега, что бывает после метелей, и про нежнейший, неизъяснимый тон этого лица, тоже подобный этому снегу, вообще про лицо молодой, прелестной женщины, на ходу надышавшейся снежным воздухом и вдруг признавшейся вам в любви и ждущей от вас ответа на это признание? Что я сказал про ее глаза? Фиалковые? Не то, не то, конечно! А полураскрытые губы? А выражение, выражение всего этого в общем, вместе, то есть лица, глаз и губ? А длинная соболья муфта, в которую были спрятаны ее руки, а колени, которые обрисовывались под какой-то клетчатой сине-зеленой шотландской материей? Боже мой, да разве можно даже касаться словами всего этого! А главное, главное: что же можно было ответить на это сногсшибательное по неожиданности, ужасу и счастью признание, на выжидающее выражение этого доверчиво поднятого, побледневшего и исказившегося (от смущения, от какого-то подобия улыбки) лица?

Мы молчали, тоже не зная, что сказать, что ответить на все эти вопросы, с удивлением глядя на сверкающие глазки и красное лицо нашего приятеля. И он сам ответил себе:

— Ничего, ничего, ровно ничего! Есть мгновения, когда ни единого звука нельзя вымолвить. И к счастью, к великой чести нашего путешественника, он ничего и не вымолвил. И она поняла его окаменение, она видела его лицо. Подождав некоторое время, побыв неподвижно среди того нелепого и жуткого молчания, которое последовало после ее страшного вопроса, она поднялась и, вынув теплую руку из теплой, душистой муфты, обняла его за шею и нежно и крепко поцеловала одним из тех поцелуев, что помнятся потом не только до гробовой доски, но и в могиле. Да-с, только и всего: поцеловала — и ушла. И тем вся эта история и кончилась... И вообще довольно об этом, — вдруг резко меняя тон, сказал композитор и громко, с напускной веселостью прибавил: — И давайте по сему случаю пить на сломную голову! Пить за всех любивших нас, за всех, кого мы, идиоты, не оценили, с кем мы были счастливы, блаженны, а потом разошлись, растерялись в жизни навсегда и навеки и все же навеки связаны самой страшной в мире связью! И давайте условимся так: тому, кто в добавление ко всему вышеизложенному прибавит еще хоть единое слово, я пущу в череп вот этой самой шампанской бутылкой. — Услужающий! — закричал он на всю залу. — Несите уху! И хересу, хересу, бочку хересу, чтобы я мог окунуть в него морду прямо с рогами!

Завтракали мы в этот день до одиннадцати часов вечера. А после поехали к Яру, а от Яра — в Стрельну, где перед рассветом ели блины, потребовали водки самой простой, с красной головкой, и вели себя в общем возмутительно: пели, орали и даже плясали казачка. Композитор плясал молча, свирепо и восторженно, с легкостью необыкновенной для его фигуры. А неслись мы на тройке домой уже совсем утром, страшно морозным и розовым. И когда неслись мимо Страстного монастыря, показалось из-за крыш ледяное красное солнце и с колокольни сорвался первый, самый как будто тяжкий и великолепный удар, потрясший всю морозную Москву, и композитор вдруг сорвал с себя шапку и что есть силы, со слезами закричал на всю площадь:

— Солнце мое! Возлюбленная моя! Ура-а!

В. В. Набоков
РОЖДЕСТВЕНСКИЙ РАССКАЗ

Наступило молчанье. Антон Голый, безжалостно освещенный лампой, молодой, толстолицый, в косоворотке под черным пиджаком, напряженно потупясь, стал собирать листы рукописи, которые он во время чтенья откладывал как попало. Его пестун, критик из «Красной Яви», смотрел в пол, хлопая себя по карманам в поисках спичек. Писатель Новодворцев молчал тоже, но его молчанье было другое — маститое. В крупном пенснэ, чрезвычайно лобастый, с двумя полосками редких темных волос, натянутых поперек лысины, и с сединой на подстриженных висках, он сидел, прикрыв глаза, словно продолжал слушать, скрестив толстые ноги, защемив руку между коленом одной ноги и подколенной косточкой другой. Уже не в первый раз к нему приводили вот таких угрюмых истовых сочинителей из крестьян. И уже не в первый раз ему брезжил в их неопытных повестях отсвет — до сих пор критикой не отмеченный — его собственного двадцатипятилетнего творчества; ибо в рассказе Голого неловко повторялась его же тема, тема его повести «Грань», написанной с волнением и надеждой, напечатанной в прошлом году и ничего не прибавившей к его прочной, но тусклой славе.

Критик закурил, Голый, не поднимая глаз, совал рукопись в портфель, — но хозяин продолжал молчать, — не потому, что не знал, как оценить рассказ, а потому, что робко и тоскливо ждал, что критик, быть может, скажет те слова, которые ему, Новодворцеву, неудобно сказать: тема, мол, взята новодворцевская, Новодворцевым внушен этот образ молчаливого, бескорыстно преданного своему делу рабочего, который не образованьем, а какой-то нутряной, спокойной мощью одерживает психологическую победу над злобным интеллигентом. Но критик, сгорбившись на краю кожаного дивана, как большая печальная птица, — безнадежно молчал.

Тогда Новодворцев, поняв, что и нынче желанных слов не услышит, и стараясь сосредоточить мысль на том, что все-таки к нему, а не к Неверову привели начинающего писателя на суд, переменил положение ног, подсунул другую руку и, деловито сказав «так-с», глядя на жилу, вздувшуюся у Голого на лбу, стал тихо и гладко говорить. Он говорил, что рассказ крепко сделан, что чувствуется сила коллектива в том месте, где мужики на свои средства начинают строить школу, что в описании любви Петра к Анюте есть какие-то промахи слога, но слышится зов весны, зов здоровой похоти, — и все время, пока он говорил, ему почему-то вспоминалось, как недавно он послал тому же критику письмо, в котором напоминал, что в январе исполняется двадцать пять лет его писательской деятельности, но что он убедительно просит никаких чествований не устраивать, ввиду того что еще продолжаются для Союза годы интенсивной работы...

— А вот интеллигент у вас не удался, — говорил он. — Не чувствуется настоящей обреченности...

Но критик молчал. Это был костлявый, расхлябанный, рыжий человек, страдающий, по слухам, чахоткой, но на самом деле, вероятно, здоровый как бык. Он ответил, письмом же, что одобряет такое решение, и на этом дело и кончилось. Должно быть, в виде тайной компенсации привел Голого... И Новодворцеву стало вдруг так грустно — не обидно, а просто грустно, — что он осекся и начал платком протирать стекла, и глаза у него оказались совсем добрыми.

Критик встал.

— Куда же вы, еще рано... — сказал Новодворцев, но встал тоже.

Антон Голый кашлянул и прижал портфель к боку.

— Писатель из него выйдет, это так, — равнодушно сказал критик, блуждая по комнате и тыкая в воздухе потухшей папиросой. Напевая вполголоса, сквозь зубы, с зыкающим звуком, он повис над письменным столом, затем постоял у этажерки, где добротный «Капитал» жил между потрепанным Леонидом Андреевым и безымянной книгой без корешка; наконец, все той же склоняющейся походкой подошел к окну, отодвинул синюю штору.

— Заходите, заходите, — говорил Новодворцев Антону Голому, который отрывисто кланялся и потом браво расправлял плечи. — Вот напишете еще что-нибудь — принесите.

— Масса снегу навалило, — сказал критик, отпустив штору. — Сегодня, кстати, Сочельник.

Он стал вяло искать пальто и шапку.

319

— Во время оно, в сей день, ваша братия строчила рождественские фельетончики...

— Со мной не случалось, — сказал Новодворцев.

Критик усмехнулся:

— Напрасно. Вот бы написал рождественский рассказ. По-новому.

Антон Голый кашлянул в кулак.

— А у нас, — начал он хриплым басом и опять прочистил горло.

— Я серьезно говорю, — продолжал критик, влезая в пальто. — Можно очень ловко построить. Спасибо... Уже...

— А у нас, — сказал Антон Голый, — был такой случай. Учитель. Вздумал на праздниках ребятам елку. Устроить. Нацепил сверху. Красную звезду.

— Нет, это не совсем годится, — сказал критик. — В рассказике это выйдет грубовато. Можно острее поставить. Борьба двух миров. Все это на фоне снега.

— Вообще с символами нужно осторожнее обращаться, — хмуро сказал Новодворцев. — Вот у меня есть сосед — препорядочный человек, партийный, активный... А все-таки так выражается: «Голгофа пролетариата»...

Когда гости ушли, он сел к письменному столу, подпер ухо толстой белой рукой. Около чернильницы стояло нечто вроде квадратного стакана с тремя вставками, воткнутыми в синюю стеклянную икру. Этой вещи было лет десять—пятнадцать, — она прошла через все бури, миры вокруг нее растряхивались, — но ни одна стеклянная дробинка не потерялась. Он выбрал перо, придвинул лист бумаги, подложил еще несколько листов, чтобы было пухлее писать...

— Но о чем? — громко сказал Новодворцев и ляжкой отодвинул стул, зашагал по комнате. В левом ухе нестерпимо звенело.

«А ведь этот скот нарочно сказал», — подумал он и, словно проделывая в свой черед недавний путь критика по комнате, пошел к окну.

«Советует... Издевательский тон... Вероятно, думает, что оригинальности у меня больше нет... Вот закачу в самом деле рождественский рассказ... Потом будет сам вспоминать, печатно: захожу я к нему однажды и так, между прочим, говорю: „Изобразили бы вы, Дмитрий Дмитриевич, борьбу старого и нового на фоне рождественского, в кавычках, снега. Продолжали бы до конца ту линию, которую вы так замечательно провели в «Грани», — помните сон Туманова? Вот эту линию... И в эту ночь родилось то произведение, которое...“».

Окно выходило во двор. Луны не было видно... нет, впрочем, вон там сияние из-за темной трубы. Во дворе были сложены дрова, покрытые светящимся ковром снега. В одном окне горел зеленый колпак лампы, кто-то работал у стола; как бисер, блестели счеты. С краю крыши вдруг упали, совершенно беззвучно, несколько снежных комьев. И опять — оцепенение.

Он почувствовал ту щекочущую пустоту, которая всегда у него сопровождала желание писать. В этой пустоте что-то принимало образ, росло. Рождество, новое, особое. Этот старый снег и новый конфликт...

За стеной он услышал осторожный стук шагов. Это вернулся к себе сосед, скромный, вежливый, — коммунист до мозга костей. С чувством беспредельного упоения, сладкого ожидания, Новодворцев снова присел к столу. Настроение, краски зреющего произведения уже были. Оставалось только создать остов, — тему. Елка — вот с чего следовало начать. Он подумал о том, что, вероятно, в некоторых домах бывшие люди, запуганные, злобные, обреченные (он их представил себе так ясно...), украшают бумажками тайно срубленную в лесу елку. Этой мишуры теперь негде купить, елок не сваливают больше под тенью Исакия...

Мягкий, словно в суконце обернутый стук. Дверь открылась на вершок. Деликатно, не просовывая головы, сосед сказал:

— Попрошу у вас перышко. Лучше тупое, если есть...

Новодворцев дал.

— Бладасте, — сказал сосед и бесшумно затворил дверь.

Этот незначительный перерыв как-то ослабил образ, который уже созревал. Он вспомнил, что в «Грани» Туманов жалеет о пышности прежних праздников. Плохо, если получится только повторение. Некстати пронеслось и другое воспоминание. Недавно, на одном вечере, какая-то дамочка сказала своему мужу: «Ты во многом очень похож на Туманова». Несколько дней он был очень счастлив. А потом с этой дамочкой познакомился, и оказалось, что Туманов — жених ее сестры. И это был не первый обман. Критик один сказал ему, что напишет статью о «тумановщине». Что-то было бесконечно лестное в этом слове, начинающемся с маленькой буквы. Но критик уехал на Кавказ изучать грузинских поэтов. А все же бывало и приятное. Такой перечень, например: Горький, Новодворцев, Чириков...

В автобиографии, приложенной к Полному собранию сочинений (шесть томов, с портретом), он описал, с каким трудом он, сын простых родителей, пробился в люди. На самом деле юность у него была счастливая. Хорошая такая бодрость, вера, успехи. Двадцать пять лет тому назад в толстом журнале появилась его первая повесть. Его любил Короленко. Он бывал арестован. Из-за него закрыли одну газету. Теперь гражданские его надежды сбылись. Среди молодых, среди новых он чувствовал себя легко, вольно. Новая жизнь была душе его впрок и впору. Шесть томов. Его имя известно. Но тусклая слава, тусклая...

Он скользнул обратно к образу елки — и вдруг, ни с того ни с сего, вспомнил гостиную в одном купеческом доме, большую книгу статей и стихов с золотым обрезом (в пользу голодающих), как-то связанную с этим домом, и елку в гостиной, и женщину, которую он тогда любил, и то, как все огни елки хрустальным дрожанием отражались в ее широко раскрытых глазах, когда она с высокой ветки отрывала мандарин. Это было лет двадцать, а то и больше тому назад, — но как мелочи запоминаются...

С досадой отвернулся он от этого воспоминания и опять, как всегда, вообразил убогие елки, которые, верно, сейчас украшают... Из этого не сделаешь рассказа, — но, впрочем, можно обострить... Эмигранты плачут вокруг елки, напялили мундиры, пахнущие нафталином, смотрят на елку и плачут. Где-нибудь в Париже. Старый генерал вспоминает, как бил по зубам, и вырезает ангела из золотого картона... Он подумал о генерале, которого действительно знал, который действительно был теперь за границей, — и никак не мог его представить себе плачущим, коленопреклоненным перед елкой...

— Но я на верном пути, — вслух произнес Новодворцев, нетерпеливо преследуя какую-то ускользающую мысль. И что-то новое, неожиданное стало грезиться ему. Европейский город, сытые люди в шубах. Озаренная витрина. За стеклом огромная елка, обложенная понизу окороками; и на ветках дорогие фрукты. Символ довольствия. А перед витриной, на ледяном тротуаре...

И, с торжественным волнением, чувствуя, что он нашел нужное, единственное, — что напишет нечто изумительное, изобразит, как никто, столкновение двух классов, двух миров, он принялся писать. Он писал о дородной елке в бесстыдно освещенной витрине и о голодном рабочем, жертве локаута, который на елку смотрит суровым и тяжелым взглядом.

«Наглая елка, — писал Новодворцев, — переливалась всеми огнями радуги».

ПРИМЕЧАНИЯ

В сборнике публикуются рассказы и повести русских писателей, объединенные темой Святок. Литературный жанр святочного рассказа генетически связан с народными легендами и быличками о борьбе человека с нечистой силой, о различных таинственных происшествиях, которые было принято рассказывать зимними праздничными вечерами.

Святки — период времени от Рождества Христова (25 декабря/7 января) до Крещения Господня (6/19 января), приуроченный к зимнему солнцевороту, открывающий народный солнечный год. Святочный цикл воспринимался как пограничный между старым и новым солнечным годом, как «плохое время», своего рода безвременье: старый год уходил, а новый только начинался. Верили, что в это время, когда граница между миром людей и враждебным им миром нечистой силы размыта, нечисть становится особенно опасной. Святки были насыщены различного рода обрядами, магическими действиями, запретами, гаданиями. С их помощью старались обеспечить благополучие на весь год, узнать свою судьбу, обезопасить себя от нечистой силы.

Эти представления нашли отражение в литературном святочном рассказе, история которого прослеживается с XVIII в.[1]

---

[1] Жанру святочного рассказа посвящена монография Е. В. Душечкиной «Русский святочный рассказ: Становление жанра» (СПб., 1995).

В рассказе «Жемчужное ожерелье» (1885) Н. С. Лесков так определил жанровые черты святочного рассказа: «От святочного рассказа непременно требуется, чтобы он был приурочен к событиям святочного вечера — от Рождества до Крещенья, чтобы он был сколько-нибудь фантастичен, имел какую-нибудь мораль, хоть вроде опровержения вредного предрассудка, и наконец — чтобы он оканчивался непременно весело. <...> ...он должен быть *истинное происшествие!* (курсив Лескова. — *А. С.*)».

И вместе с тем «пестрота» сюжетной и философской наполненности святочных рассказов свидетельствует об отсутствии строгих жанровых требований. Произведения, включенные в данное издание, демонстрируют многообразие авторских подходов к святочной тематике[1].

В. И. Панаев

ПРИКЛЮЧЕНИЕ В МАСКАРАДЕ

Владимир Иванович Панаев (1792—1859) — поэт, прозаик, с 1841 г. академик по отделению русского языка и словесности. Литературная деятельность Панаева была разнообразна в жанровом отношении. Большим успехом пользовались идиллии Панаева, благодаря которым он снискал славу «русского Геснера». В 1820 г. поэзия Панаева была отмечена золотой медалью от Российской академии наук. В знак высочайшего признания он получил золотые часы от императрицы Елизаветы Алексеевны. В 1819—1820 гг. в журнале «Благонамеренный» увидели свет повести Панаева, основанные на остром авантюрном сюжете, одна из них и публикуется в настоящем издании.

Впервые: Благонамеренный. 1820. № 1. С. 3—20.

---

[1] См. также сборники: Петербургский святочный рассказ / Сост. Е. В. Душечкина. Л., 1991; Святочные рассказы / Сост. И. Н. Чугунова. СПб., 1992; Святочные истории / Сост. С. Ф. Дмитренко. М., 1992; Чудо рождественской ночи / Сост. Е. В. Душечкина, Х. Баран. СПб., 1993; Святочные рассказы / Сост. М. Кучерской. М., 1996; В ожидании чуда: Сб. СПб., 2006; и др.

Печатается по: Нечаянная свадьба: Русская новелла конца XVIII — начала XIX века. М., 1991. С. 77—85.

С. 5. *По мертвом как ни плач, а он уже не встанет...* — Из басни А. Е. Измайлова «Молодая вдова» (1812).

С. 6. *«Увидя в зеркале, что траур ей к лицу...»* — Из той же басни А. Е. Измайлова.

С. 7. *...публичному гульбищу...* — Место народного гуляния.

...играли в кружок... — Возможно, имеется в виду хоровод.

Веревочка — свадебная игра. Участники игры становятся в круг, взявшись руками за веревку, концы которой связаны. В центре круга становится круговой — сваха или сват. Каждому участнику круговой либо поет песню, либо рассказывает побасенку, чтобы таким образом определить его характер. Участник должен отвечать круговому улыбкой и похвалой, независимо от полученной характеристики. Круговой старается заметить среди участников скучающего, чтобы, подкараулив, ударить его по руке; тогда этот участник меняется с круговым местами и заводит свои россказни.

Мыза — загородный дом, дача.

...ехать на Крестовский... — Крестовский остров был популярным местом народных гуляний.

...на известный великолепный праздник в Петергоф... — При Александре I началась традиция знаменитых петергофских гуляний, приуроченных к 22 июля — дню тезоименитства его матери — императрицы Марии Федоровны.

Ласкательство (устар.) — лесть, угодничество.

А. А. Бестужев-Марлинский

СТРАШНОЕ ГАДАНЬЕ

Александр Александрович Бестужев (псевдоним — *Марлинский*; 1797—1837) — поэт, прозаик, публицист, декабрист. В 1820-е гг. гвардейский офицер, член «Вольного общества любителей российской словесности». В 1823—

1825 гг. вместе с К. Ф. Рылеевым издавал альманах «Полярная звезда» (одно из самых успешных литературных предприятий того времени). За участие в заговоре декабристов был сослан в Сибирь, в 1829 г. переведен на Кавказ рядовым, с правом выслуги. Участвуя во многих сражениях (за отличие в 1835 г. был произведен в прапорщики), Бестужев не оставлял литературную деятельность. Его повести «Испытание», «Лейтенант Белозор», «Страшное гаданье», «Аммалат-Бек», «Фрегат Надежда» и др. пользовались огромной популярностью. Романтическая проза Бестужева-Марлинского дала название особому литературному стилю — «марлинизму». Погиб в бою с горцами в 1837 г. у мыса Адлер.

Впервые: Московский телеграф. 1831. № 5. С. 36—65; № 6. С. 183—210.

Печатается по: Русская фантастическая повесть эпохи романтизма. М., 1987. С. 99—130.

С. 16. *Лутковский Петр Степанович* (ок. 1800—1882) — морской офицер, друг М. А. и А. А. Бестужевых, близкий к декабристам.

С. 19. *Верста* — старая русская мера длины, равная примерно 1,06 км.

Китайка — тонкая шелковая или хлопчатобумажная ткань, первоначально привозившаяся из Китая.

С. 25. *Кика* — праздничный головной убор замужних женщин в виде твердой цилиндрической шапки, с небольшими лопастями, прикрывавшими уши.

Подкосник (косник) — украшение-подвеска, закреплявшаяся в конце девичьей косы.

Галунный — обшитый дорогой тесьмой, с серебряной или золотой нитью.

С. 31. *Сибирка* — мужская верхняя одежда из сукна в виде короткого кафтана в талию, со сборками.

...по откупам... — Откупом называлось приобретавшееся за определенный денежный взнос в государственную казну монопольное право на торговлю какими-либо товарами или на взыскание налогов с подобной торговли (например, с продажи алкогольных напитков).

С. 32. *Штоф* — четырехгранная бутыль с коротким горлом, вмещающая примерно 1,2 л.

Аршин — старая русская мера длины, равная 71,12 см.

С. 36. *«Красавица озера»* — точнее, «Дева озера», поэма В. Скотта (1810).

С. 38. *Иванов день* — 24 июня / 7 июля. Православная церковь в этот день отмечает великий праздник — рождество Иоанна Крестителя. В народе этот день называют Иван Купала, Иван Травник.

С. 41. *Барская барыня* — приближенная к помещице служанка.

С. 43. *Престольный праздник* — праздник, установленный в память о святом или событии, в честь которого назван сельский храм и церковные приделы.

М. П. Погодин

ВАСИЛЬЕВ ВЕЧЕР

Михаил Петрович Погодин (1800—1875) — историк, писатель, журналист, собиратель российских древностей, с 1841 г. академик Петербургской академии наук. В 1825 г. защитил магистерскую диссертацию «О происхождении Руси» (1825), в которой обосновывал норманнскую теорию возникновения русской государственности. Эту точку зрения отстаивал и впоследствии. В 1826—1844 гг. профессор Московского университета. В конце 1820-х гг. издавал журнал «Московский вестник». Оставив в 1844 г. службу, Погодин сосредоточился на кабинетных занятиях, в том числе на издании основанного им в 1841 г. совместно с С. П. Шевыревым журнала «Москвитянин», был редактором и других периодических изданий. Автор исторической драмы «Марфа Посадница» (1830), а также ряда бытовых повестей.

Впервые: Телескоп. 1831. Ч. I. № 2. С. 180—196; № 3. С. 311—325; № 4. С. 515—544.

Печатается по: Русская готическая проза: В 2 т. М., 1999. Т. 1. С. 57—84.

С. 60. *Васильев вечер* — канун Васильева дня (первого дня Нового года), отмечавшийся 31 декабря / 13 января.

1/14 января Православная церковь чтит память святителя Василия Великого, архиепископа Кесарийского.

Пенник — крепкое хлебное вино.

Гулючки (кулючки) — то же, что прятки.

Жгуты. — Во время этой игры участники садятся на полу в кружок. В середине лежит шапка, которую надо достать, а за спинами игроков ходит водящий с жгутом. Когда кто-то из участников протягивает руку за шапкой, водящий («жгутовка») бьет его жгутом. Водящий может изловчиться и надеть шапку на одного из участников, который с этого момента должен водить. Если участнику удалось достать шапку, он может расправиться со «жгутовкой».

Носки. — По-видимому, имеется в виду игра в мяч (вязаный носок, набитый тряпочками, крупой и т. д.).

С. 62. *Сиди, ящер, в ореховом кусте...* — Слова хороводной песни, которая исполнялась во время игры (не во время гаданий, как в повести Погодина) в «Ящера» («Яшу»): «Ящер» (юноша, мальчик) вызывает к себе по очереди всех девушек из хоровода, пока вновь не соберет весь хоровод.

С. 66. *Петров день* — 29 июня / 12 июля; в этот день Православная церковь отмечает великий праздник — день святых первоверховных апостолов Петра и Павла.

С. 69. *В неделю молодые собрались...* — Молодые отправляются в путь в конце декабря (т. е. либо в предсвяточные дни, либо в период Святок), однако далее в тексте повести говорится: «Ночь холодная, осенняя...»

С. 72. *Исполать (устар.)* — хвала, слава.

С. 73. *Ендова* — деревянная или металлическая чаша овальной формы с носиком и короткой рукояткой для подачи к столу хмельных напитков.

Перед нашими вороты... — В песне бурлаки обманывают девицу, посулив ей «горы золотые» (вариант этой песни см.: *Соболевский А. И.* Великорусские народные песни: В 7 т. СПб., 1895—1907. Т. 1. С. 321—322. № 244).

С. 76. *Стругал стружки добрый молодец...* — В песне брат сжигал тело сестры на костре, а прах развеял «по чисту полю» (Там же. Т. 1. С. 192—193. № 134).

С. 83. *...накануне Благовещенья или Светлого воскресенья?* — Т. е. накануне 25 марта / 7 апреля (Благовещения Пресвятой Богородицы) или Пасхи.

С. 90. — *Того барина, что в Синькове живет, Ивана Григорьевича, — знаем.* — Ранее этот персонаж звался Василием Демидовичем.

С. 96. *Миколин день* — т. е. Николин день, праздник православного календаря, установленный в честь св. Николая Мирликийского (Николая Чудотворца) и отмечаемый 9/22 мая (Никола Вешний) и 6/19 декабря (Никола Зимний).

С. 107. *Насилу дописал.* — Неточная цитата из стихотворной сказки И. И. Дмитриева «Причудница» (1794); сказка Дмитриева заканчивается словами: «Насилу досказал».

В. Ф. Одоевский

НОВЫЙ ГОД

Владимир Федорович Одоевский (1803—1869) — князь, писатель, философ, педагог, музыковед и общественный деятель. В 1824—1825 гг. вместе с В. К. Кюхельбекером издавал альманах «Мнемозина»; позднее служил в ведомстве иностранных исповеданий, редактировал «Журнал Министерства внутренних дел». В 1846 г. был назначен помощником директора Императорской публичной библиотеки и директором Румянцевского музея. С 1861 г. сенатор в Москве. Одоевский — автор философских статей и художественных произведений. Он выступал и в жанре дидактической повести, и в жанре философской фантастической новеллы. Его цикл из десяти новелл, обрамленных философскими беседами, «Русские ночи» (1844) стал важной вехой в истории русского романтизма 1830-х гг., подведением итогов идейных исканий целого поколения. С середины 1840-х гг. Одоевский отошел от литературного творчества.

Впервые: Литературные прибавления к «Русскому инвалиду». 1837. 2 января. № 1. С. 4—6, подпись: Безгласный. Позднее включен Одоевским в серию бытовых повестей «Домашние разговоры». Рассказ датирован 1831 г.

Печатается по: *Одоевский В. Ф.* Сочинения: В 2 т. М., 1981. Т. 2.

С. 109. *Целковый* — серебряный рубль.

...вино из ренскового погреба... — т. е. из магазина, торгующего виноградными винами; ренское — белое полусухое вино из винограда, выращиваемого на среднем течении Рейна.

С. 110. *Жженка* — горячий напиток из рома или коньяка, пережженного с сахаром, с добавлением фруктов и пряностей.

Сажень — старая русская мера длины, равная примерно 2,13 м.

...чтоб наше пиршество больше приближалось к лукуллову. — Выражение «лукуллов пир» связано с именем римского полководца и богача Луция Лициния Лукулла (ок. 117 — ок. 56 до н. э.), чьи роскошные пиры, расточительство и обжорство вошли в поговорку.

С. 111. *...на тонких философских диспутах портика или академии...* — Речь идет о древнегреческих философских школах. *Портик* — школа стоиков, возникшая в IV в. до н. э. и получившая название от места в Афинах («стоя» — портик храма), где ее основатель Зенон проповедовал свое учение. *Академия* — название школы, основанной ок. 387 г. до н. э. Платоном близ Афин.

С. 119. *Адрес-календарь* (адресная книга) — постоянно выходившие в обеих столицах списки жителей города, государственных чинов, членов известных профессий или сословий и т. п.

Зельцерская (зельтерская, сельтерская) *вода* — получила название по минеральному источнику Нидерзельтерс; в России так называли вообще минеральную воду.

В. И. Даль

АВСЕНЬ

Владимир Иванович Даль (1801—1872) — писатель, врач, лексикограф, этнограф, автор знаменитого «Толкового словаря живого великорусского языка». Его литературный дебют состоялся в 1830 г. Широкую известность В. И. Далю принес сборник «Русские сказки» (1832), опубликованный под псевдонимом Казак Луганский; далее последовали «Были и небылицы» (1833—1839) и др. В 1840-е гг. писал рассказы и очерки, близкие к «натуральной школе» («Уральский казак», «Чухонцы в Питере», «Денщик», «Петербургский дворник» и др.). В разное время им созданы и сборники рассказов для народного чтения. Интерес Даля к фольклору — преданиям, поверьям и сказкам — нашел отражение во многих его произведениях.

Впервые: Москвитянин. 1848. Ч. 1. № 2. С. 129—142.

Печатается по: Сочинения В. И. Даля: В 8 т. СПб., 1861. Т. 2. С. 308—315.

С. 120. *Авсень* — одно из названий Васильева вечера. По предположению В. И. Даля, слово «авсень» происходит от «овесень» — встреча весны (*Даль В. И.* Толковый словарь живого великорусского языка: В 4 т. М., 1955. Т. 1. С. 4.): до 1492 г. Новый год встречали 1 марта, затем 1 сентября, и только с 1700 г. по указу Петра I Новый год в России празднуют 1 января.

...Васильев, или богатый вечер... — Васильев вечер также называют щедрым: с наступлением сумерек группы молодежи (щедровальники) обходили дома и пели песни с пожеланиями счастья, здоровья и процветания, за что получали вознаграждение.

С. 121. *Поднизь* — бахрома или сетка из нанизанного жемчуга, бисера на женском головном уборе.

Подблюдные песни — песни сопровождавшие святочные гадания. Девушки складывали кольца в блюдо и накрывали его платком. Кольца вынимали из блюда под пение песен: очередной куплет давал владелице кольца ответ о ее будущем.

Ширинка — платок.

...хоронить золото... — т. е. гадать при помощи кольца. Гадание сопровождалось исполнением песни «Я золото хороню...», известной в разных вариантах. Участники игры садятся или становятся в ряд, а двое играющих ходят около них. Первый останавливается у каждого участника и делает вид, что отдает ему кольцо; второй должен отгадать, кому кольцо отдано. Тот, кто отгадает, будет сам прятать кольцо, у кого кольцо найдено — становится угадывающим.

С. 123. *Кисейный* — из кисеи, легкой прозрачной хлопчатобумажной ткани.

Шандал — подсвечник.

С. 124. *Сибирка* — см. примеч. к повести А. А. Бестужева-Марлинского «Страшное гаданье».

Голица — кожаная рукавица без подкладки.

С. 125. *Кладка* — подарок невесте от родителей жениха, ее материальное обеспечение (деньги, вещи, обувь, продукты). О размере кладки договаривались во время сватовства, а во время сговора жених должен был положить деньги и подарки на стол.

С. 126. *Коты* — женские кожаные глубокие туфли с округлыми носками, на жесткой высокой подошве, с широкими каблуками.

Д. В. *Григорович*

ПРОХОЖИЙ

Дмитрий Васильевич Григорович (1822—1899) — писатель. Широкую известность Григоровичу принес «физиологический» очерк «Петербургские шарманщики», увидевший свет в изданном Н. А. Некрасовым сборнике «Физиология Петербурга» (1845), за которым последовали повести о крестьянстве «Деревня» и «Антон-Горемыка». Был постоянным сотрудником журнала «Современник». В середине 1860-х гг. оставил литературу и вернулся к писательству только в 1880-е гг. («Гуттаперчевый мальчик», 1883). Поддерживал молодых писателей (в том числе А. П. Чехова). В последние годы жизни работал над «Литературными воспоминаниями».

Впервые: Москвитянин. 1851. № 1.

Печатается по: *Григорович Д. В.* Сочинения. В 3 т. Т. 1: Повести и рассказы (1844—1852). М., 1988.

С. 129. *Васильев вечер* — см. примеч. к повести М. П. Погодина «Васильев вечер».

С. 131. *Калека* (калика) *перехожая* — нищий паломник, странник, исполняющий духовные стихи.

С. 133. *Пришипиться* — присмиреть.

С. 134. *Хозяин в дому — как Адам в раю...* — Так называемое виноградье — песня-величание, исполнявшаяся во время Святок колядовщиками (славильщиками).

Олябышки — круглые пирожки из кислого (дрожжевого) теста.

С. 137. *Чанны ворота* — ворота с калиткою, со столбами и крышей, украшенные резьбой. *Посконный* — из поскони (конопли).

Авсень — см. примеч. к повести В. И. Даля.

С. 141. *Шаламберничать* (шалберничать) — повесничать, шататься без дела.

С. 142. *Понява* (панёва) — женская шерстяная юбка, которую носили крестьянки в южных губерниях России.

Коты — см. примеч. к повести В. И. Даля «Авсень».

...нанизанные бисером подзатыльники... — т. е. часть женского головного убора, широкая оборка, закрывающая волосы на затылке.

С. 144. *Четверговая соль* — соль, приготовленная в ночь со среды на Чистый четверг Страстной недели или утром в Чистый четверг и обладающая очистительной силой. Способов приготовления четверговой соли было множество: можно было освятить соль в в церкви, поставить солонку с солью на божнице, пережечь соль на огне и др.

Иванов день — см. примеч. к повести А. А. Бестужева-Марлинского «Страшное гаданье».

Чернобыльник — полынь.

С. 145. *Позыватка* — так называли пожилых женщин, которые звали девушек на святочные посиделки, святочные гадания. Кроме того, позыватка высматривала невест. Получив от девушки подарки и угощения, позыватка ходила по домам, где были женихи, и расхваливала невесту.

С. 153. *Ластовица* — четырехугольная вставка под мышкой рубахи.

С. 155. *Охлестыш* — обитый кнут или хлыст.

С. 157. *За дубовы столы...* — Из стихотворения А. В. Кольцова «Сельская пирушка» (1830).

С. 160. *...положу лоском!* — наповал.

С. 161—162. *Кутузов... возьми себе за услуги твои Смоленское... возьми уж, говорит, и Голенищева в придачу!* — Титул князя Смоленского был пожалован М. И. Кутузову в декабре 1812 г. за заслуги в Отечественной войне. Голенищев-Кутузов — родовая фамилия М. И. Кутузова.

С. 164. *Трафилось* — случалось, приходилось.

С. 182. *Талантливый* — удачливый, счастливый.

С. 187. *Серенка* (серянка) — серная спичка.

С. 189. *Зерно бурмицкое* (бурмитское) — крупная жемчужина.

С. 190. *Околоток* — здесь: окрестность, округа.

С. 195. *Александрийская рубаха* — из александрейки, красной бумажной ткани с прониткою другого цвета.

Коленкоровый — накрахмаленная хлопчатобумажная ткань.

Г. П. Данилевский

МЕРТВЕЦ-УБИЙЦА

Григорий Петрович Данилевский (1829—1890) — писатель и публицист. По окончании Петербургского университета служил в Министерстве народного просвещения. Дебютировал как поэт и прозаик в середине 1840-х гг.; выделялись очерки, посвященные описанию родной Данилевскому Украины. Был знаком с Гоголем, которому отчасти подражал. После 1857 г. жил в своем имении в Харьковской губернии, много занимался народным просвещением. В повестях и романах описывал нравственный распад поместного дворянства накануне реформ («Село Скоропановка»), массовое бегство крепостных в предреформенное время в Приазовье («Беглые в Новороссии»). В 1870-е гг. служил в Главном управлении по делам печати, был редактором газеты «Правительственный вестник». В это время сосредоточился на исторической тематике; получил доступ к секретным архивным документам. Романы «Мирович» (1875), «Княжна Тараканова» (1883) и «Сожженная Москва» (1886) принесли Данилевскому широкую известность, в том числе и за границей, они переиздаются до сих пор. В 1879 г. объединил несколько своих повестей («безгрешных сказок о привидениях, явлениях духов и прочей бесовщине») в цикл «Святочные вечера»; одна из этих повестей публикуется в настоящем издании.

Печатается по: Сочинения Г. П. Данилевского: В 24 т. 8-е. изд. СПб., 1901. Т. 19. С. 6—11.

С. 200. *Вяземский* Александр Алексеевич (1727—1793) — один из доверенных сановников Екатерины II, с 1764 г. — генерал-прокурор Сената.

Шешковский Степан Иванович (1727—1794) — в эпоху Екатерины II глава Тайной экспедиции при Сенате; сыщик и следователь, занимавшийся розыском по поручениям императрицы (в том числе по делу Радищева); тайный советник и кавалер ордена Святого Владимира 2-й степени (1791).

С. 201. *Дидерот (Дидро)* Дени (1713—1784) — французский философ-просветитель, писатель и драматург, один из создателей «Энциклопедии, или Толкового словаря наук, искусств и ремесел» (1751). В 1773—1774 гг. по приглашению Екатерины II жил в России.

София Алексеевна (1657—1704) — дочь царя Алексея Михайловича, правительница России в 1682—1689 гг.

Никита Пустосвят (Никита Константинович Добрынин, ум. 1682) — суздальский священник, противник церковной реформы патриарха Никона. Казнен на Лобном месте. Признается «столпом веры» у старообрядцев.

С. 202. *Скуфейка* (скуфья) — у православного белого духовенства: остроконечная бархатная черная или фиолетовая мягкая шапочка.

Кого же хочет мир? — Имеется в виду крестьянская община.

С. 203. *Киса* — кошелек, кисет.

Ф. М. Достоевский

МАЛЬЧИК У ХРИСТА НА ЕЛКЕ

Федор Михайлович Достоевский (1821—1881) — великий русский писатель. Начинал в середине 1840-х гг. с «гуманных повестей» («Бедные люди», «Белые ночи»), близких к «натуральной школе». В молодости — социалист-утопист, участник кружка петрашевцев. В 1849—1859 гг. находился на каторге и в ссылке. После возвращения придерживался консервативных политических взглядов, был основателем движения «почвенников». Поздние романы Достоевского (так называемое «Пятикнижие») в XX в. были признаны классикой русской и мировой литературы. В рассказе «Мальчик у Христа на елке» Достоевский развивает важную для него тему безвинных страданий ребенка. Рассказ стал одним из главных рождественских текстов в русской литературе; после смерти Достоевского неоднократно переиздавался, в том числе выходил отдельными изданиями, предназначенными для детского чтения.

Впервые: Дневник писателя за 1876 г. Январь. СПб., 1876. С. 9—12.

Печатается по: *Достоевский Ф. М.* Полное собрание сочинений: В 30 т. Т. 22. М., 1981. С. 14—17.

С. 210. *...другие задохлись у чухонок, от воспитательного дома на прокормлении...* — Воспитательными домами назывались приюты для незаконнорожденных детей и сирот. Нередко из воспитательного дома ребенок попадал в бедную крестьянскую семью, рассчитывающую получать на него содержание от казны.

...во время самарского голода... — В 1871—1873 гг. неурожаи, постигшие Самарскую губернию, вызвали сильнейший голод.

Н. С. Лесков

ПРИВИДЕНИЕ В ИНЖЕНЕРНОМ ЗАМКЕ

Николай Семенович Лесков (1831—1895) — автор таких широко известных произведений, как «Очарованный странник», «Леди Макбет Мценского уезда», «Сказ о тульском косом Левше и о стальной блохе» и др. Обращение Лескова к жанру святочного рассказа не было случайным: ему как знатоку народного быта были хорошо известны поверья, былички, сказки о столкновениях человека с нечистой силой, о многочисленных бесовских проказах во время Святок. Всего Лесковым написано более двадцати святочных рассказов. Первый из них — «Запечатленный ангел» (подзаголовок «Рождественский рассказ») — появился в 1873 г., последний — «Пустоплясы» — был создан писателем за два года до смерти, в 1893 г. В 1885 г. Лесков объединил двенадцать рассказов, среди них «Привидение в Инженерном замке», в сборник «Святочные рассказы».

Впервые: Новости и Биржевая газета. 1882. 5 и 6 ноября, под заглавием «Последнее привидение Инженерного замка». С измененным заглавием вошло в сборник «Святочные рассказы» (1886).

Печатается по: *Лесков Н. С.* Собрание сочинений: В 12 т. М., 1989. Т. 7. С. 44—56.

С. 212. *Инженерный* (Михайловский) *замок* — построен по заказу Павла I в 1797—1801 гг. (архитекторы В. И. Баженов, В. Ф. Бренна). Первоначальное название — Михайловский — замок получил по находящемуся в нем храму Михаила Архангела. Название Инженерный произошло от располагавшегося там с 1823 г. Главного (с 1855 г. Николаевского) инженерного училища. 1 февраля 1801 г. Павел I с семьей переехал в новый дворец, а в ночь с 11 на 12 марта 1801 года он был здесь убит.

...в новейшей русской книге г. Кобеко. — т. е. в книге Д. Ф. Кобеко «Цесаревич Павел Петрович» (СПб., 1882).

С. 215. *«Вкушая, вкусих мало меду и се аз умираю»* — цитата из Библии (1 Цар. XIV: 43). Эти слова произнес Ионафан, старший сын царя иудейского Саула, который запретил народу что-либо есть до тех пор, пока Саул не отомстит своим врагам. Не зная об этом запрете, Ионафан отведал меда и должен был умереть. Но народ освободил Ионафана.

С. 216. *В том 1859 или 1860 году умер в Инженерном замке начальник этого заведения, генерал Ламновский.* — Ламновский (Ломновский) Петр Карлович, военный инженер, генерал-лейтенант, с 1820-х гг. преподаватель, затем инспектор, с 1844 г. начальник Главного инженерного училища; умер 15 января 1860 г.

С. 219. *Молешотт Якоб* (1822—1893) — немецкий физиолог и философ, представитель вульгарного материализма. Имеется в виду его речь «Свет и жизнь».

С. 221. *З—ский* — очевидно, И. С. Запорожский, выпущенный из училища в 1864 г. и давший Лескову тему рассказа.

С. 225. *Кисея* — см. примеч. к повести В. И. Даля «Авсень».

С. 227. *...описание, сделанное поэтом Гейне для виденной им «таинственной женщины»...* — В книге «Le Grand» говорится о «старом заброшенном замке, где живут духи и где по ночам бродит дама в черном шелковом платье, без головы, с длинным шуршащим шлейфом» (Путевые картины. Идеи. Книга «Le Grand», гл. 10).

В. Г. Короленко

СОН МАКАРА

Владимир Галактионович Короленко (1853—1921) — прозаик, публицист и общественный деятель. В 1879 г. как «неблагонадежный» был арестован и шесть лет провел по тюрьмам, этапам и ссылкам. Там написал ряд рассказов («Чудная», «В дурном обществе», «Сон Макара», «Соколинец» и др.), которые вошли в сборник «Очерки и рассказы» (1886), принесший Короленко литературную известность. Рассказ «Сон Макара» написан в 1883. Прототипом главного героя стал амгинский крестьянин Захар Цыкунов, в избе которого жил ссыльный Короленко. Позже Захар так и рекомендовался: «„Я — сон Макара“, за что ему порой давали пятиалтынный...» — вспоминал В. Г. Короленко.

Впервые: Русская мысль. 1885. № 3. Март. С. 6—32.
Печатается по: *Короленко В. Г.* Рассказы. М., 1978. С. 84—109.

С. 232. *Торбаса* (*якут.* этэрбэс) — сапоги из шкуры оленя или нерпы, шерстью наружу.

С. 234. *Алас* (*якут.* алаас) — геологическое образование в почве, ложбина на месте вытаивания подземных льдов, усадки грунта и т. д.

С. 246. *Руга* — плата, жалованье духовенству от прихожан.

Треба — обряд, совершаемый священником по нужде («требованию») отдельных лиц. К ним относятся таинства (крещение, исповедь, причащение, елеосвящение, венчание), обряды отпевания, погребения, освящения и др. молитвенные чины, имеющие частный характер.

С. 265. *Крин сельный* — полевая лилия.

А. П. Чехов

САПОЖНИК И НЕЧИСТАЯ СИЛА

Антон Павлович Чехов (1860—1904) — писатель и драматург. Начинал свою литературную деятельность как сотрудник юмористических журналов («Будильник», «Стрекоза», «Осколки» и др.), отсюда и связь ранних чеховских произведений с традициями так называемой календарной словесности (периодические издания были ориентированы на актуальные события, сезонные темы). В 1880-е гг. Чехов обыгрывает святочную тематику в юмористическом ключе («Страшная ночь», «Ночь на кладбище», «То была она!» и др.). Самый известный святочный рассказ этого периода — «Ванька» (1886). Но и впоследствии, когда направление чеховского творчества изменится и он перейдет от юмора к «серьезу», сюжеты некоторых рассказов будут приурочены к Святкам («Мальчики», «Бабье царство», «На Святках»).

Впервые: Петербургская газета. 1888. № 355. 25 декабря. С. 2. Подпись: Ан. Чехов.

С изменениями вошло в Собрание сочинений Чехова, изданное А. Ф. Марксом (1899).

Печатается по: *Чехов А. П.* Полное собрание сочинений и писем: В 30 т. М., 1974—1983. Т. 7. С. 222—228.

А. И. Куприн

ТАПЕР

Александр Иванович Куприн (1870—1938) — писатель. Учился в военном училище, в течение четырех лет служил в пехотном полку в Подольской губернии. После выхода в отставку много странствовал по России, сменил множество профессий. Обратил на себя внимание рассказами и повестями «Молох», «Олеся», «В цирке» и др. В 1905 г. вышла повесть об армейских офицерах «Поединок», имевшая большой успех. К числу шедевров Куприна принадлежат рассказы и повести «Штабс-капитан Рыбников», «Гамбринус», «Гранатовый браслет», цикл очерков «Листригоны». Большой резонанс имела повесть «Яма» (1915). В 1919 г. эмигрировал, семнадцать лет прожил в Париже. В 1937 г., будучи тяжело болен, Куприн решил вернуться на родину.

Впервые: Одесские новости. 1900. № 5167. 25 декабря.
Печатается по: *Куприн А. И.* Собрание сочинений: В 9 т. М., 1964. Т. 2. С. 465—478.

С. 279. *...на высшие женские курсы.* — В Москве высшие женские курсы были учреждены в 1872 г. профессором Московского университета В. И. Герье.

С. 280. *...поездки на балаганы...* — *Балаганы* — постройка для театрализованных представлений на время праздничных народных гуляний.

С. 281. *Английский клуб* — привилегированный мужской клуб; в 1831—1917 гг. собрания клуба в Москве проходили во дворце графов Разумовских (современный адрес: Тверская улица, д. 21).

С. 282. *Посылали за тройками к Ечкину...* — Отделения товарищества «Ечкины» находились на Арбате и в Неглинном проезде. На конном подворье Ечкиных можно было взять в аренду упряжку лошадей сроком от одного дня до месяца.

...обедали в «Мавритании» или в «Стрельне»... — Ресторан «Мавритания» был построен в 1895 г. в Петровском парке (архитектор П. П. Зыков); каждый из десяти павильонов ресторана был оформлен в каком-либо национальном стиле. Неподалеку находился и ресторан «Стрельна», с эстрадой, бассейнами с живой рыбой, роскошным зимним садом. Любители покутить переходили из одного ресторана в другой.

Теперь очень хорошенькие портсигары продаются у Лукутина. — Речь идет о продукции фабрики лаковой миниатюры купцов П. В. и А. П. Лукутиных в селе Федоскино в Подмосковье.

...оркестр Рябова. — Рябов Степан Яковлевич (1832 — после 1899) — известный скрипач и дирижер, в 1875—1899 гг. служил в Большом театре, был постоянным дирижером бального оркестра московского Купеческого клуба, за свое искусство получил прозвище Московский Штраус. Оркестр Рябова считался лучшим бальным оркестром Москвы.

С. 286. *Башлык* — мужской головной убор, суконный или шерстяной остроконечный капюшон, с двумя длинными концами для обматывания вокруг шеи; его надевали в непогоду поверх какого-либо головного убора.

С. 288. *...на великолепном шредеровском фортепиано.* — Т. е. на фортепиано знаменитой немецкой фирмы Карла Шредера, с 1880 г. ставшего поставщиком инструментов для русского императорского двора.

Шагрень — мягкая козья или овечья кожа с характерным рисунком на неровной поверхности.

С. 290. *...звуки марша из «Фауста»...* — Имеется в виду опера Ш. Гуно (1869).

С. 294. *Рубинштейн Антон Григорьевич* (1829—1894) — композитор, пианист, дирижер, педагог. По его инициативе была открыта Санкт-Петербургская консерватория (первая в России), директором которой он был в 1862—1867 и в 1887—1891 гг.

А. С. Грин

НОВОГОДНИЙ ПРАЗДНИК ОТЦА И МАЛЕНЬКОЙ ДОЧЕРИ

Александр Степанович Грин (наст. фам. Гриневский; 1880—1932) — прозаик и поэт. В юности много скитался, сменил множество профессий. В 1902 г. сблизился с эсерами, вел подпольную революционную работу, сидел в тюрьме, бежал из ссылки. В 1907 г. в печати появился первый рассказ, подписанный «А. С. Грин». Постепенно нашел свой стиль — так называемый неоромантизм, создав свой собственный мир (Лисс, Зурбаган, Гель-Гью), герои которого — мужественные и свободные люди. В советское время жил в Крыму, опубликовал ряд книг, некоторые из которых («Алые паруса», «Бегущая по волнам») признаны классикой детской литературы.

Впервые: Красная газета. 1922. 30 декабря.

Печатается по: *Грин А. С.* Собрание сочинений: В 6 т. М., 1980. Т. 6.

М. М. Зощенко
СВЯТОЧНАЯ ИСТОРИЯ

Михаил Михайлович Зощенко (1894—1958) — писатель. Окончил гимназию в Петербурге, учился на юридическом факультете Петербургского университета (исключен). В 1915 г. ушел добровольцем в армию, участвовал в Первой мировой войне (штабс-капитан), награжден боевыми орденами. После Октябрьской революции перешел на сторону советской власти, сменил множество профессий. Литературный дебют Зощенко состоялся в 1922 г., был членом литературной группы «Серапионовы братья». Короткие рассказы Зощенко, изображавшие мир обывателей, были необыкновенно популярны в 1920—1930-е гг. Впоследствии обратился к крупной форме («Голубая книга», «Возвращенная молодость») и драматургии. В 1946 г. подвергся критике со стороны ЦК ВКП(б) и секретаря ЦК Жданова, за которой последовала травля. Восстановлен в Союзе писателей в 1953 г. В последние годы работал в журналах «Крокодил» и «Огонек».

Впервые: Бегемот. 1925. № 50. В переработанном виде вошел в «Голубую книгу» (1934—1935) под заглавием «Таинственная история, кончившаяся для одних печально, для других удовлетворительно».

Печатается по: *Зощенко М.* Собрание сочинений: В 6 т. Л.; М., 1929—1932. Т. 2. С. 76—78.

И. А. Бунин
ИДА

Иван Алексеевич Бунин (1870—1953) — писатель, первый русский нобелевский лауреат (1933). В юности писал стихи (первый сборник «Стихотворения» издан в 1891 г.), с середины 1890-х гг. обратился к прозе. Темы раннего творчества Бунина — оскудение дворянства («Антоновские яблоки», «Суходол»), дикость деревенских нравов («Деревня»), забвение нравственных основ жизни («Господин из Сан-Франциско»). Одна из важнейших для всего творчества Бунина — тема любви. Резкое неприятие Октябрьской революции выражено в книге «Окаянные дни». В 1920 г. эмигрировал, жил во Франции, где написаны роман «Жизнь Арсеньева», сборник «Темные аллеи» и др.

Впервые: Возрождение. (Париж). 1926. № 219. 7 января. В рукописи рассказ датируется 10/23 октября — 6/19 декабря 1925 г.

Печатается по: *Бунин И. А.* Собрание сочинений: В 9 т. Т. 5. М., 1966. С. 246—254.

С. 305. *...в Большом Московском.* — «Большой Новомосковский трактир» располагался на перекрестке Тверской улицы и Охотного ряда.

С. 306. *...оранжевый квадрат честера...* — Имеется в виду английский твердый сыр.

С. 307. *...запел он под машину, игравшую «Фауста»...* — Речь идет об опере Шарля Гуно «Фауст» (1859).

С. 311. *Николаевская шинель* — шинель с широким, до талии, воротником в виде пелерины.

С. 315. *Яр* — модный ресторан в Петровском парке.

«Стрельна» — см. примеч. к повести А. И. Куприна «Тапер».

В. В. Набоков

РОЖДЕСТВЕНСКИЙ РАССКАЗ

Владимир Владимирович Набоков (1899—1977) — русский писатель. Родился в аристократической семье, окончил Тенишевское училище в Петербурге и после эмиграции — Кембриджский университет. В 1922—1937 гг. жил в Берлине, написал ряд романов, объединенных темами утраченного рая и творческого дара («Машенька», «Защита Лужина», «Дар» и др.). После непродолжительного пребывания в Париже в 1940 г. уехал в Америку, начал писать на английском языке. Всемирную славу Набокову принес роман «Лолита» (1955). Последние семнадцать лет жизни писатель прожил в швейцарском городе Монтрё. Произведения Набокова стали печататься в России только в конце 1980-х гг.

Впервые: Руль. (Берлин). 1928. 25 декабря.

Печатается по: *Набоков В.* Собрание сочинений русского периода: В 5 т. Т. 2: 1926—1930. СПб., 2008. 530—538.

С. 319. *«Капитал»* — один из главных трудов К. Маркса по политической экономии, содержащий критику капитализма (1867).

С. 320. *Голгофа* — христианская святыня, возвышенное место, находившееся за городскими стенами Иерусалима, на котором был распят Иисус Христос.

С. 322. *...под тенью Исакия...* — т. е. Исаакиевского собора в Петербурге.

Чириков Евгений Николаевич (1864—1932) — русский писатель, драматург, публицист. С 1921 г. находился в эмиграции; умер в Праге.

А. Бессонова

СОДЕРЖАНИЕ

С 25   **Святочные** истории: Рассказы. — СПб.: Азбука, Азбука-Аттикус, 2012. — 352 с.

ISBN 978-5-389-02475-5

Святки — удивительный период времени: один год приходит на смену другому, и кажется, что возможно все. Эта необычная атмосфера праздника вселяет веру в возможность чуда. Святочные истории всегда пользовались успехом у читателей, к ним обращались и самые известные авторы.

В сборнике публикуются рассказы и повести русских писателей XIX—XX вв. — А. А. Бестужева-Марлинского, В. И. Даля, Д. В. Григоровича, А. П. Чехова, И. А. Бунина, В. В. Набокова и др., объединенные темой Святок. Н. С. Лесков дал одно из самых известных определений святочного рассказа: от него «непременно требуется, чтобы он был приурочен к событиям святочного вечера — от Рождества до Крещенья, чтобы он был сколько-нибудь фантастичен, имел какую-нибудь мораль, хоть вроде опровержения вредного предрассудка, и наконец — чтобы он оканчивался непременно весело... он должен быть *истинное происшествие*!». И вместе с тем «пестрота» сюжетной и философской наполненности святочных рассказов свидетельствуют об отсутствии строгих канонов: произведения, включенные в данное издание, демонстрируют разнообразие авторских подходов к святочной тематике.

УДК 882
ББК 84(2Рос-Рус)1

Литературно-художественное издание

СВЯТОЧНЫЕ ИСТОРИИ

Редактор Алла Степанова
Художественный редактор Валерий Гореликов
Технический редактор Мария Антипова
Корректоры Валерий Камендо, Людмила Ни
Верстка Алексея Соколова

Подписано в печать 09.09.2011. Формат издания $76 \times 100 \frac{1}{32}$.
Печать офсетная. Гарнитура «Петербург». Тираж 5000 экз.
Усл. печ. л. 15,51. Заказ № 8877.

ООО «Издательская Группа „Азбука-Аттикус"» —
обладатель товарного знака АЗБУКА®
119991, г. Москва, 5-й Донской проезд, д. 15, стр. 4

Филиал ООО «Издательская Группа „Азбука-Аттикус"»
в Санкт-Петербурге
196105, г. Санкт-Петербург, ул. Решетникова, д. 15

ЧП «Издательство „Махаон-Украина"»
04073, г. Киев, Московский пр., д. 6 (2-й этаж)

Отпечатано в соответствии с предоставленными материалами
в ЗАО «ИПК Парето-Принт», г. Тверь
www.pareto-print.ru

KAKB802801R